Penser à la mort
ne me fait plus mal.

VIVRE JUSQU'AU BOUT

Sous la direction de

Mario Proulx

avec

[Eric-Emmanuel SCHMITT, Jacques SALOMÉ, Matthieu RICARD, Yves QUENNEVILLE, David LE BRETON, Axel KAHN, Nago HUMBERT, Luce DES AULNIERS, Johanne DE MONTIGNY, Serge DANEAULT, Serge BOUCHARD, Nadine BEAUTHÉAC]

ISBN 978-2-89579-294-9
Dépôt légal –
Bibliothèque et Archives nationales du Québec, 2010
Bibliothèque et Archives Canada, 2010

Direction, Groupe d'édition et de presse: Jean-François Bouchard
Direction éditoriale: Yvon Métras
Révision: Jean Chapdelaine Gagnon, Pierre Guénette
Photo de la couverture: © iStockphoto
Mise en pages et couverture: Chalifour Design+Internet
Transcription des entretiens: Monique Deschênes

Bayard Canada Livres
4475, rue Frontenac
Montréal (Québec) H2H 2S2
Canada
www.bayardlivres.ca

Nous reconnaissons l'aide financière du gouvernement du Canada par l'entremise du Programme d'aide au développement de l'industrie de l'édition (PADIÉ) pour nos activités d'édition.

Bayard Canada Livres remercie le Conseil des Arts du Canada du soutien accordé à son programme d'édition dans le cadre du Programme de subventions globales aux éditeurs.

Conseil des Arts du Canada | Canada Council for the Arts

Cet ouvrage a été publié avec le soutien de la SODEC.
Gouvernement du Québec – Programme de crédit d'impôt pour l'édition de livres – Gestion SODEC.

Imprimé au Canada

Catalogage avant publication de Bibliothèque et Archives nationales du Québec et Bibliothèque et Archives Canada

Vedette principale au titre:

Vivre jusqu'au bout

Publ. en collab. avec: Radio-Canada, Première chaîne.

ISBN 978-2-89579-294-9

1. Mort - Aspect psychologique. 2. Malades en phase terminale - Psychologie.
3. Vie - Philosophie. 4. Vivre jusqu'au bout (Émission de radio). 5. Personnalités - Entretiens.
I. Proulx, Mario. II. Société Radio-Canada. Première chaîne.

BF789.D4V582 2010 155.9'37 C2009-942553-X

Préface

L'idée de *Vivre jusqu'au bout* est née en octobre 2008 pendant la diffusion de *Vivre autrement*, une série documentaire radio sur la santé. J'avais reçu un courriel d'un auditeur de Québec, M. Yvon Bureau, qui m'écrivait: «Vous devriez faire la suite de *Vivre autrement*, ce serait *Mourir autrement.*» Je me suis alors souvenu d'une entrevue que m'avait accordée quelques années auparavant Guy Frenette, un médecin en soins palliatifs, entrevue qui m'avait profondément touché. Puis, au fil des jours, j'ai réfléchi à cette étrange société à laquelle nous appartenons, qui entretient une aversion viscérale pour deux réalités pourtant fondamentales: le vieillissement et la mort. Nous préférons détourner le regard. Nos grands malades et nos vieillards sont souvent abandonnés à eux-mêmes ou à d'autres. On ira les voir le moins souvent possible, surtout vers la fin de leur vie, car bien sûr «il ne faut pas les déranger»! Dans notre vision matérialiste où la science médicale triomphe, la mort est un scandale, une absurdité, un non-sens. Elle est à l'origine du déni, de la fuite et de l'acharnement thérapeutique injustifié.

En outre, parce que nous avons peur de la mort, parce que nous avons honte et parce que nous vivons dans une société où seuls comptent la jeunesse, l'efficacité, le paraître et la performance, nous ne nous donnons même plus la peine d'offrir des rites funéraires décents aux disparus, dont les dépouilles sont souvent incinérées dans les vingt-quatre heures suivant le décès sans autre forme de cérémonie. Parfois, dans les jours ou les semaines qui suivent le décès, les proches se réunissent pour célébrer la mémoire du défunt dans le cadre d'une rencontre dénuée de sacré. On s'offre dans la bonne humeur une sorte de «bien cuit» privé de tout sens.

Pourtant, les rites sont essentiels, car ils permettent un passage et une prise de conscience de la réalité du départ, de l'arrachement. Les rites expriment l'appartenance du défunt à un ou plusieurs groupes : religion, famille ou confrérie. Ils permettent de resserrer les liens entre les vivants, d'exprimer les émotions ou de les contenir. Quant aux funérailles, ce sont des moments de retrouvailles et une occasion de se serrer les coudes dans un cadre de chants et de prières qui peuvent être religieux ou laïques. À cet égard, il faut souligner que les rites connaissent présentement une transformation souvent heureuse, qui correspond à l'évolution de notre société.

Toutefois, de manière générale, l'absence de sens caractérise notre monde face à la mort. Ce monde ne nous apprend pas à mourir. Tout est fait pour cacher la mort, pour qu'on vive sans y penser. C'est ainsi qu'on ne permet même plus aux endeuillés d'exprimer leur peine. Pour ne plus entendre leur douleur, on leur dira rapidement qu'il est temps de « tourner la page », de passer à autre chose, comme si cela allait de soi ! Les endeuillés perdent très rapidement le droit de vivre, d'exprimer et de partager leur douleur, au péril souvent de leur santé, physique et psychique.

À l'opposé, jamais je n'ai constaté autant d'humanisme, ni reçu autant de leçons de vie qu'auprès des médecins, infirmières, psychologues, pasteurs et bénévoles qui côtoient chaque jour des gens en fin de vie dans les unités hospitalières et dans les maisons spécialisées en soins palliatifs. En réalité, les grands malades sont dans la vérité, dans la pureté auxquelles sont ramenés des êtres humains délestés de tout ce qui n'est plus essentiel. Les derniers temps de la vie ont une très grande valeur. Ils sont l'occasion d'une profonde réflexion sur le sens de la vie. Ils sont d'une importance capitale, tant pour ceux qui s'en vont que pour ceux qui restent. C'est le temps des rapprochements, des derniers échanges et des adieux. C'est le temps de boucler la boucle. On refait les ponts, on demande pardon. Des rédemptions peuvent survenir, et des nœuds familiaux se dénouer. Loin d'être « déjà mort », le mourant s'efforce d'aller au bout de lui-même, avec un profond désir d'accomplissement dans sa vérité profonde.

Une psychologue, la Québécoise Johanne de Montigny, consacre une grande partie de sa vie à l'accompagnement des personnes en fin de vie. Son témoignage rempli de compassion m'a ouvert les yeux sur la nécessité de prendre contact avec la réalité de la mort, de la regarder bien en face et de tendre la main à ceux dont les jours sont comptés.

Cet ouvrage soulève des questions fondamentales pour notre société, concernant notamment le développement des soins palliatifs et le recours à l'euthanasie. Avec le moine bouddhiste Matthieu Ricard, nous verrons comment d'autres cultures ont intégré la mort dans leur quotidien.

Nous avons mené plus de soixante interviews en profondeur sur deux continents, avec des philosophes, des médecins, des sociologues, des thanatologues, des penseurs, des enfants et des adultes endeuillés, des malades, avec de très grands spécialistes comme avec de plus humbles soignants. Ils le disent tous, lorsqu'on côtoie la mort quotidiennement, chaque instant de chaque jour devient précieux, on ne remet pas à plus tard les projets qui nous tiennent à cœur, et puis on dit le plus souvent possible « je t'aime » à ceux qui comptent. Autrement dit, il faut apprendre à vivre autrement de sorte qu'un jour on puisse mourir autrement, avec le sentiment d'avoir accompli sa mission et en laissant quelque chose d'important à ceux que l'on quitte. Au terme de cette longue enquête, j'en suis venu à la conclusion que le déni de la mort nous prive d'une vie beaucoup plus intense.

Je tiens à exprimer ici toute ma gratitude à ma collaboratrice à ce projet, la journaliste Eugénie Francœur, qui a réalisé quelques interviews, dont celles d'Eric-Emmanuel Schmitt et de Jacques Salomé.

Mes plus sincères remerciements aussi à toutes les personnes qui ont gracieusement accepté de témoigner. On ne peut évoluer que sur le chemin de la vérité.

Mario Proulx

Eric-Emmanuel Schmitt

Né en 1960 à Sainte-Foy-lès-Lyon, diplômé de l'École normale supérieure de la rue Ulm, agrégé de philosophie et docteur, Eric-Emmanuel Schmitt est devenu en une dizaine d'années un des auteurs francophones les plus lus et les plus représentés au monde. D'abord connu au théâtre, ses pièces sont jouées dans plus de cinquante pays tandis que ses livres sont traduits dans une quarantaine de langues. Installé à Bruxelles depuis 2002, il a obtenu sa citoyenneté belge en 2008.

Professeur de philosophie pendant plusieurs années, l'expérience d'un voyage dans le désert du Hoggar lui fait rencontrer la foi chrétienne et constitue le point de départ de sa carrière d'écrivain. Presque aussitôt, le jeune dramaturge connaît le succès. Avec sa pièce Le visiteur *(jouée en 1993 et publiée à Paris, Magnard, 2003), qui met en scène une rencontre improbable entre Freud et Dieu, il remporte trois prix Molière en 1994. C'est alors qu'Eric-Emmanuel Schmitt abandonne son poste de maître de conférence à l'Université de Savoie. Auteur prolifique d'une quarantaine d'œuvres théâtrales et romanesques, il fut lauréat de plus de 16 prix et bénéficia de nombreuses mises en nomination.*

Son univers optimiste attire le public ainsi que son art de mettre en scène des personnages historiques (Diderot, Ponce Pilate, Judas et Jésus, Adolf Hitler) en proposant des pistes de lecture pour aider à comprendre leur vie et leurs actes. Trois ouvrages présentent aussi sa réflexion sur la place de l'enfant dans la famille ; cinq romans et nouvelles abordent la question religieuse. Très présente dans ses écrits comme dans sa vie, la pensée de la mort suscite chez lui le désir de vivre intensément et d'aimer toujours plus.

Eric-Emmanuel Schmitt

Monsieur Schmitt, pourquoi la mort est-elle si présente dans votre œuvre ? Je pense, entre autres, à* Oscar et la dame rose, *à* Monsieur Ibrahim et les fleurs du Coran *et à plusieurs autres de vos textes.

Si la mort est si présente dans mes livres, c'est parce qu'elle est si présente dans ma vie, et que, contrairement à ce que je croyais au début de ma vie, la pensée de la mort ne génère pas de l'angoisse, mais l'envie de vivre, de vivre mieux, de vivre avec intensité et l'envie d'aimer les autres.

Donc, j'ai beaucoup changé par rapport à la mort. Au début, l'angoisse de la mort m'habitait, me réveillait, m'empêchait de dormir, me donnait des palpitations, et je me suis totalement guéri de cette angoisse en continuant à penser à la mort non pas en l'oubliant, mais en acceptant le destin de mortel qui est le nôtre et en songeant à la mort pour rendre la vie plus riche et pour prendre la peine de dire aux autres que je les aime, que je suis là. Voilà !

On ne peut pas changer la condition humaine, on peut juste changer sa conception de la condition humaine. On ne peut pas éviter la mort, on peut changer sa conception de la mort. Et j'ai toujours pensé à la mort, mais jamais de la même façon. Entre ma jeunesse, où la mort m'angoissait, et mon âge mûr, où la pensée de la mort me rend plus vivant, plus généreux, plus altruiste, il s'est passé tout un trajet intellectuel.

Quels événements de votre vie ont servi de déclencheurs pour aller de l'angoisse de la mort à l'acceptation de la mort, ou à la paix devant la mort ?

C'est vrai que, pour la mort, il y a toujours une première fois – quand c'est la mort des autres ! Pour la sienne, c'est toujours la première et la dernière fois. Mais, pour la mort, il y a toujours une première fois.

Moi, la première mort, que j'ai vécue avec douleur, avec arrachement, d'une façon épouvantable, c'est la mort de mon grand-père, quand j'avais onze ans, dix ou onze ans. Mon grand-père, l'homme que j'aimais le plus dans mon enfance, était un artisan qui travaillait dans son atelier. C'était un homme très silencieux. Quand il parlait, c'était drôle, et quand il se taisait, c'était plein. J'adorais cet homme. Il débordait de tendresse.

Il nous a quittés à cause d'un infarctus, et c'est là que j'ai découvert l'absence, la disparition. Cela m'a été insupportable, c'est-à-dire que j'ai pleuré d'une façon que je dirais hystérique, pendant plusieurs jours, jusqu'à ce que je me rende compte le jour même de son enterrement que ma réaction violente empêchait ma mère, sa fille, de vivre son propre chagrin. Et là, je me suis arrêté subitement. Je me suis dit : « Je suis en train de voler le chagrin de ma mère. » Donc, je me suis tu, elle a enfin pu pleurer, et j'ai perdu le sommeil.

Plusieurs années après, j'ai découvert pourquoi j'avais perdu le sommeil. Sur le coup, je n'ai pas fait la corrélation, je n'ai pas compris. En fait, on m'avait dit : « Ton grand-père s'est endormi pour toujours. » De ce fait, moi, je ne voulais plus dormir. Évidemment ! Mais j'ai mis vingt ans à le comprendre. Et pendant vingt ans, j'ai été insomniaque, je luttais contre le sommeil, et ce fut le dernier cadeau de mon grand-père puisque, grâce à lui, j'ai acquis une certaine culture du fait que je lisais.

Alors, vos insomnies ont servi à cela ?

Voilà ! Je lisais, je lisais jusqu'à ce que je tombe le nez dans le livre, entre les pages. De sommeil, quoi ! Il fallait que le sommeil me surprenne. Je n'ai jamais accepté le sommeil. Alors, je me dis qu'au fond, c'était le dernier cadeau que pouvait me faire mon grand-père. Lui qui lisait et parlait si peu, il m'a donné l'accès au monde des livres parce que j'ai lu avec passion, de façon dévorante et sans doute angoissée, pendant des années et des années.

Quand et comment votre insomnie a-t-elle pris fin ?

Elle a pris fin dans la trentaine, lorsque j'ai commencé à être vraiment fatigué de si peu dormir. On va me dire : « Mais pourquoi, pourquoi, pourquoi ? » J'ai vu que c'était un problème à l'endormissement parce que, le matin, je dors comme un bébé. D'ailleurs, depuis toujours, mon meilleur sommeil est le sommeil du matin. J'ai pris l'habitude de m'endormir le plus tard possible et de rattraper tout ça le matin. Le matin, il peut y avoir un marteau-piqueur dans la rue, je ne l'entends pas.

Donc, quand j'ai compris que c'était un problème à l'endormissement, eh bien, j'ai fait un travail sur moi-même pour essayer de comprendre, et tout d'un coup m'est apparue cette corrélation entre s'endormir et mourir. À partir du moment où la corrélation s'est révélée, le sommeil est revenu.

Et la peur de la mort vous a quitté…

Ah ! non ! C'est tout à fait autre chose qui m'a conduit à cela. Non, j'avais déjà guéri de la peur de la mort avant de guérir de mes insomnies. Non, ma peur de la mort s'est d'abord accentuée, bien sûr, avec le narcissisme adolescent. Quand on est un adolescent, le corps d'homme pousse, et, en même temps, on sait bien que ce corps va être le corps définitif. Il grandit, mais on sait qu'il vieillira. Donc m'est apparue vraiment cette dimension de mortalité dans mon corps en même temps que mon corps était encore jeune, paradoxalement. Et puis, cette attention à soi, extrême, qu'on a dans l'adolescence, ce narcissisme, cet égocentrisme absolu m'a poussé à me préoccuper de ma mort, beaucoup. J'étais très angoissé par ma mort. Et ce qui m'en a guéri, c'est tout un travail philosophique d'acceptation de la mortalité et de réflexion sur soi. La philosophie m'a beaucoup pacifié en me disant: «De toute façon, tu es un être humain. Ta condition est une condition de mortel. Il faut que tu acceptes cela.» Donc, cet acquiescement à la condition humaine, je le dois à la philosophie qui m'a structuré. Et après, il y a eu une étape supplémentaire: mon voyage dans le désert, dans le Sahara, où je me suis perdu.

La dernière étape dans mon acceptation de la mort a été ce voyage dans le désert, voyage pendant lequel je me suis complètement perdu une trentaine d'heures, sans vivres et sans rien à boire. Pendant la nuit de cette «perte», j'ai reçu un cadeau qui était la foi puisque j'ai vécu une nuit mystique sous les étoiles. Je n'ai rien appris sur la mort, cette nuit-là. J'ai simplement appris que je devais avoir confiance. Parce que la foi, c'est la confiance dans le mystère. Et cela a été ma guérison. Je me suis dit qu'au fond, la pire des choses qui pouvait arriver quand on pose la question «qu'est-ce que la mort?», c'était de recevoir une réponse. Et nous, nous n'avons pas la réponse. Nous avons ce bonheur de ne pas avoir la réponse, ce bonheur de ne pas savoir ce qu'est la mort. La mort des autres, on sait ce que c'est: la coupure, l'éloignement définif, le fait qu'on ne les reverra jamais. D'accord. Mais notre propre mort, on ne sait pas ce que c'est. Ce mystère de la mort – entre autres mystères dont celui de la vie –, eh bien, à partir de ce moment-là, j'ai cessé de l'habiter avec angoisse pour l'habiter avec confiance. Je ne sais rien, je ne sais pas ce que sera la mort, mais je suis mains ouvertes, bras ouverts devant le mystère.

Pendant votre nuit mystique dans le désert, avez-vous connu des expériences d'éternité ?

Non, j'ai eu le sentiment – je ne dirais pas qu'une voix me parlait –, j'ai eu le sentiment – parce que ce n'est pas aussi simple que cela, une expérience mystique –, j'ai eu l'assurance que je devais avoir confiance et que cela serait une bonne surprise... éventuellement. Car tout a un sens, et si je ne le perçois pas, c'est ma faute à moi, parce que mon esprit est limité. Le monde n'est pas absurde. C'est moi qui suis limité. Donc, j'ai fait cette expérience. Une fois suffit ! À partir de là, je suis mains ouvertes, bras ouverts, mais pas pressé. J'ai beaucoup de choses à faire, de gens à aimer, de choses à dire, de paysages à découvrir et d'êtres à connaître, mais je suis prêt, résolu.

Pensez-vous que les gens qui ont la foi, qui sont croyants, ont un avantage sur les autres devant la mort ?

Oui, si ce n'est que je suspecte parfois la croyance de vouloir se faire passer pour un savoir. Moi, par exemple, je crois en Dieu, je crois que le monde n'est pas absurde, qu'il a un sens et que ce sens m'échappe. Je crois que le monde est un magnifique mystère dans lequel nous habitons, que la vie aussi est un magnifique mystère et je ne peux pas dissocier ce mystère de la vie du mystère de la mort puisque c'est la même chose. Mais cela ne me donne aucune connaissance, aucun savoir. Je ne sais pas plus ce qu'est la mort. Simplement, j'ai confiance. Quand certains croient en disant : « Je sais qu'après ma mort ceci, cela... », je les respecte, pour sûr, parce que je respecte toutes les opinions, mais, intellectuellement, je me dis : « Imposture. » Moi, je n'ai aucun savoir sur la mort, j'ai juste confiance.

Dans* Oscar et la dame rose*, vous écrivez qu'il n'y a pas de solution face à la vie, sinon vivre.

Bien oui !

Et est-ce qu'il y a une solution face à la mort?

Vivre et accepter la mort!

La même, donc…

C'est exactement la même chose. La dernière phrase d'Oscar est pour moi très révélatrice. Le petit garçon a laissé, sur sa table de nuit, un carton sur lequel il a écrit: «Seul Dieu a le droit de me réveiller.» Cela veut dire: si Dieu existe, qu'il me réveille! Si Dieu n'existe pas, qu'on me laisse en paix!

Dans* Oscar et la dame rose*, vous abordez un sujet tabou: la mort. Doublement tabou, en fait, parce que vous parlez de la mort des enfants. On dirait que les enfants ont moins peur que nous de la mort, ou qu'ils ont moins de préjugés que nous par rapport à la mort.

Je l'avais déjà découvert en allant dans les hôpitaux pour enfants, mais le fait que beaucoup d'enfants et d'adolescents lisent *Oscar* – et parfois, le font lire à leurs parents – me le confirme. Les enfants traitent la mort comme un problème métaphysique. Nous, nous l'abordons comme un problème sentimental: un adulte lisant *Oscar et la dame rose* pleure parce que, à travers le décès d'Oscar, il revit le décès d'êtres qu'il a aimés. Et donc, les larmes arrivent immédiatement. Moi, le premier, j'ai pleuré en l'écrivant. Et quand, malheureusement, je le vois au théâtre ou que je l'entends, je repars dans ces chagrins intimes. Un enfant ne pleure pas. Je ne connais aucun enfant qui pleure en lisant *Oscar*.

Les enfants ne pleurent pas en lisant* Oscar*?

Les enfants ne pleurent pas, ils adorent Oscar et ils rient. Ils ne pleurent pas parce qu'ils sont comme Oscar: la mort est pour eux un problème philosophique qu'ils abordent de front, de plain-pied, droit debout.

Donc, les enfants ont un avantage sur nous, les adultes, face à la mort.

Ils ont l'avantage, parfois, de ne pas avoir encore perdu un être, ce qui colore la mort d'une tout autre affectivité. Ils ne sont pas non plus dans ce narcissisme que nous connaissons tous à l'adolescence, et qui fait que le problème de la mort devient le problème de notre mort. Pour eux, c'est le problème de la mort, c'est le problème de l'être humain. Ils sont socratiques, ils sont comme un philosophe en face de ce problème.

Je me souviens : une semaine après avoir publié *Oscar*, une séance de signatures avait lieu dans une librairie. À ce moment, je ne savais pas que les enfants allaient lire ce livre. J'avais écrit un livre, c'était un livre qu'un adulte avait écrit. Je prenais la voix d'un enfant, mais c'était un livre pour les adultes, surtout sur un sujet pareil.

Et je vois arriver le premier enfant qui m'a fait signer ce livre – et depuis, il y en a eu tellement –, un enfant de onze ans, très beau, que sa mère accompagnait. Il se plante devant moi et me dit : « Je voudrais que vous me signiez ce livre parce que je l'ai beaucoup aimé. » Je suis évidemment très intimidé. C'est toujours intimidant, un enfant. Et très intimidant de signer un livre à un enfant en se demandant si, en fait, il ne s'est pas trompé. Du coup, je n'ose pas lui dire tout cela, et je lui demande simplement : « Qu'est-ce qui t'a donné envie de lire ce livre ? » Et l'enfant me répond : « Parce que j'ai vu, sur la couverture, que c'était l'histoire d'un enfant malade qui allait mourir, et ça m'intéresse. » Alors, je suis bouleversé parce que je ne sais pas si c'est un aveu ou simplement une déclaration de principes. Dans les deux cas, c'est bouleversant. Je reçois cela comme un électrochoc, puis je me tourne vers la mère et lui demande : « Et vous, vous l'avez lu ? » Elle me fait : « Non. » Je lui demande pourquoi. Elle me répond : « Parce que j'ai vu, sur la couverture, que c'était l'histoire d'un enfant malade et qui allait mourir. » J'avais en face de moi Oscar et ses parents ! J'avais en face de moi l'enfant qui veut parler de la maladie et de la mort, qu'il aborde de front, pour qui c'est un sujet, et l'adulte, qui ne veut pas que ce soit un sujet et qui se cache la tête dans le sable.

Tout le malheur de notre civilisation s'exprime dans cette réaction : nous ne voulons pas parler de la mort parce que nous avons l'impression que nous allons nous attrister à parler de la mort. C'est faux ! Nous devons parler de la mort philosophiquement, traiter ce problème philosophiquement. Après, bien sûr, la mort des autres nous rendra tristes et la perspective de notre propre mort ne nous réjouira pas, mais nous devons d'abord parler de la mort, ne pas cacher la mort, ne pas cacher la mort dans notre civilisation !

Nous avons arrêté de veiller les morts. C'est pourtant très important de veiller les morts. Maintenant, on dissimule les cimetières ; on ne voit plus un corbillard dans la rue, les gens ne portent plus le deuil. On cache la mort ! On fait comme si cela n'avait pas été. Vite, on passe à autre chose ! Mais c'est totalement absurde ! C'est anxiogène de faire cela.

Pourquoi la mort est-elle un sujet si tabou dans nos sociétés occidentales ?

Je crois que nous souffrons d'une ivresse scientiste. Nous avons cru que nous allions aussi nous débarrasser de la mort. L'humanité a pensé qu'elle allait devenir « transhumaine ». Elle le pense toujours ! En ce moment, il y a les nanotechnologies qui font espérer à certains qu'on va pouvoir tout réparer, surtout cette chose stupide et insupportable qui fait que nous sommes vivants, donc mortels. Mais non ! Il ne faut pas rêver d'une « transhumanité » ! Il faut accepter l'humanité telle qu'elle est ! Moi, je suis pour un humanisme profond, et je refuse le « transhumanisme ». Donc, il y a cette ivresse scientiste qui continue, qui perdure, qui s'accentue ! Aujourd'hui, on rêve que l'homme va pouvoir se guérir de la mort. Mais la vie et la mort, c'est la même chose, le même cadeau, c'est donné ensemble.

Vous parlez de l'importance des rituels qu'on a un peu laissés de côté. En quoi est-il si important de vivre les rituels de deuil?

Le rituel nous permet l'acceptation de ce qui se passe, pas l'occultation. Veiller un mort, c'est accepter cette dimension mystérieuse du fait d'être là et de ne plus être là avec les autres. Moi, cela m'a toujours aidé de voir le mort, de veiller le mort. Quand je n'ai pas pu être là, j'ai eu beaucoup plus de mal à faire le deuil. Je ne me rendais pas compte de la disparition, ou je ne l'acceptais pas. C'étaient des mots, c'était du symbolique. Ce n'est pas suffisant, le symbolique. C'était une information: « Untel a disparu. » Non, il faut vivre ce moment de la disparition de l'autre. D'abord, on le doit à l'autre, ce moment-là, et puis on se le doit à soi aussi. Donc, cela me paraît essentiel. Je n'aurais jamais dit cela il y a trente ans, parce que j'étais dans la peur, j'entretenais les préjugés de mon époque et je n'avais pas cette sagesse immémoriale, ancestrale, qui savait qu'il fallait faire autrement. On a voulu – par ivresse, par présomption, par vanité – supprimer la mort de notre paysage, voire de la condition humaine. C'est absolument faux. Il faut l'accepter, l'intégrer.

Est-ce qu'on a une responsabilité face à nos morts?

Pour moi, l'individu, même mort, continue à être sacré. Je suis scandalisé, évidemment, quand on pille une tombe. Mais je le suis aussi quand on se sert de corps morts pour faire des œuvres d'art, par exemple. Comme, aussi, quand on se sert des corps vivants. J'ai d'ailleurs écrit un roman, intitulé *Lorsque j'étais une œuvre d'art*, qui dénonce ce trafic de l'humanité et l'imposture profonde qu'il peut y avoir à cela. C'est une position purement éthique…

Je la revendique comme éthique parce que, parfois, quand je dis « c'est une position purement éthique », les gens me disent, surtout les intellos, des pseudo-intellos d'ailleurs: « Ah! C'est une position morale. » Alors, je dis: « Oui, mais attendez. Je n'ai absolument aucune honte à avoir une position "morale"! Comment peut-on vivre dans la vie sans avoir de positions morales?» Et je la défends et je l'argumente, ma position morale. Donc, on doit le respect aux morts, on doit l'ensevelissement aux morts. Quelle que soit la forme qu'elle prend, on doit la mémoire aux morts tant qu'on est une mémoire vivante. Il ne faut pas les faire mourir deux fois; on les refait parfois mourir en les oubliant.

Mais si on les oublie, c'est souvent parce que la mémoire vient avec tout un lot de souffrances qui nous appartiennent, qui n'appartiennent pas au mort.

Le problème avec le bonheur, c'est que ce n'est pas en s'éloignant du malheur qu'on l'éprouve. Il nous faut plutôt intégrer le malheur dans le tissu de nos jours pour arriver vraiment à être heureux. Donc, il faut intégrer la souffrance et le chagrin, il faut savoir faire le deuil.

Qu'est-ce qui fixe la valeur, d'après vous, d'une vie humaine? Parce qu'on a l'impression, à l'échelle planétaire, que certaines vies valent plus que d'autres. Comment cela se détermine-t-il?

Moi-même, je ne peux pas échapper à cette hiérarchisation. Je pense que la vie des êtres que j'aime a plus de valeur que celle des autres. Par exemple, si un avion s'écrase, ma première réaction sera de me demander s'il y a quelqu'un que je connais dans l'avion! Quand je sais que quelqu'un est en voyage, c'est la première question que je me pose. Puis, je fais: «Ouf!» Les autres sont quand même morts, mais moi, je fais: «Ouf!» Nous sommes tous comme cela. Nous nous faisons passer nous-mêmes avant... C'est tout à fait normal. Le tissu affectif fait que nous sommes liés à d'autres, que nous privilégions ceux que nous connaissons au détriment de ceux que nous ne connaissons pas – et encore, heureusement! Quelqu'un qui fondrait en larmes chaque fois que l'on annoncerait que des inconnus sont morts serait, à mon avis, une fontaine de larmes! Il faut être liés! Mais autrement, en dehors de cette coloration affective, il n'y a pour moi aucune vie qui vaut plus qu'une autre. Donc, je suis résolument opposé, évidemment, à la peine de mort parce que, si on respecte la vie, on ne donne pas la mort.

Et cela, sans exception ? Peu importe le geste commis ?

Ah ! oui ! Peu importe le geste commis. Même le geste le plus scandaleux et le plus barbare commis par la personne la plus odieuse qui soit, et même si cette personne est sans repentir, sans regret, même si elle continue à insulter les parents des victimes. Il n'y a rien à faire : on ne donne pas la mort. On ne donne pas ce qu'on reproche à l'autre. Je sais qu'il est intolérable pour certains d'entendre cela, mais l'intolérable est ce qu'ils ont vécu, et la mort du coupable ne le leur rendra pas plus tolérable.

Quelle est votre position quant à l'euthanasie, quant à l'assistance médicale pour aider une personne à mourir ?

J'ai été témoin d'agonies tellement douloureuses, parce que j'ai accompagné beaucoup de gens dans la maladie et la mort. À une certaine époque, je disais même « beaucoup trop », puis je me suis rendu compte qu'il était stupide de dire cela. C'était juste ma vie, c'était comme ça. Ce n'est pas pour rien que j'ai écrit *Oscar et la dame rose.* J'ai parfois assisté à de telles souffrances que l'acharnement thérapeutique me semblait obscène, qu'il fallait pouvoir… Cela fait partie du traitement de la douleur que de pouvoir amener quelqu'un, peut-être quelques jours plus tôt, aux portes de la mort. Par respect pour la personne, parce qu'elle n'est plus que souffrance. Et parce qu'on sait que, de toute façon, c'est irrémédiable. Donc, je suis partisan de l'euthanasie. Je vis d'ailleurs dans un pays, la Belgique, où une loi encadre l'euthanasie.

Quel sens profond peut-on donner à la mort? Je pense, entre autres, aux personnes qui la refusent, la leur et celle de leurs proches, aux gens qui n'en finissent plus de faire leur deuil. Comment réussit-on à toucher un filon qui permette de retrouver un sens à la mort?

Non, non, on ne peut pas savoir le sens de la mort. Il nous reste totalement inaccessible. Nous devons simplement essayer d'arriver à lui donner un sens en sachant que nous nous trompons. Tout sens que l'on donne à la mort est un sens provisoire. Il s'agit là d'une nécessité pour la conduite de sa propre vie, pour arriver à faire le deuil, à lutter contre l'angoisse, ou encore, pour arriver à être toujours bien avec les autres... Mais ce ne sont là que des pansements provisoires! Il n'y a que des concepts provisoires de la mort puisqu'elle est elle-même un mystère qui nous échappe.

Quand j'ai vécu des départs que j'estimais précipités, prématurés, j'ai vécu de grands chocs. Il y a parfois eu, je dirais, comme une espèce de silence terrible à l'intérieur de moi puisque je n'arrive même plus aujourd'hui à y penser. Parfois, j'en arrivais même à ne plus rien sentir. Même les souvenirs de la personne qui partait, que j'avais aimée, disparaissaient avec elle, comme si tout était parti dans la tombe, y compris mes propres souvenirs, tellement je souffrais. Donc, je ne voulais même plus y avoir accès. Une partie de moi me protégeait en m'interdisant l'accès à mes souvenirs, tellement tout cela était douloureux.

Je n'ai de leçons à donner à personne. Je ne sais pas comment moi-même je suis parfois arrivé à me remettre. On y arrive parce qu'il y a la force de vie, parce qu'il y a les autres qui sont toujours là. La seule chose que m'a apprise la mort des êtres que j'aimais, c'est qu'il fallait s'occuper des vivants, se dépêcher de leur dire qu'on les aime et être avec eux, leur donner ce qu'ils attendent de nous. Voilà ce que m'a appris la mort, mais ce n'est pas un savoir sur la mort, c'est un savoir sur la vie.

Des deuils, vous en avez vécu plusieurs ?

Oui, bien sûr. Et c'est souvent dans cette expérience du deuil que j'ai pris conscience du tragique même. On est obligé de faire du mal même si on ne le veut pas.

Que voulez-vous dire ?

Par exemple, quand quelqu'un est en train de mourir et qu'il vous demande, et que des vivants aussi vous demandent, il va vous falloir faire du mal aux uns ou aux autres puisqu'on ne peut pas multiplier son temps. On ne peut pas multiplier sa présence. J'ai découvert que, quoi qu'on fasse, qu'on choisisse l'un ou l'autre, on fait du mal, on fait souffrir. Je n'ai aucun angélisme par rapport à cela, mais beaucoup de culpabilité et de remords, en sachant que je ne peux pas échapper à la culpabilité en moi. Il faut faire des choix : le temps qu'on passe avec telle personne, c'est du temps qu'on ne passe pas avec telle ou telle autre, ou avec telle autre encore. C'est là que j'ai vraiment découvert la radicalité du mal qu'on fait. Avec les meilleures intentions du monde, on fait du mal, on ravage autour de soi parce qu'on ne peut pas être présent partout. Et cela a été très, très douloureux ! Je ne dis pas que je ne m'en remets pas, mais vivre avec ce sentiment, avec cette idée que quoi qu'il arrive on fait du mal, quoi qu'il arrive, à un moment donné, on n'est pas là alors qu'il faudrait y être, quoi qu'il arrive on est un salaud, c'est dur.

Vous avez accompagné plusieurs personnes vers la mort. Quelle est l'attitude à adopter ?

Shéhérazade… Raconter des histoires, faire la gazette, apporter de la vie, créer un feuilleton dans la conversation qu'on tient au bord du lit. Être écrivain, être un ami, c'est la même chose en l'occurrence. Je me suis rendu compte, dans ces moments-là, de cette imagination que j'ai et qu'on me reprochait quand j'étais petit, parce que c'est vrai que je suis un grand bavard, que j'ai toujours des histoires en tête, que je prends un détail du quotidien puis, pouf! je pars en vrille, je fabule, je commente les gestes des autres. J'ai un aspect « concierge », si vous voulez, comme on dirait à Paris, je suis toujours en train de dire un machin. Mais moi, j'en fais un roman!

Quand j'étais en classe préparatoire – les classes préparatoires s'appellent une « cagne » chez nous –, on me surnommait « Radio-Cagne » parce que, dès qu'on voulait savoir quelque chose, on me questionnait… Moi, je m'intéresse aux autres. Et j'adore en parler! Donc, tout d'un coup, je me suis rendu compte que cette imagination, cette attention, ce bavardage, ce plaisir de parler des autres, c'était un principe de vie. Puis, voilà que cela apportait quelque chose à celui, à celle qui n'avait plus de vie, qui savait très bien qu'il ou qu'elle ne se relèverait pas. Donc, Shéhérazade!

Le plus beau cadeau que l'on peut apporter aux gens sur le point de mourir, cela reste la vie.

Comme je suis très pudique, c'était ma manière de dire: « Je t'aime et je suis là. » Mais ce sont des mots que j'ai un mal fou à prononcer, des mots qui sont parfois dans un registre amoureux, mais qui, dans un contexte amical ou parental, sont difficiles à prononcer. Par exemple, dans le cadre de ma famille, la famille dans laquelle je suis né, je ne sais pas dire « Je t'aime », j'en suis incapable, mais je le prouve en étant là, en racontant des histoires, en amusant, en apportant de la bonne humeur, de la joie, de la fantaisie. C'est une autre manière de dire « Je t'aime » parce que, avouons-le, s'asseoir à côté du lit, dire « Je t'aime » et ne plus rien dire ensuite, c'est quand même très chiant aussi! Il vaut mieux arriver, ne pas dire ces mots difficiles, mais faire son numéro! Mais chacun fait avec son histoire et ses propres infirmités. Ce qui compte, c'est de pouvoir arriver à donner quelque chose à l'autre quand la vie s'en va.

Dans* Oscar et la dame rose, *Oscar déteste ses parents.

Parce qu'ils sont terrorisés… Ils ne savent plus quoi dire. Ils disent encore « Je t'aime », mais c'est avec angoisse.

Et on ne le sent pas, on n'y croit pas.

Non ! À propos du moment où sa mère l'embrasse, Oscar écrit : « J'avais envie de résister, mais, au dernier moment, je l'ai laissée faire, ça me rappelait le temps d'avant, le temps des gros câlins tout simples, le temps où elle n'avait pas un ton angoissé pour me dire qu'elle m'aimait. » Là, l'angoisse est plus forte que le « Je t'aime ». L'avantage de la dame rose, c'est qu'elle arrive avec sa fantaisie, son humour, ses histoires de catch qui sont évidemment toutes fausses…

C'est un peu vous, la dame…

Oui, bien sûr, bien sûr ! Je suis un peu la dame rose et j'aimerais avoir le courage d'Oscar quand je serai dans la situation d'Oscar. Mais pour l'instant, je suis la dame rose, c'est-à-dire celle qui apporte sa joie de vivre, sa bonne humeur, ses histoires, ses fantaisies, ses élucubrations, voire ses gros mots, ses remarques insensées, son courage philosophique aussi, ce qui consiste à parler réellement de ce qui se passe.

Quand je suis auprès d'un malade et qu'il me dit qu'il va mourir, je lui dis : « Parlons-en ! » Je ne lui dis pas : « Non, non, tu vas guérir, ne t'en fais pas, tu es bien soigné. » Je ne supporte pas ce genre de discours quand c'est faux. Si c'est vrai, il faut le dire, mais si c'est faux, il ne faut pas le dire. Il ne faut pas se débarrasser de l'angoisse de l'autre qui dit : « Je suis malade, parlons-en. Je vais mourir, parlons-en. »

Enfin, vous savez, je ne suis pas exemplaire. Madame Rose est beaucoup mieux que moi. C'est comme si, à travers mes erreurs, j'étais arrivé à l'écrire, elle. Moi, je n'ai pas été à ce niveau-là.

Et Mamie Rose fait un beau cadeau à Oscar, elle lui fait cadeau de la foi.

Oui.

En fait, c'est un double cadeau parce qu'elle retrouve la foi à travers lui.

Oui, parce que Oscar la charge d'amour en même temps et lui fait comprendre qu'elle a été utile ; il lui fait comprendre comment, par ses lettres, elle est importante et belle à ses yeux. C'est une rencontre, et c'est toujours un double cadeau quand la rencontre a lieu.

Vous avez dit que vous n'aviez plus peur de la mort, que vous y avez beaucoup pensé, que vous avez éprouvé de l'anxiété à son sujet. Est-ce que vous préparez votre mort d'une certaine façon ?

Quand je dis que je n'ai plus peur de la mort, j'ai toujours l'impression que j'en fais trop et que je roule un peu des épaules, que je fais le malabar. Ce n'est pas si simple, c'est un peu plus subtil que cela. Je ne vais pas me mettre dans une position que je ne serai pas capable de tenir. Ce que je veux dire, c'est que penser à la mort ne me fait plus mal. Y penser ne me provoque plus d'angoisses. Y penser est devenu une chose normale, un cadre tout à fait normal. Bien évidemment, quand je suis dans un avion et que ça secoue tout d'un coup, j'ai une réaction animale d'angoisse. Par contre, penser philosophiquement, éthiquement, existentiellement et psychologiquement à la mort ne me fait plus mal, j'y pense tout le temps.

Est-ce qu'il vous arrive de vous représenter votre mort ?

Ah ! non ! Je ne fais plus ce genre de mise en scène depuis l'adolescence. On adore cela quand on est enfant, adolescent. On met en scène sa propre mort pour voir pleurer les autres, entendre ce qu'ils vont dire et imaginer tout cela. Non, non, non ! Je n'imagine pas ce que pourraient dire mes proches, je n'imagine pas la cérémonie, je n'imagine pas les musiques qu'on mettra, je ne sais pas ce que diront les journaux – si on parle encore de moi à cette époque-là, etc. Ça, non, vraiment. Cette mise en scène de soi, c'est… Fort heureusement, je suis arrivé à un point de maturité, et je ne fais plus ce genre de truc.

En terminant, existe-t-il selon vous un « bien mourir » et un « mal mourir » ?

Mais bien sûr. Mal mourir, c'est mourir dans la douleur, tandis que bien mourir, c'est mourir dans le consentement, en se disant : « Ben voilà. Ce qui peut m'arriver de mieux maintenant, c'est mourir ! » On rêve tous de mourir comme cela, en acceptant – comme Zénon, le héros de Marguerite Yourcenar dans *L'œuvre au noir*, qui assiste à sa mort et consent à sa mort. Mais j'ai peur que cela soit un fantasme : cela peut être brusque, soudain, douloureux, terrible… On ne sait pas.

Et la mort n'a pas la même couleur partout sur la planète. En Orient, la mort n'est pas nécessairement vécue comme une tragédie.

La mort n'est pas une punition. La maladie non plus. Il faut qu'on en finisse avec cette pensée médiévale, cette idée de l'ordalie : « Vous êtes malade ? Vous payez pour vos péchés ! Vous avez le sida ? C'est parce que vous avez péché ! Vous avez un cancer ? C'est parce que vous avez nourri une rancœur ! » Finissons-en avec avec cette pensée archaïque, stupide et sotte, qui consiste à voir, dans la maladie, une punition.

Alors, la bonne santé serait une récompense ? Non mais, attendez ! Il y a des salauds qui ont une santé florissante et qui meurent très, mais très vieux. Arrêtons, dissocions cela ! La maladie est un fait ; la bonne santé est un fait provisoire ; la mort est aussi un fait, c'est donné avec la vie, c'est donné ensemble. « Tout homme, dès qu'il naît, est suffisamment vieux pour mourir », dit le proverbe allemand.

On rêve tous d'un moment où l'on accepterait sa mort en se disant que c'est la solution ! C'est ce qu'il y a parfois de très beau dans certaines euthanasies, décidées volontairement par la personne qui se sait condamnée et qui dit : « Bon ben, voilà, c'est aujourd'hui, aujourd'hui.

Alors, j'appelle les gens que j'aime, je leur dis adieu et je m'en vais.» Cela peut être très, très, très beau. C'est la mort dont on rêve, c'est la mort consentie, c'est presque la mort voulue!

Et ainsi, la mort n'est pas perçue comme une malédiction, une tragédie.

Non, mais je crois – et c'est terrible puisqu'on va tous mourir – qu'on a des progrès à faire avec la mort. On progresse en ce sens que chacun s'en approche à chaque instant de sa fin, mais on ne progresse pas toujours en pensée. Je crois que nous avons un vrai rôle – nous: artistes, intellectuels, journalistes, essayistes, et bien évidemment, hommes de foi, psychologues, soignants –, nous avons un vrai rôle qui consiste à parler, parler, parler de la mort, à échanger sur la mort. Il faut surtout se préparer intellectuellement à la mort. On mourra… Oui, on peut mourir «mieux» au sens où on peut accepter l'inéluctable. Mais résister à l'inéluctable, c'est une chose sotte. Spinoza disait: «Il faut aimer la nécessité.»

Vous avez accompagné beaucoup de personnes mourantes, vous avez vécu de nombreux deuils et vous avez déjà évoqué la mémoire de votre grand-père. Parmi vos autres expériences de deuil, une autre vous aurait-elle particulièrement marqué par une touche d'humour, une touche d'amour ou de tragédie?

Non, je ne vois pas. J'ai eu une grande amitié avec une des plus belles et grandes actrices françaises du cinéma et du théâtre, qui s'appelait Edwige Feuillère. C'est elle qui a été la première à me lire et qui m'a ouvert toutes les portes de notre métier, du théâtre, du cinéma. Elle m'a pris par la main. Elle ne m'a jamais joué parce que c'était trop tard dans sa vie, mais elle a ouvert toutes les portes pour moi. Elle avait fait de grands films avec Jean Marais, puisqu'ils étaient les interprètes de Cocteau, et quand Jean Marais est mort, elle est morte à son tour, quelques jours après, parce que cette nouvelle l'avait bouleversée. Il se trouve qu'elle était âgée et très malade, mais cette nouvelle, à mon avis, a précipité sa mort. Le jour de sa mort, elle devait aller au théâtre afin d'y revoir une de mes pièces qu'elle adorait – c'était *Variations énigmatiques* –, et elle s'est sentie mal. Elle a pris la peine d'appeler le théâtre en disant : « Remettez mes places en vente ; je pense que je ne viendrai pas ce soir, je viendrai plus tard. Mais il ne faut pas que ces places se perdent. » Elle est morte dans la soirée. Cette façon de penser aux autres jusqu'au dernier instant est une chose bouleversante. « Je m'efface, mais la vie continue. Je m'efface, mais la représentation continue. Je n'utiliserai pas mes deux places, donnez-les à quelqu'un d'autre. »

Le don de soi, le cadeau de la vie.

Oui, l'acceptation : « Moi je m'efface, mais la vie continue. »

Il vaut mieux mourir vivant
que déjà mort.

Jacques Salomé

Originaire de Toulouse, né le 20 mai 1935, Jacques Salomé est psychosociologue et écrivain. Diplômé de l'École Pratique des Hautes Études en sciences sociales, il a poursuivi une carrière de formateur en relations humaines. Plus de 80 000 personnes ont bénéficié de sa compétence au cours de sa vie professionnelle, notamment à partir du centre de formation aux relations humaines Le Regard Fertile (Quétigny 1972 – Roussillon 1984) qu'il a fondé.

Son approche pragmatique doublée d'une expression simple et imagée le fait apprécier d'un large public et lui a permis de créer la Méthode E.S.P.E.R.E. (Énergie Spécifique Pour une Écologie Relationnelle Essentielle). Bon vulgarisateur du champ psychosociologique, Jacques Salomé sait concevoir des grilles de lecture à la fois riches et accessibles ; il a aussi développé le concept de quotient relationnel, à l'instar du quotient intellectuel. À ses yeux, la mort est un passage pour lequel il privilégie la formule « quitter la vie ».

Ses publications, plus de soixante ouvrages, couvrent diverses dimensions des relations humaines : relations à soi-même et avec la famille, relations professionnelles, relations amoureuses ou de tendresse, relations à la vie. Depuis 1997, il s'oriente aussi vers le roman et la poésie.

Ses dernières parutions :

* À qui ferais-je de la peine si j'étais moi même ? Éditions de l'Homme, 2008;

* Je viens de toutes mes enfances. Albin Michel, 2009.

Jacques Salomé

Jacques Salomé, vous y pensez, vous, à la mort ?

Je vais vous faire une confidence : jusqu'à l'âge de 66 ans, je me croyais éternel, d'abord et avant tout parce que je pensais que ma mère était éternelle, qu'elle ne pouvait pas mourir. Elle a été une personne importante pour moi, puis un jour, elle est tombée malade, et quelques années plus tard elle a franchi le grand passage. C'est avec la maladie et la mort de ma mère que je suis devenu mortel, et l'idée que je puisse un jour mourir a ainsi commencé à entrer dans ma vie. Cependant, je ne pense pas en avoir peur, et cela tient au fait que, selon moi, la mort est un passage vers un ailleurs, vers une autre forme d'énergie. Je crois au fond que notre existence se déroule entre deux passages : nous sortons du ventre de notre mère – après une station de neuf mois, dans le meilleur des cas – puis nous passerons vers « autre chose », que chacun nomme selon ses croyances ou convictions. Mais nous devons reconnaître que si nous avons une idée approximative de ce qu'est la mort, personne ne sait ce qu'est l'« après-mort ». Nous avons tous un imaginaire, mais personne en dehors de Lazare – et il ne s'est pas montré très loquace –, personne n'est revenu pour nous dire ce qui en est. Certains ont fait état d'expériences dites de « mort approchée ou imminente » – le franchissement d'un tunnel, l'irruption d'une lumière blanche, l'appel de proches –, mais cela, je ne l'ai jamais ressenti, jamais vécu pour moi-même et je n'ai jamais rencontré de personne qui ont pu m'en donner un témoignage personnel, vécu. Je pense aujourd'hui que la mort est un passage vers un au-delà d'ordre vibratoire, une mutation, une transformation d'énergie.

Chacun dans ce domaine a ses croyances, ses convictions, parfois ses certitudes. Pour ma part, je ne crois pas en Dieu, mais j'ai ma petite cosmologie personnelle. Je pense qu'à ma mort, je vais retourner au sein d'une énergie cosmique et que, ce faisant, je vais redonner de l'énergie, réalimenter (si je peux m'exprimer ainsi) le grand réservoir de la Vie. Parce que je crois qu'au moment de notre conception se déposent en nous les éléments forts qui concourent à notre façon d'être par la suite. Avec la conception, qui est un moment très important, un moment indissociable de toute existence, nous allons aussi construire notre devenir, à partir de la façon dont nous avons été conçus. Pour ma part j'ai été conçu dans l'amour – je crois que mon géniteur et ma génitrice m'ont donné, à l'instant de ma conception, l'équivalent de trois graines : une graine de vie (c'est ce qui fait que je suis devant vous actuellement, que j'écris), une graine d'amour, et enfin, une graine d'énergie. Sans vouloir heurter les croyances de quiconque, je crois que le sens de notre passage sur la terre est d'enrichir l'immense potentiel de la vie, de laisser plus de vie à la fin de notre existence que celle qui a été déposée en nous au départ et de laisser aussi plus d'amour et d'énergie que nous n'en avons reçu. Si j'en ai reçu l'équivalent d'une orange, est-ce que je laisserai à l'univers quelque chose de plus grand ? Laisserai-je également un peu plus d'énergie que je n'en ai reçu ? Au fond, je crois que le sens profond de toute existence est d'enrichir la vie, l'énergie et l'amour que nous recevons à notre conception.

À partir de là, le sens de la mort et le sens de la vie deviennent intrinsèquement très liés et vont cohabiter intimement tout au long de notre existence, même si nous n'en sommes pas toujours conscients. J'estime que nous allons mourir comme nous avons vécu. J'ai beaucoup travaillé avec des travailleurs sociaux ou des soignants engagés dans l'accompagnement des mourants. Je préfère d'ailleurs dire « accompagner la vie chez ceux et celles qui vont la quitter », parce qu'il s'agit effectivement de quitter la vie pour un autre état dont certains pensent que c'est le paradis, d'autres que c'est le nirvana, alors que moi je crois que je vais basculer de nouveau dans l'énergie lumineuse du cosmos, retourner dans l'immense générosité de la vie. Je crois que la façon dont nous avons vécu les différentes étapes de notre vie, dans le respect ou le non-respect de soi, dans la bienveillance ou la non-bienveillance, la tolérance ou l'intolérance, l'amour ou la violence préfigure chacune des phases que nous allons traverser vers ce passage. Et à ce propos, je vais dire ici quelque chose que j'ai n'ai pas souvent révélé. Quand ma mère est tombée dans le coma, quelques jours avant sa mort, mon frère, qui vivait près d'elle, m'a appelé et je suis venu. Lorsque je suis arrivé au service de soins palliatifs où elle se trouvait, je n'ai pas vu une vieille dame, j'ai vu un petit bébé, tout recroquevillé sur lui. Elle avait des tuyaux tout autour d'elle et, comme elle avait dû rejeter ses draps dans un mouvement inconscient, je l'ai vue nue. Cela ne m'était jamais arrivé. Et à ce moment-là, je n'ai pas vu une vieille dame en souffrance, j'ai vu un nourrisson en détresse. Cela m'a ému, et j'ai eu envie de prendre ma mère dans mes bras, comme on prend un nourrisson, en glissant mes mains sous les fesses et sous la nuque, pour la serrer tout contre moi. Mais c'était une adulte et elle pesait peut-être plus que moi, alors j'ai fait un geste équivalent : j'ai mis une main de chaque côté de sa tête, et c'était vraiment comme si je prenais un nouveau-né dans mes mains. Je lui ai dit : « C'est bon d'être un bébé, d'être pris en charge, de se sentir acceptée inconditionnellement, c'est tout bon... » Elle qui avait passé l'essentiel de son existence à s'occuper des autres, c'était peut-être la première fois de sa vie que quelqu'un s'occupait d'elle à temps plein, la nourrissait, la lavait, répondait convenablement à ses besoins de survie, sans qu'elle ait besoin de demander. Et soudain elle a ouvert un œil, elle est sortie du coma et elle m'a appelé « Jacky ». Elle ne m'avait pas appelé ainsi depuis plus de soixante ans. Elle m'a demandé : « C'est toi, Jacky ? » Cela m'a beaucoup ému. Mon frère, qui est professeur de maths, était lui aussi tout retourné de ce « petit miracle », du fait qu'elle sortait comme ça du coma alors qu'il la voyait dans cet état depuis plus de huit jours.

Je suis resté trois jours près d'elle, et un soir je lui ai murmuré à l'oreille: «Tu sais, tu as le droit de mourir. Tu as le droit de passer de l'autre côté. Tu as fait beaucoup pour les autres, pour nous, tes enfants, pour ceux que tu aimais, pour tous ceux qui t'approchaient.» Je m'étais souvent rendu compte que beaucoup de parents s'interdisent de mourir parce qu'ils ont peur de faire de la peine à leurs enfants, peur de les laisser encore démunis, peur qu'ils aient de la peine. Souvent ils sont persuadés que leurs enfants ont toujours besoin d'eux, même pour des choses aussi banales que ranger l'appartement, faire un repas de fête, repasser du linge... Ainsi, quelque part au fond d'eux-mêmes, ils ne s'autorisent pas à oser quitter leur vie. Il nous appartient de leur permettre de s'autoriser. S'autoriser dans le sens d'être auteurs de leur vie et non d'avoir la permission de décider de leur vie. C'est tellement vrai que ma mère a pu mourir paisiblement dans son sommeil, quinze jours plus tard. Comme j'étais en voyage au Québec, c'est là que j'ai appris sa mort, ce qui m'a beaucoup ébranlé. Quand mon frère m'a annoncé la nouvelle, mon sang est devenu froid, très froid. J'avais lu, dans les romans de Balzac, l'expression «avoir le sang glacé». Je sais maintenant ce que c'est. J'ai ressenti un froid mortel à l'intérieur. Une fois rentré en France, j'ai organisé un petit rituel d'adieu, je lui ai dit au revoir, et combien elle avait été importante pour moi, et combien je m'étais senti aimé par elle, combien ma relation avec sa mouvance avait été essentielle pour l'enfant que j'avais été et pour l'ex-enfant que j'étais.

Oui, on peut donner à un proche, je le répète, l'autorisation de passer de l'autre côté. Toute sa vie, ma mère avait fait des ménages pour les autres, elle avait travaillé sans relâche en particulier pour que mon frère et moi puissions faire face à la vie avec un métier fiable, suivre des études longues. Elle avait travaillé, comme elle disait, «pour nous maintenir aux études afin que nous puissions avoir le plus de chances de réussir notre vie».

Quelle est, selon le psychosociologue que vous êtes, la meilleure façon d'accompagner ceux qui sont sur le point de quitter cette vie ?

Mon point de vue sur la question sera peut-être très différent de celui d'autres accompagnants. Pour ma part, je crois que nous avons besoin, en fin de vie, de retrouver les premiers langages dont nous faisons l'expérience à la sortie du ventre de notre mère. Quels sont les cinq premiers langages à notre disposition, à nous, les adultes, pour communiquer avec un bébé? Ce sont l'odeur, le toucher, la respiration, le regard et la présence. Au fond, je crois que la meilleure façon d'accompagner un mourant ou un malade en fin de vie, c'est de retrouver ces langages. Ainsi, le toucher. Je ne parle pas d'une caresse qui stimule, pas d'un geste qui prend ou qui demande, mais d'un geste qui offre simplement. Je crois aussi très important de faire entendre sa respiration. Il y a quelques années, une femme m'a dit: « Mon père était dans le coma, il respirait mal, de façon saccadée, poussive. Je me suis mise à respirer profondément, un inspir lent et un respir long, et progressivement il a pris mon rythme. » Et elle a ajouté cette phrase merveilleuse: « Il est mort vivant, en respirant, simplement accompagné par ma respiration. » Il y a le regard, n'hésitons jamais à regarder celui ou celle qui est en fin de vie. Restons présent au présent. J'allais oublier un autre langage essentiel, celui des odeurs. Nous pensons à poser le bébé sur le ventre de sa mère, nous devrions aussi le poser sur le ventre de son père parce que les deux parents n'ont pas la même odeur ni le même rythme cardiaque. Donc, il est bon que nous fassions sentir notre odeur à quelqu'un qui s'avance vers la fin de sa vie. S'il s'agit d'une personne dont nous sommes proches, nous pouvons mettre quelques gouttes de notre parfum ou de notre eau de toilette sur un mouchoir, un morceau de tissu, que nous allons enrouler autour de son poignet. C'est comme si nous lui disions en permanence: « Je suis là, je suis là, je suis vraiment là. »

« Que faites-vous des mots ? », me demanderez-vous peut-être. Je ne suis pas pour une abondance de mots, dans cette dernière phase de la vie. Je ne sais pas si vous avez déjà subi une anesthésie générale pour une opération. Si oui, vous savez qu'en salle de réveil, lorsque nous retrouvons peu à peu nos sens, nous sommes entre deux mondes ; nous ne sommes pas tout à fait dans la réalité, nous sommes encore en partie dans les limbes de l'anesthésie. Souvent des proches sont là et nous questionnent : « Ça va ? Tu es bien ? Tu n'as pas trop mal ? » en insistant, alors que le moindre son nous semble presque une agression, un tremblement de terre. Je parle ici de l'accompagnement en toute fin de vie. Avant, bien sûr, il faut mettre des mots. Il convient de permettre d'achever les situations inachevées, d'aider la personne à s'exprimer sur les sentiments négatifs qui peuvent l'habiter et à sortir de quelques-uns des contentieux qui peuvent encore alourdir sa vie. Je pense en particulier à ces malentendus, à ces non-dits qui créent des barrières, qui entretiennent des ressentiments, des rancœurs chez les ex-enfants devenus adultes que nous sommes. C'est un des paradoxes fréquents dans les relations parentales (les parents vers nous) et les relations filiales (nous vers eux !). Nous aimons nos parents, et parfois, nous avons tout de même envie de les mettre à distance, de les bousculer et parfois même de les étrangler ou de les jeter par la fenêtre !

Il me paraît donc important de pouvoir mettre des mots sur quelques-uns de ces contentieux, afin de nous réconcilier avec eux, avec nous-mêmes, et surtout, pour apaiser les tensions d'une relation qui reste fondamentale, celle que nous avons avec eux et qu'ils ont avec nous. Comme je l'enseigne, dans toute relation, nous sommes toujours trois : l'autre, moi et la relation qu'il y a entre nous. Si cette relation est trop chargée de messages toxiques, de rancœurs, de ressentiments, de ruminations, celui, celle qui se meurt ne va pas bien partir. Elle ou il risque de passer de l'autre côté en conflit avec lui-même, trop accablé de n'avoir pas su aller au-delà, de dépasser ses propres déceptions ou critiques. Alors, oui, oser mettre des mots (ou permettre une mise en mots) pour alléger, pour adoucir, pour apaiser. Cependant, dans ce que nous pouvons appeler la phase terminale, le début du passage, je ne crois qu'aux cinq grands langages que j'ai évoqués plus haut : le toucher, la respiration, l'odeur, le regard et la densité de la présence, c'est-à-dire le fait d'être là sans penser que j'ai un courriel auquel il faudrait répondre, ou que je dois emmener ma voiture au garage pour une révision nécessaire. Être là où je suis, en présence de cette personne que j'accompagne vers au-delà inconnu.

Vous savez, je crois qu'il ne faut surtout pas nous « désapproprier » la mort. Je considère être, quant à moi, présent dans un cycle de vie. Celui que j'ai évoqué au début de notre entretien : à savoir qu'en 1935, le 20 mai, je suis sorti du ventre de ma mère. Est-ce qu'aujourd'hui, à 73 ans, je suis tout près de l'autre passage, celui du départ, celui de la sortie de cette vie ? Est-ce que ce départ surviendra dans dix ans, dans quatre ans, dans trois jours si une voiture me renverse ? Je n'en sais rien. Je n'ai pas à me « désapproprier » ma propre mort. Je ne dois pas non plus en faire une fixation, une obsession. Nous sommes tous dans ce que j'appelle un cycle de vie, à un endroit donné de ce cycle, sans savoir exactement où ! Je suis bien conscient que j'entre dans la dernière ligne droite de ma vie, celle qui me conduira au passage dont j'ai parlé plus haut. L'important pour l'instant est : suis-je dans ma vie en entier ? En me souvenant de ce que disait grand-mère : « Il vaut mieux mourir vivant que déjà mort. »

Au fond, beaucoup de gens me semblent avoir peur de la mort ou au contraire la minimiser et la nier parce qu'ils n'ont pas vécu leur vie. Un peu comme les gens qui ont du mal à s'endormir : ils pressentent qu'ils ont manqué quelque chose dans leur journée. Quand on a vécu une journée pleine, on n'a pas de mal à s'endormir. À mon âge, par exemple, j'ai l'impression que les journées sont trop courtes. Qu'il me faudrait chaque jour des journées de 72 heures, tellement j'ai de choses à dire, à faire, à vivre. Donc, je n'ai pas de problème à m'endormir. Je crois que si nous avons du mal à nous endormir, c'est que nous avons ce sentiment de ne pas avoir pleinement vécu notre journée. Si nous avions vécu le plein de notre journée, nous n'aurions pas de mal à nous endormir et à nous réveiller, prêts à vivre le plein d'une autre journée.

C'est la même chose avec la mort, exactement la même image : si j'ai vécu le plein de ma vie, je la vivrai jusqu'au bout. C'est pour cela que, dans les stages que je dirigeais, je parlais d'« accompagner la vie chez ceux qui vont la quitter ». Je n'accompagne pas dans la mort, j'accompagne dans la vie ceux qui vont la quitter, parce que ceux qui sont en train de mourir sont encore vivants, bel et bien vivants. Bien sûr, suivant les situations, certains sont encore vivants dans la souffrance, dans la violence des douleurs ou l'angoisse de l'évolution fatale de leur maladie. Quand le corps se désagrège, qu'une maladie comme un cancer en phase terminale ravage les organes vitaux, quand l'esprit est obscurci, que les énergies sont basses, que la vie en nous est blessée, meurtrie, que nos pensées se délitent, nous sommes plus démunis pour accepter notre vie dans ces conditions, plus fragilisés, plus errants. C'est ce qui fait mieux comprendre que beaucoup d'entre nous entretiennent une sorte de rêve : nous voudrions mourir dans notre sommeil, passer de l'autre côté, comme cela, purement et simplement, sans à-coups, pendant l'étape du sommeil, et ainsi franchir le passage sans souffrance, sans douleur, sans angoisse. C'est, je crois, l'aspiration profonde de la plupart d'entre nous, ne pas se sentir mourir !

C'est un peu étrange, mais c'est tout le contraire de ce qui se passe en Orient. Là-bas, les gens veulent mourir présents, ils ne veulent pas mourir dans leur sommeil, ils veulent rester conscients pour ce passage. Il faut dire qu'en Orient, les gens n'ont pas reçu la même éducation que nous et que leur système de valeurs est très différent du nôtre. Je crois qu'en Occident, nous avons voué nos énergies à la maîtrise des forces extérieures : nous sommes allés sur la Lune, nous avons maîtrisé l'atome, nous avons appris à prévoir le temps, nous accédons à l'infiniment petit, disséquons l'ADN, etc. En Orient, les gens ont plutôt recherché et favorisé la centration sur soi, la maîtrise des forces et des énergies intérieures, l'écoute des vibrations intimes de la vie en eux. Ce sont deux démarches complètement différentes.

Vous avez dit ne pas croire en Dieu. Pensez-vous que la mort soit plus facile pour qui croit en Dieu ?

Je pense que croire en Dieu peut être d'une aide considérable. Mais attention ! J'ai dit tout à l'heure que dans toute relation nous sommes toujours trois. De ce fait, si je crois en Dieu, il y a Dieu, la relation que j'entretiens avec lui, et moi. Cette relation a deux pôles, et beaucoup de gens vont mettre leurs demandes, vont focaliser leurs attentes sur l'autre pôle, celui de Dieu : « Dieu, fais que je vive longtemps ou fais que je ne souffre pas, Dieu, donne-moi la force d'affronter cette épreuve… » Paradoxalement, ils risquent de se déresponsabiliser, en attendant trop… Dieu ! Je dis souvent en plaisantant : « Dieu me téléphone tous les huit jours pour me dire : "Tu ne peux pas leur enseigner qu'une relation a deux pôles et qu'ils peuvent arrêter de tout reporter sur le mien en croyant que j'ai des solutions pour tout ? Pourrais-tu les inviter à se responsabiliser un peu plus à leur pôle?" »

L'interrogation est réelle : est-ce que, pour ceux qui ne croient pas, faire face à la mort est plus difficile ? Cela va dépendre de nombreux facteurs. Parce qu'au fond, quelqu'un qui, comme moi, ne croit pas en Dieu a d'autres croyances. Nous ne pouvons pas exister sans croyances : nous croyons à l'amour, nous croyons à la densité de la vie, à des lendemains qui chantent, aux vertus du respect d'autrui, etc. L'important est de pouvoir nous appuyer sur nos croyances et voir si, le moment venu, elles nous aident, nous soutiennent et nous accompagnent dans ce passage vers au-delà.

Je crois que nous parlons mal de la mort. D'abord, il en est question dans les faits divers qui, tous les jours à la télévision et dans les journaux, rapportent les violences perpétrées dans notre environnement proche, dans notre pays et de par le monde. Nous sommes effectivement dans un monde de violence où l'instinct de destruction est aujourd'hui très grand : si l'homme a toujours été un redoutable prédateur, il me semble qu'il est maintenant plus qu'un prédateur, un destructeur tous azimuts. Il flotte dans l'air de nos sociétés, chez beaucoup de personnes, comme une sorte de désir de blesser, de détruire l'autre, de le supprimer, de le renvoyer au néant. Je viens d'un milieu populaire où, quand nous nous battions – quand « on se castagnait », comme on dit dans le midi de la France –, c'était pour s'affirmer, revendiquer notre existence, pour des contestations de territoire. Un ou deux coups de poing, puis c'était fini. Aujourd'hui, je vois des enfants de 10, 12, 13 ans se battre, et je sens qu'ils n'hésiteraient pas à tuer l'autre, écroulé par terre, en lui décochant des coups de pied à la tête, à la poitrine, au ventre. Il y a chez certains comme une sorte de soif de destruction de l'autre. Il me semble que la possibilité d'une mort violente, imprévisible, qui peut surgir n'importe quand, nous environne et nous accompagne. Aucun d'entre nous ne peut échapper à cette violence endémique qui nous entoure : violence sociale, individuelle, politique ou religieuse. « Si tu ne crois pas dans le même dieu que moi, je te supprime parce que tu ne mérites pas d'exister ! » m'a-t-on un jour lancé dans un pays du Moyen-Orient, et dans un autre pays, lorsque j'ai précisé que je ne croyais en aucun dieu, on a même ajouté : « Mais ce n'est pas possible, tu ne peux continuer à vivre comme ça ! » Du coup, je n'étais rien, parce que je n'avais pas les mêmes croyances ! Ces mots sortaient de la bouche d'un journaliste musulman qui m'interrogeait, à la télévision, dans un pays d'Afrique du Nord. J'ai, pour ainsi dire, senti qu'il m'aurait volontiers supprimé, que je n'avais plus aucune valeur à ses yeux. Nous sommes donc effectivement cernés, plus souvent que nous n'en sommes conscients, par l'idée d'une mort aveugle qui tomberait sur nous et dissoudrait notre existence.

D'autre part, nous avons aussi tendance à nier la mort parce que nous sommes dans une culture de la consommation, où certains essaient de nous leurrer en excitant sans cesse en nous de nouveaux désirs, à tel point d'ailleurs que parfois nous sommes dépossédés de nos propres désirs parce qu'on nous en vend tous les jours de nouveaux. On nous laisse croire que si nous n'utilisons pas tel déodorant, nous ne serons pas une femme d'affaires performante, que si nous n'employons pas tel dentifrice ou tel shampoing, nous ne serons pas vus, encore moins aimés, que si nous n'utilisons pas tel type de téléviseur, nous aurons du mal à être reconnu, à avoir une place dans notre quartier. Nous sommes dans une culture qui crée des désirs et nous vend des réponses à ces désirs qui sont autant de leurres, qui font écran à l'idée de la mort. Il s'agit vraiment de leurres parce qu'un jour, nous découvrons que nous sommes envahis d'objets futiles, de biens inutiles et que nos désirs réels sont bien ailleurs et ne sont pas comblés. Les désirs « en conserve » qui encombrent notre vie ne représentent rien de ce dont notre VIE a besoin, et quand nous sommes confrontés à la finitude de la vie, nous pouvons nous retrouver dans une immense solitude et renvoyés à une pauvreté d'âme qui nous désespère.

Le propre du vivant sur cette planète, la Terre, c'est qu'il y a un début, une vie et une fin. Cela vaut tant pour une rose, pour un moustique dont la durée de vie est de 24 heures, que pour une abeille dont la longévité est plus longue, si je ne m'abuse. Nous sommes dans un univers de finitude, de finitude provisoire puisque, si c'est un lieu de passage, il y aura transformation, il y aura autre chose. Cette idée de finitude, je crois que nous pouvons l'apprivoiser à condition de faire un travail sur nous-mêmes. Si, aujourd'hui, j'ai beaucoup d'admiration en particulier pour les femmes, c'est parce que ce sont elles qui font bouger la communication entre les humains, qui ont une exigence d'échanges, de partages, de convivialité plus grande que les hommes me semble-t-il. Dans mes relations amoureuses avec quelques-unes des femmes qui ont traversé ma vie et qui ont été très importantes pour moi, j'ai vu comment elles avaient faim et soif de communication. Communiquer veut dire « mettre en commun nos ressemblances et nos différences ». Cela signifie aussi être capable de mieux se définir, de mieux se positionner, de pouvoir s'affirmer, d'être capable de demander, de donner, de recevoir et de refuser. C'est le sujet central d'un de mes livres *Le courage d'être soi*. Un courage qui repose sur quatre ancrages qui sont, au fond, les bases mêmes, les piliers d'un travail sur soi que chacun de nous peut faire :

- apprendre à s'aimer (non pas d'un amour narcissique et égocentrique, mais d'un amour de bienveillance et de respect) ;
- apprendre à se respecter, c'est-à-dire ne pas se laisser définir par l'autre ; c'est apprendre à dire non, à se positionner, à s'affirmer devant autrui ;
- apprendre à se responsabiliser. Je ne suis pas responsable nécessairement de tout ce qui m'arrive, mais je suis toujours responsable de ce que j'en fais ;
- le quatrième ancrage, c'est apprendre à rester fidèle à soi-même, à ses valeurs, à ses croyances, à ses choix de vie, à ses engagements.

Eric-Emmanuel Schmitt a cette très belle expression : « La maladie, tout comme la mort, n'est pas une punition. » Dans nos sociétés occidentales, n'avons-nous pas tendance à voir la mort comme une punition, comme un échec de la science, de la médecine omnipotente censée tout guérir et nous rendre immortels ?

Oui, cela tient à notre culture judéo-chrétienne qui nous envoie un double message. Elle évoque la mort à la fois comme punition et comme salvation, ce qui nous conduit à penser que si nous sommes les derniers en ce monde, nous serons les premiers là-haut.

Je nuancerais la formule de M. Schmitt parce que je ne mélange pas la maladie et la mort. Je crois effectivement comme lui que les maladies sont des alliées et non des ennemies. D'ailleurs, le mot le dit : « mal/a/die » – entendre : mal à dire, mal à énoncer. Les maladies, pour moi, sont des langages métaphoriques, des langages symboliques avec lesquels nous tentons de dire l'indicible, de crier l'insupportable. Au fond, une maladie qui surgit dans mon corps, est une sorte d'alliée qui me tape sur l'épaule et me dit: « Jacques, Jacques, tu ne t'es pas respecté, Jacques! Tu t'es trahi, tu t'es laissé engager dans une relation qui n'est pas bonne pour toi, tu ne te respectes pas, tu laisses l'autre te définir… »

L'idée de mort rejoint vraiment, pour moi, l'idée de finitude. Je sais que nous sommes porteurs de beaucoup d'illusions, qu'il y a une aspiration à l'infinitude en nous, ne serait-ce que dans l'amour: par exemple, j'ai 20 ans et je vous rencontre, vous qui avez aussi 20 ans. Si je me sens aimé par vous et si je vous aime, nous penserons peut-être, l'un comme l'autre, que c'est pour toujours. Aujourd'hui, je sais que ce n'est pas l'amour qui maintient deux êtres ensemble dans la durée, mais la qualité de la relation qu'ils établissent entre eux. Cette qualité de la relation peut nourrir et vivifier leur amour ou au contraire le maltraiter, le violenter et le réduire à néant. L'idée de mort ne se pose pas différemment, en ce sens qu'il s'agit de se demander: « Est-ce que je nourris suffisamment ma vie pour la garder le plus vivante possible, le plus longtemps possible? » Et cela peut être lié par exemple à mon hygiène alimentaire, ou à ma respiration. Donc, quand je dis qu'un des langages pour accompagner un mourant est la respiration, c'est très important. Jusqu'à 50 ans, je ne savais même pas que je respirais. C'était normal, je respirais, mon cœur et mes poumons faisaient le boulot, un point c'est tout, je n'y pensais pas un seul instant. Puis, je suis allé en Inde où j'ai fait un travail sur moi, un travail de méditation centré en particulier sur la respiration, et j'ai découvert quel outil, quelle sève, quelle nourriture peut être pour ma vie la respiration! Dès le matin, avant même d'ouvrir les yeux, je me dis: « Je suis vivant par ma respiration. » Je m'écoute quelques instants inspirer, respirer. Je ne prétends pas en faire la panacée de toutes les démarches pour entretenir ma vie, mais ce fut pour moi une révélation importante que je chérirai jusqu'à la fin de ma vie, jusqu'à mon dernier souffle, comme on dit. Je pense que j'essaierai d'avoir jusqu'au bout ce que j'appelle

« une respiration consciente », pour prendre et garder ce qui est bon, pour lâcher ce qui n'est pas bon – prendre, garder ce qui est bon, lâcher ce qui n'est pas bon pour moi, dans le simple fait de respirer.

Au Québec, nous déplorons un haut taux de suicide chez les jeunes hommes en particulier, mais aussi chez les Amérindiens, et maintenant même chez les personnes âgées. Que pensez-vous de cette situation ?

D'abord, je crois qu'il faut distinguer deux démarches dans le suicide :

Beaucoup de gens ne veulent pas mettre fin à leur vie, mais plutôt mettre fin à la vie qu'ils vivent. Saisissez-vous la différence ? C'est d'ailleurs pour cela qu'il y a beaucoup de tentatives de suicide qui réussissent en tant que tentatives, dans le sens où ceux qui s'y essaient ne meurent pas. Il s'agit pour eux d'une sorte d'appel au secours parce qu'ils ne supportent plus les conditions qui pèsent sur leur existence, n'acceptent plus les modes de vie dans lesquels ils se sentent prisonniers.

D'autres au contraire, décident vraiment de mettre fin à leur vie, et je crois qu'il faut respecter cela. Je le dis parce que, très souvent, les proches se culpabilisent : « Ah, si je l'avais appelé ! Il m'avait téléphoné, il m'avait écrit, il y a quinze jours. Si j'étais allé le voir, peut-être qu'il ne se serait pas suicidé ! » Ils prennent sur eux la décision de celui qui met fin à sa vie. Bien des proches s'approprient la responsabilité de la décision de l'autre d'en finir et dépossèdent ainsi en quelque sorte la personne morte de sa volonté de mettre fin à sa vie et donc de sa responsabilité.

Cette tasse que je tiens dans ma main, disons qu'elle symbolise ma vie, celle que m'ont donnée mon géniteur et ma génitrice. Ils me l'ont donnée, mais c'est moi qui suis responsable de ce que j'en fais. J'ai inventé d'ailleurs un mot pour décrire cela : la « vivance » de la vie. La vivance, c'est plus que la vitalité ; c'est toute une injection d'énergie, un regard positif, une vibration intense de la vie, bref, la façon dont je nourris ma vie de sensations, de stimulations, de vitamines relationnelles. Si, un jour, je prends la décision de mettre fin à ma vie, de m'en séparer, je souhaiterais que personne ne me dépossède de cette décision. C'est un peu ce que j'ai dit à mes enfants : « Si, un jour, je sens que mon corps me lâche – et moi, j'ai besoin d'un corps qui se tienne debout, vivant, pour vivre la vie que j'ai besoin de vivre, peu importe que je vive jusqu'à 80, 90 ans ou 100 ans –, si, un jour, je sens que je risque de devenir un "légume", dépossédé des moyens d'agir sur mon corps, que je sois démuni au point de ne plus avoir d'influence sur ma propre vie, ce sera invivable pour moi. Je préfère me respecter et de pouvoir prendre la décision qui me semblera la plus juste, la plus proche de mes ressentis et aspirations vitales. » Je ne souhaiterais pas imposer une charge à mes enfants ou à mes proches, en « vivant le reste de ma vie en état de dévivance ». Je voudrais exercer mon pouvoir de décision, et c'est pour cela que j'appartiens à une association qui défend la dignité de mourir. De pouvoir avoir recours à une aide, qui m'aidera si je sens que mon corps me lâche, me trahit, parce que j'estime avoir absolument besoin que ce corps m'accompagne jusqu'au bout. Mais si je sens qu'il me trahit, je voudrais exercer ce pouvoir de décider de mettre fin à ma vie. Tel est mon choix de vie. C'est la raison pour laquelle je fais partie de cette association : Mourir dans la dignité, et que je suis pour ce qu'il serait possible d'appeler le suicide assisté. J'émets tout de même une réserve sur le mot « suicide » qui ne me semble pas adéquat. Je devrais en inventer un qui convienne mieux. Si les conditions pour maintenir cette vie vivante n'existent plus, si mon corps ne les fournit plus, je voudrais avoir la liberté de passer de l'autre coté, en paix avec moi-même.

Une fois, j'ai entendu Jean-Louis Barrault parler de sa grand-mère avec des mots qui m'ont beaucoup touché : « Ma grand-mère, jusqu'à 80 ans, était une femme exceptionnelle. C'était un plaisir de la voir tant elle rayonnait. Puis, elle a fait un accident cardiovasculaire, une partie de sa raison l'a quittée, et les cinq dernières années de sa vie ont été terrifiantes. Elle avait des délires de persécution, elle empoisonnait l'existence de mes parents et la mienne, moi qui l'avais tant aimée. Cela a été pathétique de voir la façon dont ses cinq dernières années de vie furent aux antipodes de tout ce que cette femme avait été jusqu'à 80 ans. Elle qui avait toujours dit: "Ni trop tôt, ni trop tard!" parce que trop tard c'est quand on n'a même plus les moyens de faire un signe à ses proches pour dire: "Le temps est venu, le temps est venu, accompagnez-moi, aidez-moi à passer de l'autre côté." » Cela rejoint ce que, vers la fin de sa vie, je chuchotais à ma mère: « Tu as le droit, maman, tu as le droit de passer de l'autre côté. Tu as bien rempli ta vie, tu as consacré l'essentiel de ta vie aux autres. Tu as le droit, si c'est ton choix, tu as le droit de passer dans un autre monde, une autre dimension, d'accéder à la lumière, de devenir à ton tour un soleil ou une étoile. » Et je crois que ma mère m'a entendu parce qu'elle s'en est allée quelques jours après que je lui ai chuchoté cela, que je lui ai parlé de ce passage, que j'ai pu lui dire: « Il y a une lumière qui t'attend. Elle est là pour t'accueillir. Tu as le droit d'aller vers elle, c'est une lumière d'amour, la lumière d'une autre vie. » Ma mère croyait au ciel, elle était persuadée qu'une place l'attendait au paradis. Elle avait une foi simple, celle du charbonnier comme on dit. Elle pensait que saint Pierre serait là, à la porte du paradis, et qu'il lui dirait: « Marie-Louise, nous t'attendions, nous avons une place pour toi. » Elle disait: « Je n'ai jamais volé, je n'ai jamais menti, je n'ai jamais fait de mal à personne. Il n'y a pas de problème, ma place est au paradis. »

La meilleure façon de bien mourir, sera la résultante de tout ce que nous avons fait pour respecter la vie en nous et en l'autre.

J'ai eu longtemps une vie douloureuse et difficile, des enfances multiples et labyrinthiques, chargées de souffrances et d'errances. J'ai mis longtemps à me réconcilier avec mon histoire. Je dis souvent que je suis né à 35 ans car, jusque-là, j'étais passé à côté de ma vie. J'étais « psychomachinchose », je m'occupais surtout des autres, je ne prenais pas soin de moi-même. J'étais devenu ce qu'il serait possible d'appeler un pilier d'hôpital, autour de nombreuses somatisations, des maladies qui tentaient de m'alerter, de me dire: « Jacques, Jacques, prends soin de toi, respecte-toi, écoute-toi! » Je n'entendais rien. Je suis né à 35 ans après une rupture amoureuse qui m'a mis au monde. C'est ainsi que depuis l'âge de 35 ans, je prends soin de ma vie, et pour parler de cette décision, je ne vois pas meilleurs mots que de dire: Il me semble que j'ai commencé vraiment à respecter ma vie de façon plus humaine, plus respectueuse, avec plus d'amour, de bienveillance et de tolérance pour mes limites. Oui, je l'aime suffisamment, ma vie, pour ne pas la voir se dégrader et m'entraîner, comme ça, dans un chaos corporel, mental ou psychologique.

Nous négligeons, dans nos sociétés, les rituels après la mort. Nous prisons de plus en plus la crémation et n'exposons que rarement la dépouille du défunt. Tout cela ne contribue-t-il pas à des deuils mal vécus ?

Il m'arrive de repenser aux veillées funèbres de mon enfance. Tout le quartier se rassemblait. On s'asseyait ensemble, et ce n'était pas triste. Les gens racontaient des souvenirs autour de la vie du défunt: « Tu te rappelles, Georges, quand il a embrassé Marie derrière l'église ? Il était tout rouge quand le curé est passé tout près. » « Et la fois qu'il s'était mis en colère, quand nous avions douté de sa force et qu'il avait tout seul désembourbé la charrette du voisin ! » On relatait la saga, l'épopée d'une vie. Tous les proches – le survivant, femme ou mari, les enfants, la parenté – voyaient défiler sous leurs yeux une partie de l'existence de celui ou de celle qui était mort, qui les avait quittés. Cela donnait vraiment lieu à un accompagnement. Dans mon quartier, par exemple, il y avait une vieille dame qui, sitôt prévenue du décès d'un voisin, savait ce qu'il fallait faire: changer les draps, demander quel costume, quelle robe on allait mettre au mort ou à la morte. Et tout le monde s'en remettait à ce savoir-faire qu'elle avait, qui était un savoir-être face à la façon d'accompagner le mort dans ses « premiers pas vers ailleurs » et aussi d'accompagner ceux qui restaient. C'est fou, tout ce que nous avons perdu avec la disparition de ces rituels, de ces veillées, de ces rencontres, de ces réunions, de ces agapes aussi autour du mort. Je crois que nous avons perdu de la compassion. Il y avait alors beaucoup de compassion. Et je crois que nous avons également perdu quelques ancrages vis-à-vis de nous-mêmes parce que nous mourons brutalement aujourd'hui, nous mourons seuls, dans une grande solitude, sans accompagnement. Nous mourons en grand nombre à l'hôpital quasi anonymement. Il n'y a donc plus cette rencontre ultime avec nos proches.

Les Tibétains pensent qu'il faut plusieurs heures, plusieurs jours pour le passage de l'âme, pour sa traversée jusque dans un au-delà acceptable. Aujourd'hui, nous sommes coupés de cela, et je crois que ça n'ira pas en s'améliorant parce que nous sommes pressés de vivre, parce que – je vais utiliser un mot horrible – nous consommons la vie, nous ne la vivons plus, nous la consommons. Dans cette course à la consommation, nous passons souvent, je le crains, à côté de l'essence, de l'essentiel de la vie. Oui, je crois que cela rend les deuils plus difficiles.

Moi qui travaille dans les relations humaines, je sais qu'il y a souvent des deuils inachevés. Alors, je propose trois grandes démarches symboliques après la mort d'un proche. D'abord, aller sur la tombe et symboliser, par une écharpe, par exemple, la relation que nous avons vécue (entretenue ou maltraitée) avec cette personne. Il peut s'agir d'un foulard (une écharpe d'un mètre ou moins), qu'importe, dont je peux couper l'un des bouts en disant : « Cela – et j'espère pour chacun que ce sera le bout le plus long –, ce bout-là, c'est tout le bon que j'ai vécu dans notre relation et je voudrais le garder en moi. » Le bout qui reste – cette fois, j'espère pour chacun que c'est le plus court –, je le dépose sur la tombe en disant : « Cela, c'est tout le "pas bon", les contentieux, les agressions ou les violences qui ont traversé notre relation. » À partir de ce geste peut se produire un soulagement face aux incompréhensions, aux malentendus, aux souffrances, bref, face à tout le négatif qui a pu circuler dans une relation. Négatif que nous remettons à l'autre, que nous lui rendons.

Il faut aussi faire le deuil des sentiments que nous éprouvons à l'égard du disparu : si ma femme meurt, ce n'est pas parce qu'elle est morte que l'amour que j'ai pour elle disparaît. J'ai toujours de l'amour pour elle, et il va falloir que je prenne soin de cet amour. À contre-courant souvent de mon entourage, qui me dira: « Écoute, allez, c'est fini, oublie-la! Tu as vécu du bon, c'est fini maintenant! » Comme si l'entourage m'invitait, paradoxalement, à maltraiter mes propres sentiments. Or j'enseigne l'inverse: tant que l'autre était vivant, je pouvais lui donner mon amour, mais du fait que l'autre est parti, je ne peux plus le lui donner, et cet amour est inemployé. Je me dois d'en prendre soin. Souvent, je propose une démarche symbolique, comme de planter un arbre. Ainsi cet arbre symbolisera l'amour que j'ai encore en moi pour la personne décédée, l'amour qu'elle ne peut plus recevoir, mais que j'ai, que je porte en moi et dont j'éprouve le besoin de prendre soin.

Puis, il y a ce que j'appelle la survivance des contentieux. Cette démarche consiste à ne pas garder en soi les violences qu'on pourrait avoir reçues de l'autre: violences verbales ou physiques d'un père ou d'une mère, d'un frère ou d'un enseignant qui a été maladroit ou sadique à notre égard. J'appelle cela la restitution symbolique des messages toxiques. Si j'ai reçu de la violence verbale, psychologique, morale ou physique de la personne qui est morte, je prends un objet et le dépose sur sa tombe, en disant: « Je ne vais pas garder en moi cette violence. C'est la tienne, c'est ta violence à toi. Je la remets chez toi. » Je crois que nous nous sommes trop coupés du symbolique en Occident. Toutes les cultures dites primitives, mais que j'appelle primordiales – les Inuits du Québec, les aborigènes d'Australie, les Amérindiens, etc. –, pratiquent le symbolique au moyen de rituels que nous pouvons voir comme magiques ou farfelus, nous qui, en Occident, depuis René Descartes, sommes logiques, technologiques, rationnels, nous qui avons vraiment perdu notre relation au symbolique. Je crois que c'est par l'amour, justement que nous sera donnée l'occasion, par des rituels symboliques, de retrouver le sens du sacré, dont nous sommes trop coupés aujourd'hui, le sens du sacré par lequel nous nous relions aussi peut-être à plus grand que nous, quelle que soit notre croyance.

Mon géniteur avait 15 ans au moment de ma conception avec ma mère qu'il a quittée, qu'il a abandonnée. Cet homme, je l'ai retrouvé à 50 ans. Il a été seulement mon géniteur, jamais un père ni un papa. Quelques années après son départ, ma mère a rencontré un autre homme avec qui elle a vécu plus de cinquante-cinq ans, qui est le père de mon frère et que j'ai accepté comme un père. J'ai toujours su – parce qu'on ne me l'a pas caché – qu'il n'était pas mon géniteur, mais il n'a pas été trop papa non plus, il était plutôt père. C'était un ancien marin, un homme puissant, énorme. Il ne m'a jamais battu, mais il me faisait un peu peur. J'aurais voulu, sans jamais y avoir réussi, lui dire: « Papa, je t'aime. » Ce n'est que sur son lit de mort, à l'hôpital, quand il était dans le coma, que j'ai osé m'approcher de lui. Il n'était plus « dangereux ». Alors, j'ai osé le prendre dans mes bras, cet homme qui avait été un père, mais qui n'avait pas réussi à être un papa, et à qui j'ai pu enfin dire: « Je t'aime. » Je n'avais jamais été capable de le lui dire parce qu'il ne s'autorisait lui-même aucun geste de tendresse. Il était comme trop souvent étaient les hommes d'autrefois, qui cachaient leurs sentiments derrière des gestes brusques, des gueulantes. Il avait une voix de stentor, ainsi quand il réclamait le sel, c'était comme s'il criait à l'abordage, ce qui me terrorisait un peu lorsque j'étais enfant.

J'ai donc pu oser, enfin, lui dire ces mots, un peu comme certains fils ou certaines filles dont le père était alcoolique – c'est un exemple – et qui ont passé une partie de leur vie à se répéter: « Je déteste mon père, je le déteste! » alors qu'en fait, ils ne détestaient pas leur père, mais son alcoolisme. L'alcoolisme du père faisant écran et interdisant aux enfants, qu'ils étaient et qu'ils sont restés, de dire à leur papa, sans le confondre avec son alcoolisme: « Je t'aime. » Alors que jusqu'alors, ils disaient: « Je te déteste! », sans pouvoir reconnaître qu'ils avaient de l'amour en eux pour cet homme. Parfois, d'ailleurs, à la mort du père, ces ex-enfants font une dépression. Ils sont déstabilisés, ils se surprennent à dire: « Depuis qu'il est mort, je rêve à lui, je pleure, alors que je le détestais. » Erreur! Ce qu'ils détestaient, c'était l'alcoolisme ou la violence de leur père, et non leur père lui-même.

Les rituels de deuil servent donc à apprendre à ne pas se tromper de cible. Cela vaut aussi bien pour la mère à laquelle certains disaient peut-être : « Je te déteste parce que tu préférais mon frère. Tu ne m'as jamais donné de l'amour ! » ou encore : « Tu aimais ton premier enfant, celui qui est mort, il n'y en avait que pour lui, je pensais durant toute mon enfance que dans cette famille on était davantage aimé mort que vivant ! »

Il m'arrive d'entendre des réflexions de cette nature. Au moment de la mort d'une telle mère, peut-être qu'un ex-enfant devenu adulte acceptera de découvrir qu'il a de l'amour pour cette femme horrible, ou qu'il estimait horrible, et qui était sa mère, qu'il découvrira que ce qu'il détestait, en fait, c'était le comportement de sa mère ou l'écran qu'elle mettait entre elle et lui.

Ces rituels, ces manifestations pour achever une relation, pour terminer l'inachevé d'une relation qui a été essentielle pour nous, sont vitales pour ceux qui restent, pour ceux qui à leur tour vont « passer en première ligne », se rapprocher du passage d'une façon ou d'une autre.

Nous voyons ainsi comment la vie et la mort sont intimement mêlées, qu'elles nous accompagnent l'une et l'autre avec une intensité ou un poids différent selon les étapes de notre propre développement.

Ce que la vie m'a appris

J'ai appris beaucoup et pourtant… je cherche encore. Je devrais dire ce que les rencontres, les séparations, les découvertes, les éblouissements comme les désespérances m'ont appris dans le sens de me découvrir, de me construire, d'influencer le déroulement de mon existence.

J'ai ainsi appris que la vie n'est faite que de rencontres et de séparations et qu'il nous appartient de les vivre en acceptant de nous responsabiliser par rapport à chacune.

J'ai appris encore qu'il y a toujours une part d'imprévisible dans le déroulement des jours et donc qu'il m'appartient de savoir accueillir les cadeaux inouïs ou les blessures qui surgiront dans mon présent.

J'ai appris bien sûr à vivre au présent, à entrer de plain-pied dans l'instant, à ne pas me laisser enfermer dans mon passé ou me laisser envahir par des projections sur un avenir aléatoire.

J'ai appris tardivement à remercier, chaque matin, la vie d'être présente en moi et autour de moi, à l'honorer chaque fois que cela m'est possible, à la respecter en toute occasion, à la dynamiser avec mes ressources et mes limites.

J'ai appris difficilement à m'aimer, non d'un amour narcissique ou égocentrique (même si la tentation est grande), mais d'un amour de bienveillance, de respect et de tolérance.

J'ai appris avec beaucoup de tâtonnements à me respecter en osant dire non quand je suis confronté à des demandes qui ne correspondent pas à mes possibles ou à ma sensibilité.

J'ai appris avec enthousiasme que la beauté est partout, dans le vol d'un oiseau comme dans le geste d'un enfant pour tenter d'arrêter le vol d'un papillon, ou encore dans le sourire d'un vieillard qui croise mon chemin.

J'ai appris patiemment que nul ne sait à l'avance la durée de vie d'un amour et que toute relation amoureuse est une relation à risque. Des risques que nous avons aimé prendre, ma blonde et moi !

J'ai appris douloureusement que je n'avais pas assez pris de temps pour regarder mes enfants quand ils étaient enfants, que j'aurais dû savoir jouer et rire avec eux, plus souvent et surtout chaque fois qu'ils me sollicitaient ; que je n'avais pas su toujours les entendre et les accueillir dans leurs attentes profondes et surtout que j'avais trop souvent confondu mon amour pour eux avec quelques-unes de mes peurs tant je voulais le meilleur pour eux, tant je désirais les protéger des risques (que j'imaginais) de la vie.

J'ai appris avec beaucoup de surprise que le temps s'accélérait en vieillissant et qu'il était important non pas d'ajouter des années à la vie, mais de la vie aux années.

J'ai appris malgré moi que je savais beaucoup de choses avec ma tête et peu de choses avec mon cœur.

J'ai appris que je pouvais oser demander si je prenais le risque de la réponse de l'autre, aussi frustrante ou décevante qu'elle puisse être, que je pouvais recevoir sans me sentir obligé de rendre, que je pouvais donner sans envahir l'autre et refuser sans le blesser.

J'ai appris sans même le vouloir que j'avais des besoins et qu'il ne fallait pas les confondre avec des désirs.

J'ai appris avec soulagement que je pouvais désapprendre tout l'inutile dont je me suis encombré pendant des années.

J'ai appris joyeusement à planter des arbres, c'est le cadeau le plus vivant que je peux faire jusqu'à ma mort à cette planète merveilleuse qui a accueilli mes ancêtres.

J'ai appris doucement à accueillir le silence et à méditer quelques minutes chaque jour pour laisser aux vibrations de l'univers la possibilité de me rejoindre et de m'apprivoiser encore un peu.

Oui, j'ai appris beaucoup et pourtant je cherche encore l'essentiel. Que vivre c'est permettre à la vie de nous enseigner sa magnificence. Chaque parcelle de seconde qui passe transporte avec elle la vie qui nous enseigne. Il revient à chacun de nous de tendre l'oreille pour que cette magnificence devienne nôtre.

Livres ressources de Jacques Salomé

- *Je viens de toutes mes enfances*, Albin Michel, 2009
- *À qui ferais-je de la peine si j'étais moi-même*, Éditions de l'Homme, 2008
- *Aimer c'est plus que vivre*, Éditions Tredaniel, 2008
- *Pourquoi est-il si difficile d'être heureux?* Albin Michel, 2007
- *Et si nous inventions notre vie?*, Éditions du Relié, 2006
- *Le courage d'être soi*, Pocket, 2001

Réfléchir à la mort
est extrêmement sain
et non pas triste.

Matthieu Ricard

Moine bouddhiste, auteur de livres sur le bouddhisme, traducteur et photographe, Matthieu Ricard est né en France en 1946. Fils du philosophe, essayiste et journaliste Jean-François Revel (né Ricard) et de l'artiste peintre Yahne Le Toumelin, il a grandi dans un environnement de personnalités et d'idées créatives. Il a étudié la génétique cellulaire à l'Institut Pasteur sous la direction de François Jacob, prix Nobel de médecine. Après avoir terminé sa thèse de doctorat en 1972, il s'est orienté vers l'étude et la pratique du bouddhisme, tout en décidant de résider dans l'Himalaya. Il a fréquenté certains des plus grands maîtres de la tradition bouddhiste tibétaine, dont Kangyour Rinpoché (1897-1975) et Dilgo Khyentsé Rinpoché (1910-1991).

Matthieu Ricard est l'auteur, avec son père, d'un dialogue intitulé Le moine et le philosophe *(Nil éditions, 1997; Paris, Pocket, 1999), traduit en 21 langues; de* L'infini dans la paume de la main *(Nil éditions, 2000; Paris, Pocket, 2001)avec l'astrophysicien Trinh Xuan Thuan; de* Plaidoyer pour le bonheur *(Nil éditions, 2003; Paris, Pocket, 2004); du conte spirituel* La citadelle des neiges *(Nil éditions, 2005) et de* L'art de la méditation *(Nil éditions, 2008). Il a collaboré à la publication d'articles scientifiques sur les effets de la méditation bouddhiste. Il a également traduit du tibétain de nombreux ouvrages et publié des albums de photographies de maîtres spirituels, de la vie dans les monastères, de l'art et des paysages du Tibet.*

Matthieu Ricard consacre l'intégralité de ses revenus à une trentaine de projets humanitaires au Tibet, au Népal et au Bhoutan sous l'égide de l'association Karuna.

Matthieu Ricard

Matthieu Ricard, l'Occident semble souffrir d'une très grande pauvreté de réflexion et d'attitude face à la mort qui est devenue un sujet tabou et fait l'objet d'une sorte de négation de plus en plus absurde. Pour un bouddhiste comme vous, cette situation n'est-elle pas assez consternante ?

En effet. Les gens préfèrent escamoter l'idée de la mort, l'ôter du champ de leur pensée et ne jamais s'en inquiéter jusqu'au dernier moment en se disant qu'ils verront bien comment cela se passe. Cette attitude revient en fait à ne pas savoir tirer le meilleur parti de la vie parce que, ce faisant, nous oublions que nous sommes en vie, c'est-à-dire que nous oublions la valeur de chaque instant qui passe. Lorsque des personnes apprennent qu'elles sont condamnées par une maladie et n'ont plus qu'un an à vivre, certaines s'écroulent mentalement. Toutefois, la grande majorité d'entre elles témoignent que cette année-là a été la plus intense, la plus riche, la plus précieuse de leur existence ; une année au cours de laquelle chaque moment passé avec des êtres chers, ou dans la nature, fut un émerveillement parce que chaque moment prenait soudainement toute sa valeur.

Pour qui oublie la mort, le temps apparaît comme une chose insipide qui s'écoule comme du sable entre les doigts. Ce n'est pas pour rien que, dans le bouddhisme, la méditation sur la mort est centrale. Ce à quoi vous me direz : « Mais c'est morbide ! À quoi bon justement y penser ? Mieux vaut penser à autre chose, se changer les idées ! » Or, ce n'est pas du tout le cas. C'est précisément quand nous sommes parfaitement conscients, d'une part, que la mort est inévitable et, d'autre part, que les circonstances qui l'amènent sont imprévisibles – c'est-à-dire qu'elle peut survenir demain, dans dix jours ou dans vingt ans, qui sait ? – que le temps prend une toute autre valeur. Il y a des pratiques associées à cette pensée de la mort : par exemple, celle de l'ermite qui, dans son ermitage, retourne son bol sur la table tous les soirs. Normalement, ce geste s'impose quand quelqu'un meurt. L'idée qui préside à ce geste est d'admettre ne pas savoir ce qui, de l'aube de demain ou de ma mort, viendra en premier... D'ailleurs, un très beau verset de Nagarjuna dit : « Nous devons nous considérer comme extrêmement fortunés lorsque nous inspirons à nouveau après avoir expiré. » Il est vrai que cela donne une valeur inestimable à l'existence.

Réfléchir à la mort est extrêmement sain et non pas triste. C'est faire preuve de réalisme parce que masquer la réalité est inévitablement une source de frustration, et pour cette raison, quand notre mort et celle de personnes qui nous sont chères surviendront, nous serons totalement choqués, désemparés. Mais si nous comprenons que la mort est dans la nature des choses, si nous essayons de faire en sorte que ce passage s'opère le mieux possible, sans détresse, sans peur, et si nous entourons ceux qui s'en vont avec le plus d'affection, d'amour, de tendresse, de présence et de disponibilité possible, nous pourrons et nous saurons aborder la mort avec sérénité au lieu d'être totalement anéantis, le jour où, brusquement, cette idée que nous n'allions jamais mourir se révélera manifestement fausse. Un ami, un maître tibétain, répète : « Ne vous inquiétez pas. La mort, c'est très facile : vous expirez, puis vous n'inspirez plus à nouveau. »

Toutefois, ce moment peut s'avérer très difficile et pénible. C'est pour cette raison qu'il convient de changer notre attitude vis-à-vis de la mort grâce à la réflexion. Extirper la mort du champ de notre conscience ne nous permettra pas de l'appréhender sous un angle meilleur. Un texte tibétain l'exprime en ces mots : « Au début, on envisage la mort comme si nous étions un animal pris au piège. » Ce qui signifie que la pensée de la mort est insupportable, source de profonde angoisse et que nous nous débattons avec elle. Ensuite, si nous entreprenons une démarche de transformation intérieure, l'attitude face à celle-ci ressemble à celle d'un paysan qui a labouré son champ, l'a semé, et qui, ayant fait tout le nécessaire, se trouve sans regrets. Que la grêle frappe son champ, que des rats dévorent une partie de sa récolte, il a fait tout son possible et n'a donc aucun regret. Enfin, pour un pratiquant expérimenté, la mort est comme une amie, c'est-à-dire qu'elle nous est devenue très familière – elle est inévitable, elle est un passage, une belle mort est le couronnement d'une belle vie –, et nous n'entretenons plus à son égard de sentiment de panique, de répulsion, d'injustice, nous cessons de penser que le monde devrait être autrement parce que la révolte contre la réalité ne mène qu'aux tourments. Nous sommes dès lors dans un univers totalement autre où la mort a un sens.

Puisqu'ils conçoivent un continuum de conscience, les bouddhistes envisagent la mort comme un passage, tandis qu'ici, en Occident, le décès est vécu très différemment : s'il y a parfois des enterrements où l'on réussit à préserver un aspect positif et au cours desquels est célébrée la vie du défunt, il faut avouer qu'en général c'est un événement plutôt sinistre. En Orient, en tout cas dans le monde bouddhiste, une crémation ressemble presque à une fête. Nous invitons un grand maître spirituel pour présider au rite. Toute la famille, tous les amis viennent, et après le rituel fusent ces commentaires : « Ça s'est bien passé ! Quelle belle cérémonie ! » Ensuite, tout le monde participe à une sorte de pique-nique, de fête : ils sont contents qu'un grand lama ait pu venir, que de nombreux moines et nonnes aient prié pour le défunt, que tous aient pu se rassembler et se retrouver. L'atmosphère est assez festive. Je me rappelle la mort de Marilyn Silverstone – une amie américaine qui était nonne et grande photographe. L'ambassadeur des États-Unis, venu assister à la crémation, s'est exclamé : « Incroyable, tout le monde a l'air content ! » C'est différent, fort différent, car nous concevons la mort comme un passage, certes difficile, mais nous tentons de réunir les meilleures conditions afin que ce passage s'effectue au mieux. En somme, c'est un peu comme un navigateur qui aurait réussi sa traversée de l'océan et qui serait accueilli par des exclamations : « Formidable ! Maintenant qu'il est arrivé à bon port, nous pouvons dormir en paix… ». Alors qu'en Occident, on a plutôt l'impression d'avoir abandonné la personne à son sort, sans que ses proches n'aient pu lui apporter le moindre réconfort : aide spirituelle, aide par la prière et par la pensée.

Pour un ermite, pour un vrai pratiquant, la mort est véritablement un passage qu'il aborde avec sérénité. On dit même que ce moment est une occasion unique : il y a là une possibilité de comprendre enfin la nature ultime des choses et d'atteindre un éveil spirituel très profond. De ce fait, pour le méditant, c'est une étape critique, tout en demeurant un point intense de pratique spirituelle où il ne s'agit en aucun cas d'esquiver l'agonie. Le pire pour un méditant est de mourir inconscient, dans les limbes, parce qu'il serait alors incapable de poursuivre sa pratique spirituelle. Le fait de pouvoir être lucide est un grand bonheur, et d'ailleurs, quand nous lisons la biographie des grands sages du passé, il est très frappant de voir que nombre d'entre eux, juste avant de mourir, s'assoient en posture de méditation, lèvent les yeux vers l'espace et meurent en méditant. Pendant cette attente, nous ne savons même plus s'ils sont encore là ou non parce qu'ils paraissent méditer. Ce phénomène peut durer un certain temps, parfois plusieurs jours.

La mort est un passage critique où tout est amplifié : aussi bien les avantages d'avoir une pratique très claire à ce moment-là que les désavantages de sombrer dans la panique, d'être complètement confus ou de garder des attachements pour ce que nous abandonnons. Mourir en pensant uniquement à l'héritage que nous laissons, à nos proches, est très dramatique. S'agripper à ce point à ce que nous laissons derrière est la pire façon de mourir ! Il faudrait commencer à lâcher prise au cours de la vie : en effet, il est triste et navrant d'être la proie de nos attachements au moment de la mort. Oui, il est affligeant de voir des personnes mourir dans l'attachement ou pire, encore, dans le ressentiment, le regret ou l'angoisse. Une mort sereine est évidemment la meilleure qui soit. Le souhait de l'humble bouddhiste qui meurt est de pouvoir poursuivre sa voie spirituelle où qu'il en soit de ce cheminement. Il espère pouvoir renaître en tant qu'être humain auprès d'un maître spirituel, il aspire ardemment à continuer son chemin vers l'éveil. Même si ce chemin est très long, il souhaite avoir la possibilité de le poursuivre. Tel est son vœu premier.

Bien sûr, les gens pleurent parfois. Cependant une telle attitude est déconseillée parce que le chagrin trouble le moment du passage de la personne qui s'en va et augmente son attachement à ceux qu'elle laisse derrière elle. Si elle voit que tout le monde est bouleversé, elle-même ne sera naturellement pas en paix. Elle va s'attacher davantage à ceux qu'elle quitte. L'idéal, c'est de l'aider par un conseil spirituel. En l'absence d'un maître, des textes sont lus au mourant. Nous l'aidons ainsi à centrer sur sa pratique spirituelle toutes les facultés dont il dispose sur le plan spirituel plutôt que de se rattacher à ce qu'il abandonne. Il faut alors instaurer un climat extrêmement calme, faire le moins de bruit possible, s'abstenir de verser des larmes. Il convient donc d'éviter les drames et de favoriser précisément la mort dans la sérénité. Si la personne souffre, il est crucial de l'entourer le plus possible d'affection, de tendresse, d'amour, de présence – tout ce dont nous avons grandement besoin dans notre société.

Les soins palliatifs se sont maintenant développés. Toutefois, il est dramatique de voir à quel point, hier, les mourants n'avaient droit qu'à un traitement médical dénué de cette assistance humaine qui peut venir de la famille. À condition toutefois que celle-ci ne soit pas bouleversée au point de ne pouvoir aider avec sérénité ceux qu'elle aime et accepter de les voir partir. Dans le cadre d'une intervention de soins palliatifs, la présence rassurante et aimante de quelques personnes lors d'un événement qui va inévitablement se produire est d'un grand secours, et je crois qu'il est essentiel de procurer pareille assistance à tous ceux qui meurent. Dans notre clinique du Népal – notre association

Karuna-Shechen[1] nous a permis de fonder plusieurs cliniques –, nous avons un centre de soins palliatifs qui accueille les personnes démunies afin qu'elles partent d'une façon décente, entourées d'affection, alors que naguère elles mouraient souvent seules dans la rue.

Que nous croyions ou non en une continuité de la conscience, nous ne pouvons que souhaiter que chacun meure en paix. Vous savez, je revois les derniers jours de mon père, Jean-François Revel. J'étais en retraite au Népal lorsque sa condition s'est aggravée. Je suis sorti de ma retraite et j'ai pu venir au moment où il est entré à l'hôpital pour l'assister dans ses derniers moments. J'ai passé une quinzaine de jours auprès de lui presque jour et nuit. Et mon seul but, en plus d'être auprès de mon père, était vraiment de l'entourer du maximum d'affection, d'être toujours présent, parce que même les meilleures infirmières ne peuvent pas rendre visite aux malades toutes les cinq minutes ! Or, il fallait toutes les deux minutes relever son lit, le rabaisser ; bref, être constamment à son chevet. Et quand il est mort, j'étais certes triste, mais sans le moindre regret. Cela s'est bien passé, il a connu une mort pas trop difficile et relativement sereine. Je crois que le fait de l'avoir ainsi aidé à créer cette atmosphère de tranquillité a été forcément infiniment plus bénéfique plutôt que de le laisser mourir dans l'angoisse et dans la difficulté. Bien sûr, il y a des gens qui éprouvent des souffrances physiques très intenses dans ces moments-là, mais, de nos jours, nous avons les moyens d'y remédier sans que la personne traitée devienne inconsciente ? Nous pouvons l'aider de la sorte à mourir dans la sérénité. C'est tellement mieux ainsi ! Après coup, je me sentais presque bien et je me suis dit : « Voilà ! Il a eu une belle mort ! »

Selon le bouddhisme, la mort n'est pas semblable à une goutte d'eau qui s'absorbe dans la terre sèche ou à une flamme qui s'éteint. Elle a plutôt à voir avec la conception de la nature de la conscience. C'est un problème complexe. Beaucoup de religions théistes envisagent une

1. NDLR : Karuna-Shechen s'occupe de projets humanitaires dans les régions himalayennes. karuna shechen.org/

création, ce qui revient à dire que rien, à un moment donné, devient quelque chose. Selon la philosophie bouddhiste, l'idée d'un rien qui devient quelque chose est assez difficile à accepter. Un raisonnement logique montre qu'il est impossible de transformer le néant en quelque chose, surtout si cela se fait par l'entremise d'une entité qui elle-même est sans cause, ou qui contient toutes les causes. Le bouddhisme adhère à l'idée d'un univers sans début. Curieusement, des philosophes occidentaux partagent ce point de vue, tel Bertrand Russel qui a dit qu'un univers sans début ne comporte aucune faute de logique, que c'est un problème d'imagination. Nous sommes naturellement tentés de nous dire: « Bon, quinze milliards d'années, ça va, mais il faut bien que ça commence quelque part. » Nous avons du mal à comprendre qu'il puisse ne pas y avoir de début. Alors que c'est la seule explication qui ne soulève pas de difficultés logiques. Somme toute, cela revient à dire autrement que « rien ne se perd, rien ne se crée ». La matière ne peut pas venir du néant et retourner au néant, il faut qu'il y ait quelque chose, un vide quantique, ou quelle chose d'autre, il faut qu'il y ait un potentiel. De plus, selon le bouddhisme, s'ajoute la notion particulière d'une conscience qui possède a une qualité fondamentale différente de l'inanimé. La matière est un phénomène premier, c'est-à-dire que l'on peut remonter jusqu'aux supercordes, aux quarks, aux particules. Une fois que l'on en arrive là, se pose la question de Leibniz: "Pourquoi y a-t-il quelque chose plutôt que rien?" À moins d'introduire l'idée d'un Créateur, ce que le bouddhisme ne fait pas, force est de constater simplement que le monde des phénomènes est présent.

Le bouddhisme pose le même raisonnement en ce qui concerne la conscience: il estime que nous pouvons étudier la conscience de l'extérieur, nous pouvons décrire comment la complexité des organismes, par le phénomène de l'évolution, a amené une complexification du système nerveux qui a permis l'émergence de ce que nous appelons la conscience. Mais la conscience pose un problème dans tous les domaines et plus particulièrement en philosophie et en neuroscience. En effet, sans une perspective à la première personne – et même si nous pouvons décrire avec la plus grande exactitude l'ensemble des paramètres intervenant dans les processus qui ont lieu dans le cerveau lorsque nous voyons la couleur rouge ou ressentons de l'amour –, nous ne sommes pas plus avancés en ce qui concerne l'expérience de la conscience. Nous pouvons certes affiner l'analyse jusque dans les plus infimes détails pour expliquer la conscience en sondant avec une extraordinaire précision ce qui se passe dans les neurones, mais il faudra sans doute attendre une cinquantaine d'années avant de savoir exactement de quoi il retourne. Pour être honnête, il faut rester dans le domaine de l'introspection et de l'expérience parce que, sans expérience, la conscience ne veut rien dire. Si nous affinons à l'extrême notre expérience de la conscience, nous n'arriverons pas aux neurones ni au cerveau, parce que nous ne sentons pas notre cerveau. Il est impossible introspectivement de parvenir à une conscience claire des phénomènes neuronaux de la même façon que l'on décèle les supercordes et les quarks au niveau de la matière. Il est impossible d'accéder au niveau des neurones par l'expérience introspective parce que nous n'avons aucune idée du fait qu'ils existent.

A quoi arrivons-nous? Finalement, à la conscience pure, ou phénomène premier. C'est ce qui est, au fond, l'aspect le plus fondamental: la faculté cognitive de base qui sous-tend et permet toutes les pensées, les émotions, les souvenirs.

Chaque instant présent est déterminé par l'instant qui l'a immédiatement précédé. Et l'instant qui l'a immédiatement précédé ne peut pas être d'une nature totalement différente. Nous ne pouvons imaginer un instant de conscience immédiatement précédé par un instant totalement inconscient – dans le sens d'inanimé – d'une nature complètement différente. Le bouddhisme fait le raisonnement qu'il ne peut y avoir qu'une continuité de nature entre ces instants infiniment petits qui succèdent les uns aux autres. De même que selon cette philosophie, l'univers est sans début, elle parle d'un continuum de conscience qui, lui aussi, est sans début ni fin. Il s'agit là du produit d'un raisonnement. Reste à voir à quoi cela correspond sur le plan pratique.

Toutefois, la notion de continuum de conscience ne relève pas du dogme, mais correspond à une expérience, à un raisonnement logique qui peut être contesté, réfuté, et qui a le mérite d'avoir été longuement débattu. Ainsi s'est élaborée l'idée d'un continuum constitué d'états de conscience qui précèdent l'existence présente et les existences qui suivront. L'association du corps et de ce continuum de conscience n'en serait qu'un épisode. La vaste majorité des chercheurs en neurosciences estiment qu'il est peu plausible que la conscience, quelle que soit sa nature, se réduise totalement au fonctionnement du cerveau. Toutefois, c'est pour l'instant l'hypothèse qu'ils retiennent, bien que rien ne la confirme. On ne peut pas dire qu'il y ait des preuves solides ni dans un sens ni dans l'autre. Ainsi que le disait Francisco Varela, un grand ami spécialiste des neurosciences: «Gardons une attitude ouverte à l'égard de tout cela.»

Comment la méditation peut-elle préparer à la mort?

C'est précisément en développant une force d'âme, une liberté intérieure et une profonde sérénité que nous verrons la mort non comme la disparition du moi, mais comme un passage que nous serons capables d'effectuer. Cela reste néanmoins une épreuve parce qu'il se passe beaucoup de choses au moment où les éléments du corps commencent à se dissoudre, où le souffle peu à peu s'interrompt, et il faut une grande présence d'esprit et de sérénité pour maintenir une pratique spirituelle. La méditation permet d'acquérir suffisamment de force pour pouvoir poursuivre sa pratique spirituelle à ce moment-là, ce qui est le résultat de toute une vie d'entraînement spirituel. C'est pour cette raison que l'on dit souvent que la pratique spirituelle doit être une préparation à la mort doit se poursuivre toute la vie durant. Ce n'est pas à la veille de mourir qu'il faut se dire: «Bon, maintenant je vais m'occuper du domaine spirituel.» Il est un peu tard, au moment de la mort, pour commencer à s'interroger sur la meilleure façon de l'aborder! Si nous écartons la mort du champ de notre conscience, nous nous condamnons à ne pas être prêts à l'aborder au moment de mourir, nous nous retrouverons dans un état de choc et de panique qui ne nous permettra pas de la traverser de façon optimale.

Évidemment, nous ne savons pas ce que nous allons devenir ensuite. C'est un passage vers quelque chose d'inconnu, vers un autre état qui, pour le bouddhisme, s'inscrit dans une continuité. Et par quoi une continuité est-elle déterminée sinon par toutes les causes et tous les effets accumulés ? Si vous rassemblez un certain nombre d'éléments, leur effet résultera du nombre de causes et de conditions que vous avez rassemblées. Nous disons donc que, de même que je suis le résultat du passé, je suis l'architecte du futur. Mon expérience immédiate à venir est l'expression de la qualité que j'ai instillée dans ce flot de conscience. Si mon esprit est rempli de haine, de jalousie, d'obsession, tous ces facteurs réunis feront que la manière dont la conscience expérimentera le monde après la mort sera très différente que si j'ai fait provision d'amour altruiste, de paix intérieure, d'une meilleure connaissance et d'une meilleure compréhension de la réalité. On compare ce fait à une rivière, à un fleuve : si vous déversez maintenant, depuis un pont à Québec ou à Montréal, de la fluorescéine ou des plantes médicinales dans le Saint-Laurent, tout ce qui coule en aval sera teinté ; si vous versez du poison, le fleuve sera empoisonné jusqu'à ce qu'un autre facteur intervienne, jusqu'à ce que vous élaboriez, par exemple, un plan de purification de l'eau. Je veux dire par là que ce qui s'exprime en aval dépend de ce qui a été fait en amont.

Quand on aborde la question du karma, les gens pensent tout de suite : « Ah ! C'est mon karma, c'est tout bonnement mon destin... » Mais ce destin, personne ne vous l'a imposé ! C'est simplement la constatation de ce que vous êtes maintenant, qui est le résultat du passé, et le fait que vous construisez évidemment le futur. Dans ce cas, quelle est la spécificité du karma au sein de la loi de la causalité ? Un karma n'est en rien différent des lois de cause à effet. Il n'y a là rien de mystérieux, il n'y a aucune intervention d'une entité extérieure. Il s'agit simplement d'un aspect des lois de cause à effet qui a à voir avec le bonheur et la souffrance : à savoir quels sont les résultats, selon la loi de cause à effet, de vos états mentaux, de vos attitudes, de vos motivations – selon que vous êtes motivés par la haine ou par l'amour altruiste – sur vos expériences de vie ? Karma veut dire action, mais cela ne signifie pas simplement qu'en plantant une graine en terre vous aurez nécessairement une fleur : ce n'est pas le cas. Le karma n'est qu'un aspect, une catégorie, des lois générales de causalité. Lorsque les lois de causalité s'appliquent aux mécanismes du bonheur et de la souffrance, aux mécanismes mentaux et aux effets des mécanismes mentaux sur la joie, sur le bonheur, sur la souffrance, nous sommes devant ce qu'on appelle le karma. Ce n'est donc pas quelque chose qui nous est imposé, à la manière d'un destin inéluctable. Si, à partir du moment où vous semez des graines, vous n'intervenez pas, elles vont pousser d'une certaine façon. On peut dire qu'il s'agit là d'un fait inéluctable. Toutefois, vous pouvez aussi intervenir entre-temps, alors que les graines commencent à germer. S'il s'agit de mauvaises herbes ou de plantes vénéneuses, vous pouvez les arracher avant qu'elles ne mûrissent. C'est la part du libre arbitre. Les lois de cause à effet sont inéluctables, mais vous pouvez ajouter de nouvelles causes et conditions afin de modifier le cours des choses ! Néanmoins, si vous n'intervenez pas une fois que vous avez lancé quelque chose, le résultat se produira à coup sûr.

Avant que nous nous quittions, une dernière question me brûle les lèvres : est-il vrai que, chez certains grands méditants, la décomposition du corps intervient plus lentement que chez la plupart des gens, ou s'agit-il là d'une légende ?

C'est une question qui fera l'objet d'un programme de recherche scientifique auquel le Dalaï-Lama s'est montré tout à fait favorable. Il est vrai que des personnes meurent en quelque sorte en méditation. Il est difficile pour ceux qui les entourent de savoir si elles sont mortes ou pas. Pourquoi ? Parce que, quand nous les regardons, elles donnent l'impression de ne pas être tout à fait parties. Nous parlons en pareil cas de « méditation postmortem » qui peut durer parfois plusieurs jours. Lorsque ces personnes cessent leur méditation, la différence est tout de suite perceptible. Brusquement, elles prennent l'allure d'un cadavre, c'est-à-dire que la tête s'effondre et qu'apparaissent de nombreux autres signes. Jusque-là, nous avions presque le sentiment qu'elles étaient encore parmi nous, bien présentes ; il n'y avait pas de raideur cadavérique. Dans ces cas bien précis, il y a une chose que nous souhaiterions justement mesurer. Selon de très nombreux témoignages, une zone au niveau du cœur conserverait encore un peu de chaleur pendant vingt-quatre et même quarante-huit heures. Un fait qui m'a semblé personnellement être exact, en tout cas au toucher, chez deux personnes que je connaissais bien.

Des scientifiques de l'Université du Wisconsin, à Madison, ont maintenant fourni au Dalaï-Lama un appareil à infrarouges capable de mesurer au centième de degré près des différences dans le rayonnement de la température à des endroits spécifiques du corps pour déterminer effectivement s'il s'agit là d'une légende ou d'un fait avéré. À ce propos, le Dalaï-Lama a dit en plaisantant : « Avant, il y avait des grands méditants qui mouraient, mais nous n'avions pas de machine ; maintenant, nous avons une machine, mais pas de grands méditants qui meurent ! » Avec le temps, nous y parviendrons sans doute et ce sera passionnant.

Ainsi que je le disais à l'instant, j'ai connu au moins deux lamas pour lesquels tous ceux qui étaient présents dans les jours suivant leur mort ont pu constater ce phénomène de chaleur au niveau du cœur. Mais cela reste à vérifier. Un certain niveau de conscience subtile associée à leur corps persisterait en eux, même si l'on peut dire qu'ils étaient cliniquement morts : ils ne respiraient plus et n'avaient plus de pulsations cardiaques. Je suis persuadé que, si on leur avait fait un électro-encéphalogramme pour mesurer leur activité cérébrale, le résultat aurait été nul ou presque. Mais il y avait quelque chose qui était encore en transition. En mai, alors que la chaleur est assez intense au Népal, l'un de ces méditants dont le cœur était resté chaud pendant cinq jours n'a pas dégagé la moindre odeur. Pourtant, je me suis souvent trouvé auprès de mourants, parce qu'on est souvent confrontés à la mort en Orient, et je peux certifier que, généralement, au bout de quelques heures, s'il fait chaud, la pestilence du corps qui se décompose devient intolérable.

Il est effectivement très difficile de décrire et de définir la mort parce qu'il y a eu des cas cliniques de réveil d'un corps maintenu artificiellement en vie, après vingt-quatre heures d'électro-encéphalogramme plat. Nous ne pouvons donc pas dire ce qu'il en est vraiment parce qu'il nous est toujours possible, si la respiration et si le cœur s'arrêtent, de les relancer et de les entretenir artificiellement. Nous pensions jusqu'à maintenant que, si l'électro-encéphalogramme était plat, le sujet était vraiment mort. Toutefois des cas de sortie du coma et de reprise de l'activité cérébrale après vingt-quatre heures d'arrêt ont été rapportés. C'est un fait: la mort est de plus en plus difficile à établir à mesure que se perfectionnent les moyens de maintenir artificiellement en vie des gens qui, autrefois, auraient normalement été déclarés morts depuis longtemps mais dont l'organisme parfois reprend vie, pour ainsi dire. C'est aujourd'hui un épineux problème pour la médecine que de définir les critères de la mort. Il subsiste encore beaucoup de questionnements à ce sujet.

Accompagner n'est pas guider,
c'est être présent.

Yves Quenneville

Depuis 1975, le docteur Yves Quenneville exerce la médecine psychiatrique à l'Hôpital Notre-Dame (CHUM).

Sensible à la souffrance des autres, Yves Quenneville a sans cesse voulu apporter une contribution pratique à celles et ceux qui sont atteints d'une maladie grave, ainsi qu'aux proches qui les accompagnent. C'est pourquoi il a cofondé l'Unité des soins palliatifs de ce même hôpital.

À la fois auteur de publications scientifiques et vulgarisateur médical reconnu, il a écrit, avec le Dr Natasha Dufour, Vivre avec un proche gravement malade, *publié aux Éditions Bayard, en 2008. Ce livre, riche d'expériences vécues et attentif aux pièges qui surgissent dans l'accompagnement des grands malades, vise à outiller les aidants au quotidien à découvrir la manière de soutenir concrètement les personnes qui font face à une maladie très éprouvante, entre autres dans les différentes étapes à traverser.*

Yves Quenneville

Yves Quenneville, vous avez coécrit un livre intitulé* Vivre avec un proche gravement malade, *qui traite de l'accompagnement en fin de vie. Est-ce à dire que nous serions souvent mal préparés à un diagnostic terminal ?

Je ne crois pas que nous soyons foncièrement mal préparés. Je crois plutôt que l'anxiété, la douleur morale que nous éprouvons en apprenant le verdict d'un diagnostic grave et potentiellement mortel, peut nous déstabiliser au point que nous estimions ne pas avoir les moyens d'aider le proche aimé. Il peut même arriver que nous doutions de nos moyens et qu'il nous faille parfois l'intervention d'une personne extérieure au drame que nous vivons. Celle-ci nous dira : « Non, vous pouvez aider cet être cher. Nous essaierons de voir ensemble comment, avec les moyens qui sont les vôtres, vous pourriez faire quelque chose de bien. » Dans le cas de l'accompagnement des grands malades, si, dans mon livre, j'ai d'abord parlé de présence, c'est peut-être parce que j'ai eu envie de remettre les pendules à l'heure en ce qui concerne la nature et la portée de ce que nous entendons par « accompagnement ».

Au fil des années – il y a quand même un peu plus de trente ans que je pratique l'accompagnement des mourants et des personnes atteintes de maladies graves –, je me suis aperçu que la notion d'accompagnement a connu toutes sortes de dérives, pris toutes sortes de significations qui n'ont rien à voir avec ce qu'est l'accompagnement. De façon très simple et basique, lorsque nous voulons ou prétendons faire de l'accompagnement, il nous faut accepter de mettre de côté nos credo et nos idées préconçues et nous dire que le chef d'orchestre, la personne qui décide où elle veut aller, est la personne malade. Malheureusement, nous débarquons souvent auprès d'elle avec de bonnes intentions, trop de lectures, et nous pensons pouvoir l'amener à se conformer à nos credo ou à nos lectures. Nous croyons bien faire en voulant la tirer par la main dans une direction qui n'est peut-être pas celle qu'elle désire prendre.

Lorsque je dis que l'accompagnement commence par la présence, c'est qu'une personne malade et déstabilisée, une personne qui se sent menacée dans sa vie, redoute énormément la solitude. Et même si je suis à ses côtés, il y aura toujours une part de solitude pour elle dans ce qu'elle vit. Pourquoi ? Parce que nous avons tous notre jardin secret, et que certaines choses demeurent incommunicables. Cela dit, la présence physique préparée, annoncée, répétitive et garantie d'une personne devient alors une petite bouée de sécurité qui fournit au moins une base indispensable de ce que pourra être l'accompagnement. Si, d'une part, nous ne sommes pas capables de promettre à quelqu'un – et de tenir notre promesse – que nous serons là, que nous répondrons à ses demandes, que nous nous rendrons de façon constante à son chevet et l'accompagnerons à ses rendez-vous médicaux, je pense que nous nous gargarisons de mots en parlant d'accompagnement. Si, d'autre part, nous pensons avoir une bonne idée de ce qu'est bien mourir – mourir selon la démarche en cinq étapes proposée par la psychiatre Elisabeth Kübler-Ross ou par quelqu'un d'autre – et si nous imaginons rendre service à quelqu'un en lui imposant une telle démarche, je pense alors que nous sommes une parfaite illustration de ce que signifie le proverbe : « Le chemin de l'enfer est pavé de bonnes intentions. »

Accompagner n'est pas guider, c'est être présent. Il est contradictoire de dire que nous accompagnons si nous prétendons guider en même temps. Quiconque a fait de la musique sait ce qu'est un accompagnateur. Au concert, l'un chante et l'autre qui accompagne se contente de suivre. Si je vous précède, je ne suis plus en train de vous accompagner. Si je suis à côté de vous, ou un peu derrière vous, et que je suis sensible aux directions que vous voulez prendre, je commence alors à avoir une meilleure idée de ce qu'est l'accompagnement.

Forts et fiers de leurs croyances religieuses, bien des gens pratiquent ce que le docteur Marcel Boisvert[1] appelle de l'acharnement moral auprès des mourants. Ce comportement est-il fréquent ?

J'aime bien cette expression de Marcel Boisvert avec qui j'ai collaboré. Ce genre de comportement devait fatalement se produire et se produira encore... Pendant vingt-sept ans, j'ai travaillé intensément à l'unité de soins palliatifs de l'Hôpital Notre-Dame (CHUM). Il m'est arrivé d'y rencontrer, tant parmi les bénévoles que parmi le personnel soignant, des catholiques convaincus, des Born Again Christians, que l'on appelle aussi des pentecôtistes, des spiritualistes de toute appartenance, des adeptes de croyances mystiques ou de philosophies diverses, orientales ou pas, qui débarquaient à l'unité avec ce que l'on pourrait appeler un « projet spirituel personnel ». Ces personnes se sentaient investies de la mission de transmettre leurs croyances, souvent de façon déguisée, et d'amener les malades à vouloir mourir, dirais-je, en odeur de sainteté.

Un certain nombre de mes collègues et moi-même étions d'avis qu'une unité de soins palliatifs, en tout cas la nôtre, se devrait d'être laïque, ce qui veut dire neutre en ce qui concerne le personnel soignant, les bénévoles ainsi que les gens qui sont en lien avec les malades et leurs familles. Ce lieu devait respecter et favoriser éminemment l'expression des besoins spirituels de chacun des malades et non des soignants.

Bien sûr, j'ai mes croyances, ma spiritualité, mais je pense aussi que mes patients n'en ont rien à cirer, que ce n'est pas de leurs oignons, et que mon job, mon travail, ma fonction à moi, c'est de veiller à ce que, si des malades manifestent des besoins de cette nature, ces besoins soient respectés et que la lecture que nous en faisons soit en harmonie avec leurs besoins à eux. Il en va de la sorte pour tout : pour les besoins psychologiques et physiques, et même pour notre interprétation des manifestations de la douleur.

1. Le docteur Marcel Boisvert est une autorité en matière de soins palliatifs. Il a exercé à l'Hôpital Royal Victoria (CUSM), à Montréal, de 1979 à 1997.

Il est certain que quiconque entre dans une institution ou dans une maison où sont prodigués des soins palliatifs qui rapprochent de la mort et de toutes les grandes questions existentielles, aura déjà quelque part au fond de la tête sa petite idée de la manière dont les choses devraient se passer. Et c'est là que, malheureusement, il y a un risque de dérapage. Je crois que Marcel Boisvert a raison lorsqu'il parle de cela. Il a dû être témoin comme moi – à Notre-Dame ou ailleurs, parce que j'ai pas mal bourlingué dans le réseau des soins palliatifs ici, en France, en Suisse et un peu partout – de situations où certaines personnes essayaient d'imposer leur credo. Si je repense aux conversations que j'ai eues récemment avec d'autres praticiens des soins palliatifs, il semblerait que la présence de ce que je qualifie d'attitude « mystico-religieuse-spiritualiste » – ou « moraliste », si vous préférez – se fasse maintenant sentir un peu trop souvent. Hélas !

Cet état de fait ne devrait toutefois pas trop nous étonner parce qu'il est sûr qu'en fin de vie, la personne est vulnérable : elle a peut-être peur de l'au-delà, et c'est le moment ou jamais pour elle, si elle croit, de sauver son âme. Cela va pour ainsi dire de soi, c'est une évidence. Y a-t-il questions plus importantes que de nous demander pourquoi nous sommes là et où nous allons ? Dès que la pensée de la mort, son imminence ou même sa probabilité se présente à nous, nous sommes pris d'un vertige – que nous soyons croyants ou incroyants, que nous ayons ou non une religion, une spiritualité. Je n'ai pas souvent vu des gens contempler la mort. Nous ne pouvons pas contempler le soleil à l'œil nu ; il nous est tout aussi difficile, voire impossible, de contempler la mort qui est comme un soleil. Je n'ai pas souvent vu des êtres humains manifester de l'indifférence à l'idée de leur disparition et de leur anéantissement.

Le prêchi-prêcha de l'acceptation à tout prix et de la résignation, que certains voudraient faire avaler de force aux malades, ne les empêchera jamais d'être en colère à l'idée de mourir. Ce qui me ramène à mes propos au sujet de l'accompagnement et des théories d'Elisabeth

Kübler-Ross, théories qui me semblent caricaturales, mais qui ne me causent pas en soi de problèmes lorsque la démarche qu'elle propose est le choix naturel de la personne concernée. Mais si j'ai dans ma tête de clinicien ou de prétendu accompagnateur d'enfoncer cette démarche dans le crâne des malades parce qu'elle me paraît juste et intéressante, si je suis convaincu que c'est la manière dont cela devrait finir, je n'accompagne plus, je pousse, je guide, je dirige, et finalement, je me fais des accroires et je fais croire aux malades qu'il y a des règles du bien mourir.

Je me rappelle avoir écrit, voilà plusieurs années, dans une revue dont j'oublie le nom, un article où je dénonçais cette propension que nous avons à définir des règles du bien mourir : au sens psychologique, au sens moral, et surtout, au sens de l'acceptation. Pour ma part, je pense que des gens n'arrivent pas à accepter qu'ils vont mourir. Ils ne peuvent pas l'accepter parce qu'ils perçoivent leur maladie, leur cancer, leur sida comme une injustice, l'imminence de leur mort est pour eux comme une claque au visage de la part de la vie, et ils vont mourir fâchés, enragés, découragés. Si nous ne savons ni ne pouvons accepter cela, nous, êtres humains présents à leurs côtés, témoins de leur malheur et de leur colère, laissons la place à quelqu'un d'autre qui n'aura pas peur de se trouver en présence d'une personne atteinte, malade et en colère. Et de telles personnes existent. Si je me mets à avoir peur toutes les fois qu'un patient est déprimé ou en colère, qu'il est furieux d'être malade, je n'ai pas ma place ici. Si je ne veux voir en consultation que des gens qui acceptent gracieusement l'idée de la maladie, de la menace de mort et de la mort elle-même, je pense que je ne recevrai pas grand monde dans mon bureau.

De quoi donc a besoin le malade en phase terminale ? A-t-il d'abord besoin d'exprimer, de verbaliser tout ce qu'il ressent ? Ne peut-il se murer dans son silence ? Il y a des gens qui parlent peu à cause de leur psychisme, de leur tempérament, de leur caractère. En leur présence, nous avons bien naturellement tendance soit à presser le citron pour lui faire rendre un jus qu'il ne peut ni ne veut donner, soit à l'ignorer complètement en nous disant: « Il ne veut pas parler, alors tant pis ! » Si une personne ne se sent pas capable de parler de ces choses-là, ou s'il est dans sa nature de ne pas parler, il est important que nous sachions être à l'aise avec son silence – comme il est important d'être à l'aise avec sa colère ou sa tristesse, comme je le disais auparavant – tout en lui signifiant notre disposition à l'écouter. En d'autres termes, si je suis avec vous tous les jours pendant des semaines et que vous êtes murés dans votre coquille, dans votre silence, il faut quand même que j'aie la décence de vous dire: « Écoutez, si jamais vous voulez parler, je suis prêt à entendre ce que vous me direz, quand vous voudrez et comme vous voudrez. Et si vous ne parlez pas, je resterai là, prêt à vous écouter. » Je viens d'établir de la sorte un lien, un rapport, contrairement à ce qu'il en serait si j'avais dit: « Ah, vous n'avez rien à dire ce matin ? Dans ce cas, je m'en vais et je reviendrai dans deux jours. » Le rôle de l'accompagnateur est un rôle difficile dans la mesure où il lui faut pour cela renoncer en bonne partie à ses attentes, à ses présupposés et faire preuve d'une ouverture intellectuelle et d'une sensibilité qui lui permettront de dire: « Quoi qu'il arrive, je resterai. »

J'ai le souvenir très net d'un patient entré dans mon bureau alors qu'il venait d'apprendre de son médecin qu'il lui restait peut-être six semaines à vivre. Je me rappelle le sentiment que j'ai éprouvé en voyant arriver cet homme: de tous les pores de sa peau transsudait l'angoisse ; je voyais, littéralement, l'angoisse lui sortir du corps, en suinter, et il était figé, paralysé, terrorisé. Il s'est assis, puis il a passé quinze minutes à pleurer sans parler. Je n'ai pas bougé de mon siège et l'entretien que nous avons eu ensuite a duré quarante-cinq minutes. Plusieurs mois plus tard – il est décédé beaucoup plus tard que ce que les médecins lui avaient annoncé –, il m'a dit: « Tu sais ce qui m'a sauvé, la première fois que je suis venu dans ton bureau, complètement terrorisé ? C'est que tu es resté là, tu t'es comporté comme une grosse éponge, tu as tout absorbé. » Ç'a été une leçon très importante pour moi parce qu'il est vrai que, lorsque nous entrons dans la chambre d'un patient terrorisé, malheureux et terrassé par la maladie, notre corps nous pousse invariablement et automatiquement à reculer vers la porte de la chambre, à retraiter vers la sortie. C'est un réflexe que nous pouvons à peine contrôler. Et si nous développons des stratégies comme celle de nous asseoir, sur le bord du lit du patient ou sur un tabouret ou sur une chaise à son chevet, nous venons alors déjà de gagner une partie de la bataille et nous dire: « Je vais rester. » Donc, quand cet homme m'a dit: « Tu t'es comporté comme une grosse éponge, et j'ai pensé: "Enfin quelqu'un qui n'a pas peur de ma terreur à moi!" », j'ai tout de suite compris qu'accompagner, c'était aussi être une grosse éponge.

Nous sous-estimons sans doute le fait – ce n'est peut-être pas le cas de tout le monde – que les gens en fin de vie peuvent vivre d'importants moments d'ouverture que j'appelle des « moments de grâce exceptionnels ». Il peut se produire, par exemple, des revirements sur le plan relationnel, et des gens qui s'apprêtent à mourir réussiront alors une réconciliation. Quand ces moments de grâce interviennent, j'insiste, ils sont pour ainsi dire le produit naturel du patient lui-même.

Dans *Vivre avec un proche gravement malade*, je relate l'histoire d'une femme qui était en chicane avec sa mère. Cette patiente a été l'une des premières jeunes femmes que j'ai accompagnées. C'était une remarquable mathématicienne, une fille extrêmement brillante qui se savait près de la mort. Un jour, elle me dit: « Écoute, je vais me marier demain. » Du coup, je pense: « Ça y est! Peut-être qu'elle est un peu confuse, désorientée. » Elle ajoute: « Je voudrais que tu viennes à mon mariage. » Le lendemain, sans trop y croire, je me rends à sa chambre à l'heure convenue. Elle avait effectivement décidé de se marier religieusement, elle qui était déjà mariée civilement. Nous nous sommes retrouvés plusieurs à son chevet: son mari, l'aumônier, l'infirmière qui lui servait de témoin, et enfin moi, qui servais de témoin à son conjoint. Tout le monde pleurait à chaudes larmes. Une fois le mariage célébré, elle me dit: « Écoute, il y a autre chose. J'ai une vieille chicane avec ma mère qui me boude depuis longtemps. J'aimerais que tu lui demandes de venir me voir, j'aurais des choses à lui dire.» Alors, je lui demande: «Te penses-tu capable de rester seule avec elle?» Elle me répond: «J'aimerais que tu sois là, les premières minutes, puis on verra.»

Bref, les deux femmes se sont finalement réconciliées. Souvent, les gens se querellent, et leur brouille dure tant d'années qu'ils ne se rappellent même plus quelle en a été la cause. Il s'agit fréquemment de broutilles, d'insignifiances. J'ai assisté à une belle réconciliation entre cette femme, que j'ai appelée Véronique dans mon livre, et sa mère. Leur réconciliation faite, la jeune femme me dit encore: «Ne viens pas me voir demain, je serai morte.» Et de fait, le lendemain, elle était morte. Voilà ce que j'appelle des «moments de grâce», et c'est la malade qui les a provoqués: tant le mariage – non pas parce qu'il s'agissait d'un mariage religieux, mais parce que c'était un événement humain absolument touchant – que la réconciliation avec la maman. Je pourrais passer des heures et des heures à raconter de pareils moments de grâce.

Ainsi, à une autre époque, nous avons accueilli aux soins palliatifs une dame qui avait un mari et deux filles. Un jour, alors que je croise le mari dans le corridor de l'unité, il me dit: «Elle m'a toujours accusé de la tricher, de sortir avec d'autres femmes. Cela me rend très malheureux, d'abord parce que ce n'est pas vrai; mais le pire est que, lorsqu'elle mourra, je vais me retrouver tout seul avec ces accusations pour le reste de mes jours, et cette idée m'est insupportable.» Le lendemain, j'entre dans la chambre de l'épouse malade et lui dis: «Parfois les gens ont des secrets qu'ils n'ont jamais partagés. Je me demandais si, vous, vous auriez un secret. Non pas que je veuille le connaître, cependant, si vous en avez un, peut-être aimeriez-vous le partager avec moi, mais pas aujourd'hui.» Je l'ai quittée. Le lendemain, je suis retourné la voir et elle m'a dit: «Votre histoire de secret, j'y ai pensé. Un secret, j'en ai un.» Alors, j'ai fait: «Ah oui?» Elle a repris: «Vous savez, j'ai toujours voulu garder mon mari en l'accusant de me tricher et de sortir avec d'autres femmes. Ce n'était pas le cas, et je le savais bien, mais je me suis comme peinturée dans le coin et je ne sais plus comment me sortir de là. » Je lui ai répondu : « Écoutez, c'est probablement trop dur pour vous d'avouer vos torts sans soutien, mais ma présence pourrait vous faciliter les choses et vous rendriez service à votre mari et à vos filles en les admettant. C'est peut-être le plus beau cadeau que vous puissiez vous faire à vous, à lui et à elles. » Sur ce, elle a dit : « Je vais y réfléchir. »

Elle était un peu têtue. Je suis retourné dans sa chambre, le lendemain, et elle m'a dit : « Si vous êtes là, j'essaye, je me jette à l'eau. » Alors, j'ai convoqué le mari et nous sommes entrés ensemble dans la chambre. Je me tenais un peu en retrait, et elle a déballé son histoire. Elle lui a avoué ses torts. Ils se sont évidemment étreints et réconciliés. Lorsque le mari est sorti de la chambre, il m'a pris dans ses bras et m'a dit : « Merci, vous m'avez rendu ma femme ! Je peux maintenant tomber, retomber amoureux d'elle. »

D'autres fois, il y a des moments de grâce pour nous, les membres du personnel soignant. Je me souviens d'un jeune homme aveugle de 18 ou 19 ans en train de mourir dans une chambre où son chien-guide le veillait. Le chien se tenait en permanence à la porte de la chambre parce que, si nous acceptons que les animaux de compagnie viennent pour de courtes visites, ce malade avait besoin de la présence constante de son chien. Deux fois par jour, les bénévoles allaient le promener au parc Lafontaine, mais, le reste du temps, le chien était à son poste. Au moment précis de la mort du jeune homme, survenue au petit matin – sa mère était partie chez elle prendre une douche ou un bain –, contre toute consigne, le chien a sauté dans le lit du jeune homme, il s'est couché contre lui et il a pleuré. Pas gémi, mais sangloté comme un être humain. Nous étions complètement bouleversés. Nous avons fermé la porte de la chambre et laissé le jeune homme et son chien, dont les sanglots s'entendaient depuis le corridor. Lorsque la mère est revenue, le chien est descendu du lit, il s'est posté tout près d'elle et un responsable de la fondation Mira est venu le chercher pour un repos bien mérité. Je dois dire que, pour nous, ce fut une leçon : comme quoi le deuil n'est pas seulement un arrachement psychologique, mais aussi un arrachement physique. Les gens qui acceptent de parler de leur deuil, de la mort d'un être cher, confirmeront qu'il y a, dans cette expérience, quelque chose du registre de l'arrachement physique. Pour nous tous, soignants, ce fut un moment de grâce.

Impossible de balayer d'un revers de la main l'amour, l'attachement, la durabilité d'une relation en disant tout bonnement: « Il faut maintenant passer à autre chose. » Le deuil est douloureux, c'est une douleur à la fois physique, morale et sentimentale. Il y a de la tristesse, et il faut donc y consacrer du temps parce qu'il y a là quelque chose à métaboliser, comme un gros morceau à avaler et que l'on met longtemps à digérer. Évidemment, le deuil qui survient au bout d'une longue maladie présente de grandes différences avec le deuil vécu à la suite d'un accident d'automobile, d'un décès subit et inattendu. Le deuil anticipé, qui permet graduellement le détachement relationnel réciproque, est bien sûr différent du deuil d'un père qui apprend soudain que son fils s'est tué dans un accident de motocyclette, mais dans tous les cas le deuil est essentiel.

Nous sommes bien conscients que les rituels de deuil ont changé dans notre société. Est-ce une bonne ou une mauvaise chose? Je ne saurais dire. Je ne voudrais pas avoir l'air d'un nostalgique du « bon vieux temps » où l'on exposait les corps pendant trois ou quatre jours, mais je suis tout de même un peu perplexe devant la tournure un peu lisse et aseptisée que prennent les rituels d'aujourd'hui. Les gens se retrouvent devant une urne, bercés par un fond sonore sirupeux, à siroter un verre et à grignoter des canapés en jetant un coup d'œil distrait à un diaporama avant de vite se disperser. J'ignore si c'est une bonne chose. Je ne peux pas décider pour les autres. Je ne prétends pas que ce soit toujours le cas, mais je constate que cela rebondit parfois après quelques mois: « J'aurais donc dû, j'aurais peut-être dû voir le corps, j'aurais peut-être dû le toucher. » Vous êtes à la maison, vous apprenez que quelqu'un est mort, vous ne le reverrez plus jamais, et tout à coup, il n'est qu'une boîte remplie de cendres. Le deuil est incontournable, il prend toutes sortes d'allures. S'il est escamoté, occulté ou éludé, il finira par se manifester un jour ou l'autre, d'une façon ou d'une autre, que ce soit sous la forme de symptômes physiologiques, de maladies ou autrement. Impossible de s'y dérober, il faut faire son deuil, il le faut, et c'est à cela que les rites servaient en fin de compte, mais absolument ! Une société sans rituels autour de la mort et du deuil, cela n'existe pas.

Lorsque Lucie Côté, directrice de collection chez Bayard, m'a commandé le livre sur l'accompagnement des proches, que j'ai coécrit avec Natasha Dufour, elle a demandé s'il fallait à tout prix réussir à faire ses adieux avant de mourir. Je me rappelle avoir manifesté une espèce d'impatience, une certaine irritation même, devant sa question. Après réflexion, je me dis qu'elle a eu raison de la poser. Encore une fois, comme pour bien d'autres choses, cela ne se commande pas. Des gens ont le courage, la capacité, la générosité et la souplesse de dire : « Écoute, je vais partir et je veux que nous nous fassions nos adieux. » Cela m'est arrivé avec des patients : nous nous sommes fait nos adieux, nous nous sommes embrassés, nous nous sommes étreints, puis nous avons convenu que c'était la dernière fois que nous nous voyions. Je pense en particulier à une dame venue me voir, il y a quelques mois, et que je recevais ici depuis plusieurs années, en consultation externe. Elle est entrée dans mon bureau en disant : « Je tenais à vous voir une dernière fois. » Nous avons échangé, nous avons fait le bilan de nos rencontres, et avant de partir, elle m'a dit : « Est-ce que vous accepteriez de m'embrasser parce que mon mari ne m'embrasse plus depuis des années ? » Je l'ai embrassée sur les deux joues et je l'ai serrée très fort. C'était normal parce que cette femme, qui n'était plus jeune – elle avait 80 ans –, faisait partie de ma vie et moi de la sienne.

Les adieux, lorsqu'ils sont possibles, peuvent être bénéfiques, mais sont-ils pour autant nécessaires ? Il y a des adieux implicites, silencieux. Je dirais que le plus douloureux est d'être laissé sur le quai de la gare sans avoir entendu le « Je t'aime » attendu toute une vie. Cela, je trouve que c'est humainement la chose la plus triste qui soit : quelqu'un est sur son lit de mort et attend vainement que l'autre, qui va lui survivre, lui dise : « Je t'aime ! » Ou encore, quelqu'un est en train de mourir, entouré de ses enfants auxquels il n'a jamais eu la décence de dire qu'il les aimait, et jusqu'au dernier souffle de leur père ou de leur mère, ces enfants vont espérer entendre un « Je t'aime » qui ne viendra pas. C'est douloureux, extrêmement douloureux, et j'en ai été moi-même témoin. Ce n'est pas gentil de ne pas être un véritable accompagnant et de se permettre de dire à quelqu'un : « Vous n'auriez pas envie de faire un cadeau à vos enfants avant de mourir et de leur dire que vous les aimez ? » À cela, on m'a déjà répondu : « Mais si je ne le sens pas, si ça ne me tente pas, je ne le ferai pas, et je vais mourir comme ça ! » Les mots « je t'aime » sont certainement, de mon point de vue – et je l'ai écrit dans le livre – les plus difficiles à prononcer alors que chacun d'entre nous a besoin de les entendre.

Il y a trente ans, j'ai fait partie de l'équipe fondatrice de l'unité des soins palliatifs de l'Hôpital Notre-Dame. Nous en avions entrepris la planification dès 1978, et nous avons ouvert nos portes en 1979. J'y ai été actif sur le plan administratif et j'ai fini par devenir directeur de l'unité. Pendant vingt-sept ans, j'ai été vraiment très engagé, puis est venu le moment de céder la place à d'autres, ce que j'ai fait. Actuellement, mon rôle y est beaucoup plus effacé : je reçois des patients en consultation, mais je ne participe plus à la gestion de l'unité. J'estime qu'il y a une forme de conscientisation quant à la nécessité de développer les soins palliatifs au Québec. De plus en plus d'équipes, de maisons et d'unités de soins palliatifs voient le jour. Par ailleurs, je pense que les soins palliatifs restent bien secondaires aux yeux des décideurs parce qu'ils sont moins spectaculaires que les opérations à cœur ouvert. Insécurité et incertitude planeront sur cette spécialité, qui jusqu'à maintenant passe pour secondaire, tant que l'épouse ou la mère d'un premier ministre ou d'un directeur d'hôpital ne sera pas venue mourir dans une unité de soins palliatifs. Au début, on nous prenait pour des illuminés, des hurluberlus, des timbrés, et je ne suis pas sûr que la perception qu'on a de nous ait vraiment changé, hélas ! Parce que les gens imaginent toujours que l'hôpital, la médecine ont pour rôles de sauver des vies, de guérir ou de soi-disant guérir, alors qu'au contraire, tout reste à faire à partir du moment où tombe la phrase fatidique : « Nous ne pouvons plus rien pour vous. » Il semble que cela ne soit pas encore véritablement intégré. Pourtant, nous sommes à même, aujourd'hui, de constater, par exemple, que la contribution des équipes de soins palliatifs au soulagement de la douleur des malades cancéreux, bien avant la phase terminale, est de toute première importance, de toute première qualité et absolument indéniable. Il y a un éveil, une sensibilisation à la nécessité de pareils soins, mais il reste encore tant à faire…

Si nous étions immortels,
la vie n'aurait plus aucun sens.

David Le Breton

Anthropologue et sociologue français, David Le Breton est né le 26 octobre 1953. Il enseigne la sociologie à l'Université de Strasbourg, il est membre de l'Institut universitaire de France et chercheur au Laboratoire Cultures et Sociétés en Europe. Il s'est spécialisé dans les représentations et les mises en jeu du corps humain en s'intéressant de près aux signes d'identité, aux conduites à risque, surtout chez les adolescents, aux usages médicaux et mondains du corps humain.

En paraphrasant Descartes, « Je sens donc je suis », David Le Breton définit ainsi son anthropologie : saisir l'homme à travers les sens et une relation sensible au monde.

Devant les illusions d'immortalité possible grâce à la technique, il fait valoir que si les humains étaient immortels, la vie n'aurait plus aucun sens, les projets ne seraient plus possibles, la ferveur d'exister disparaîtrait.

David Le Breton écrit beaucoup. Parmi une vingtaine de ses titres, il convient de citer : La saveur du monde. Une anthropologie des sens *(Éditions Métailié, 2006), un succès de librairie ;* Anthropologie du corps et modernité *(PUF) a connu plusieurs rééditions dont la dernière entièrement revue et corrigée en 2008 ;* Signes d'identité. Tatouages, piercings et autres marques corporelles *(Éditions Métailié, 2002) ;* En souffrance. Adolescence et entrée dans la vie *(Editions Métailié, 2007),* Des visages. Essai d'anthropologie *(Métailié) ;* Expériences de la douleur. Entre destruction et renaissance *(Métailié, 2010). Il est aussi l'auteur d'un roman policier :* Mort sur la route *(Éditions Métailié, 2007 ; prix Michel Lebrun, 2008).*

David Le Breton

David Le Breton, la quête contemporaine d'immortalité, liée au fantasme de l'éternelle jeunesse, n'est peut-être pas un phénomène nouveau dans nos sociétés, mais ne prend-elle pas un tour différent de celui qu'elle prenait dans le passé?

Oui, je crois qu'elle est, notamment, alimentée par la passion du virtuel dans nos sociétés contemporaines, par l'importance du paradigme informationnel en quelque sorte. En effet, l'idée que tout ce qui existe – aussi bien d'inanimé que d'animé – relève d'une information, cristallise des informations, alimente finalement le fantasme que le corps, s'agissant de la condition humaine, est un instrument un peu superflu de notre rapport au monde. Le plus important, ce serait les informations contenues dans notre cerveau. De ce fait, si nous arrivions à télécharger ces informations sur une machine ou sur Internet, nous accéderions finalement à l'immortalité. Si le corps est le lieu en l'homme de la mort, supprimons le corps et nous supprimerons la mort. Si nous ne sommes pas autre chose que les informations contenues dans notre cerveau, alors pour les adeptes par exemple du transhumanisme ou du posthumanisme, il n'y a plus de problèmes pour atteindre l'immortalité.

On a vu apparaître ces dernières années, dans la mouvance des nouvelles technologies d'information et de communication, cette idée que, finalement, le corps est une sorte de prison, un fardeau voué à la mortalité, au vieillissement et à la maladie, alors que la vie serait si bonne sans tous ces tracas. D'où deux grandes directions pour atteindre cette immortalité: à savoir le *downloading* de l'esprit, le téléchargement de l'esprit dans la machine, et la «cyborgisation» de l'homme. D'un côté, on transfère la mémoire sur un support technique, en se débarrassant du corps, de l'autre, on tente une symbiose entre l'organique et la technique. D'une part *Matrix*, de l'autre *Blade Runner*. Dans les films centrés sur les cyborgs, souvent joués par Arnold Schwarzenegger, les personnages, mi-homme, mi-machine, se réparent eux-mêmes instantanément. La part en eux de la chair paraît secondaire. Comme disait Marvin Minski, l'un des pères de l'intelligence artificielle, « si vous êtes une machine, au moins une machine, ça se répare » tandis que l'organisme se dégrade, se détruit. Les adeptes de ces thèses tiennent un discours religieux. Selon moi, il s'agit effectivement là d'une religion de la technique. C'est une nouvelle forme de religiosité très proche d'une version nouvelle et laïque de la gnose. J'en parle notamment dans *L'Adieu au corps*. On n'est plus dans l'adoration des dieux ou de Dieu. Les monothéismes en ont pris un coup. Finalement, il y a une sorte de report de la religiosité vers la technique pour une part de nos contemporains. Nous sommes cependant nombreux à remettre la technique à sa place, enfin à ne pas lui accorder une importance aussi décisive que, par exemple, on le fait dans le courant des transhumanistes. Dans le transhumanisme, on a vraiment affaire à une religiosité de la technique.

Le transhumanisme est un courant de pensée qui considère que l'humanité est dépassée et qu'il faut aller vers le posthumain, vers le postbiologique, aller en quelque sorte au-delà de l'humanité pour justement atteindre l'immortalité. Ce courant de pensée considère que la mort est réversible, que la mort est contrôlable par la génétique. C'est là le fantasme du clonage poursuivi, par exemple, par des groupements comme celui des extropiens, des raëliens ou d'autres encore. Ces sectes, comme on les appelle en France, sont très présentes en Amérique du Nord. Donc, selon certains groupements de pensée, le salut viendra par la technique, non plus à travers un paradis quelconque, mais plutôt par le téléchargement de l'esprit sur Internet, par le progrès d'une informatique couplée au corps, par les avancées de la génétique, le clonage, etc. Le fantasme est celui d'une immortalité bientôt présente.

Et là, je songe au roman de Michel Houellebecq, *La possibilité d'une île*: le sentiment que, finalement, le clone sera la continuation de moi-même et que je vais me perpétuer comme ça à l'infini.

Dans ces imaginaires sociaux postmodernes, le paradis est un monde sans corps parce que le corps incarne la limite: limite à travers la mort, la maladie, la fatigue, à travers le fait que, si je veux, par exemple, escalader une montagne, je n'en suis peut-être pas capable parce que je n'ai pas l'entraînement requis ou parce que je n'en ai pas la force. Alors, le fantasme devient – et je cite en substance Natasha Vita-More, l'une des leaders de la mouvance extropienne, une posthumaniste avérée: « Je veux un corps qui me permette d'escalader une montagne si j'en ai envie, de traverser les océans si j'en ai envie, de passer du temps dans une petite grotte si j'en ai envie. » Un corps qui se plie absolument et en permanence à tous les fantasmes de l'individu, un corps soumis à la toute-puissance de la pensée. En ce sens, effectivement, le corps est l'obstacle radical de ces imaginaires sociaux qui voient la technique comme un salut. Et on retrouve là de vieilles idées gnostiques, ou tout au moins ce qui constituait une sorte de point commun des différents discours gnostiques: tout le malheur du monde vient du corps. Vieilles idées que Jorge Luis Borges a commentées autrefois. L'idée, par exemple – on est quelques siècles avant Jésus-Christ et au début de notre ère puisque la mouvance gnostique va perdurer bien après l'avènement du monde chrétien –, l'idée donc que si Dieu était tout-puissant et qu'il aimait ses créatures, jamais il n'aurait pu créer quelque chose d'aussi dérisoire, d'aussi mortel et d'aussi précaire que le corps. Si le corps existe, si nous sommes des hommes ou des femmes de chair, c'est que le monde n'a pas été créé par Dieu, mais par un démiurge, un faux dieu. La preuve de cette imposture, c'est justement le corps. D'où, chez les gnostiques, deux directions possibles: soit on neutralise le corps par l'austérité; soit, au contraire, on épuise le mal parce que le mal est en quantité finie dans l'univers, et chaque fois qu'un homme commet quelque chose d'irréparable, quelque chose de terrible, cette quantité de mal disparaît, le mal s'épuisera un jour et le vrai dieu apparaîtra triomphant. À ce moment-là, les hommes seront délivrés enfin du fardeau de leur corps.

Dans mon livre *L'Adieu au corps*, par exemple, j'ai analysé cette résurgence, néognostique en quelque sorte, chez des chercheurs, des « savants », comme on dit, chez des scientifiques, des hommes surtout qui ne se pensent absolument pas religieux, mais qui ne cessent de dire à longueur d'interview qu'un monde merveilleux nous attend grâce aux nouvelles technologies, au clonage et aux technologies de l'information. Ils oublient d'ailleurs – un oubli qui me trouble beaucoup en tant qu'anthropologue – que ces techniques touchent essentiellement le monde occidental, de même que de grands pays comme le Japon ou d'autres encore. Mais qu'en est-il de l'Afrique? Qu'en est-il de l'Amérique latine? Qu'en est-il d'innombrables populations qui ignorent radicalement, qui ignorent simplement qu'Internet existe ou qui ne peuvent même pas imaginer le clonage?

Et voilà ce qui m'a toujours profondément troublé: on est en train de trier les gènes de nos enfants pour fabriquer des exemplaires parfaits pendant qu'ailleurs, des centaines de milliers de femmes, en Afrique noire par exemple, voient leur gamin vomir ou avoir la diarrhée en se demandant s'il vivra jusqu'au soir. Ce monde est incroyablement contrasté, injuste.

Et pourtant, il suffit de naviguer un tant soit peu sur Internet pour savoir que l'informatique est bourrée de virus et qu'elle ne représente quand même pas la perfection!

Oui, mais ceux-là ne pensent guère aux virus. Et puis de toute façon, ils sont dans la toute-puissance. La pensée, l'idée qu'il y ait une différence fondamentale entre la machine et l'homme, par exemple, ne les effleure plus parce qu'il y a cette conviction, ce paradigme de la cybernétique qui est l'idée de l'information. Pour Norbert Wiener, il n'y a pas vraiment de différence entre la machine et l'homme parce que celle-ci a des modes de fonctionnement « comme » ceux de l'homme. On passe du « comme » au « c'est pareil ». De l'analogie, on passe à l'identité ! Et cette idée a alimenté le concept de la vie et de l'intelligence artificielles. Vous voyez ? Par un court-circuit, on passe du vivant à l'artifice, de la pensée humaine à la pensée de la machine, etc. De ce fait, je crois qu'eux ne songent même pas à votre objection, ou alors ils y songent avec la conviction que plus de technique encore viendra à bout de toutes les difficultés. Donc, ils vous disent : « Balayons ces objections qui sont tellement mineures au regard du paradis qui nous attend. »

Et qui va les fabriquer, ces machines ? Les Africains ? Ce seront surtout les Nord-Américains et les Japonais, bien sûr. Il faudra les entretenir, ces machines, les améliorer. Cela ne se fera pas uniquement par la pensée. Cela va nécessiter de la main-d'œuvre. La question de la main-d'œuvre, encore, ne me gêne pas. On peut dire, à la limite, que cela fournit du travail à un certain nombre de gens, pas énormément, à mon avis, parce qu'il ne s'agit pas de produire des voitures ou d'autres produits du genre, mais on sait bien qu'il y a des sommes hallucinantes vouées justement à la recherche dans ces technologies ou alors dans leur fabrication. On sait que les sectes nord-américaines disposent de fortunes colossales pour expérimenter le clonage. Je pense à Raël, par exemple, qui a annoncé le premier clonage, il y a deux ou trois ans. Il s'agissait d'une pure opération de communication, mais on sait que la secte consacre des sommes folles à ce genre de recherche. Ce n'est pas l'argent qui manque, même si bon nombre de gens sont lucides quant aux limites de ces techniques et sont plutôt adeptes de la saveur du monde que du téléchargement de l'esprit. Malgré tout, des impératifs parfois politiques ou économiques font que, finalement, ces travaux se poursuivent dans l'absence de critique.

Puis, il y a aussi les espoirs mis dans la génétique qui devrait permettre, soi-disant, de réparer toutes les pièces défectueuses du corps, nous rapprocher de l'immortalité, sauf accidents… On est encore là dans l'idée du corps-machine réparable à l'infini et de ce qui prend des allures d'intégrisme génétique. J'utilise le mot « intégrisme » pour bien marquer le fait qu'on est dans un discours religieux. En effet, dans l'imaginaire génétique – je parle bien d'imaginaire alors que les croyants de ces démarches, qui sont rarement d'ailleurs des généticiens, tiennent des discours différents –, il y a cette idée que tout le malheur du monde vient des gènes, du corps. Et puisque certaines maladies ont un substrat génétique, nous pourrons les endiguer après avoir établi une cartographie du génome, après avoir encore approfondi les recherches. De là, on passe à un certain nombre de pathologies en faisant comme si elles étaient simplement « provoquées par un gène ». On sait pourtant que tout cela est d'une complexité folle, qu'il y a d'innombrables interactions entre des gènes, qu'il y a le terrain, que la vie que l'on mène est absolument décisive pour le développement ou non de telle pathologie dont chacun de nous porte la potentialité, mais qui ne se développera peut-être jamais du fait de notre mode de vie. Or, on oublie cela. Malgré tout, on passe de la maladie ou des « troubles physiques » au rapport au monde, c'est-à-dire à des modes de vie. D'où l'idée, par exemple, que l'homosexualité serait génétique, comme la violence, le chômage et l'intelligence. On dérape dans le racisme, dans la haine de l'autre, dans l'idée que les comportements un peu différents relèvent forcément d'une pathologie. Alors, cette pathologie, on la traque dans le fin fond d'une cellule pour pouvoir éradiquer les formes de sexualité différentes, éradiquer l'autisme, la schizophrénie, voire le chômage ou la violence… On est dans le déni de la dimension symbolique de la condition humaine, l'homme en vient à se réduire à un organisme, à un amas cellulaire.

Quant au clonage, c'est assez naïf comme philosophie d'immortalité parce que, finalement, chaque expérience humaine est différente. Un clone, c'est en quelque sorte un jumeau, mais un jumeau qui naît plus tard. Pourtant, un certain nombre de gens croient qu'il sera leur miroir. Cela n'a aucun sens puisque ce clone va naître vingt, trente, quarante ou cinquante ans plus tard – donc, dans une autre période, dans une autre culture. Il aura une histoire de vie radicalement différente. Or, ce qui fait que nous sommes les uns et les autres les hommes ou les femmes que nous sommes, c'est notre histoire ! Ce ne sont absolument pas nos gènes qui nous déterminent. Nous sommes ce que nous faisons de nos gènes, et pas autre chose. Entre le clone et son double, enfin son « parent », il y aura une différence majeure. Malgré tout, cette différence sera douloureuse à vivre puisque ce sera, pour le clone, vivre dans la conviction qu'il a été fabriqué de toutes pièces comme un écho en quelque sorte, comme un double de son père... Jean Baudrillard a écrit une très belle chose là-dessus. Il a dit, je le cite de mémoire : « Pour le clone, l'épreuve, ce ne sera pas celle du miroir, ce sera celle de briser le miroir. » Il ne pourra vivre effectivement en tant qu'homme ou femme qu'après avoir détruit sa source, dont il n'est en quelque sorte qu'une conséquence instrumentale. Que devient un enfant dans tout cela ? C'est la question à poser à propos du clonage, à propos aussi des manipulations génétiques. Dans certains cas il s'agit de construire un double comme source de pièces de rechange pour le père vieillissant. Là, on entre dans l'obscène. Mais ces idées combattues par d'innombrables médecins trouvent néanmoins des thuriféraires. L'éternelle jeunesse, on le sait, ce sont aussi les méthodes anti-âge, les hormones, le culturisme, et tout le reste. Cela participe de cette société qui occulte la mort d'une certaine façon ou qui la combat, qui combat le vieillissement et la mort.

Jusqu'à maintenant, on a surtout évoqué un imaginaire de l'éternité, de l'éternelle jeunesse. Dans les pratiques de *fitness*, dans l'alimentation contrôlée, dans les prises de médicaments et d'autres produits, on est davantage dans le bricolage, si je puis dire. On est dans des ateliers de la vie quotidienne, et il s'agit plutôt de repousser le vieillissement. Il s'agit de maintenir une apparence de jeunesse très prégnante aujourd'hui, et très louable, d'une certaine manière. La génération des baby-boomers a eu un mode de vie relativement heureux, elle a su s'épanouir et elle refuse, à juste titre, que le fait d'avoir cinquante ou soixante ans devienne pour elle une entrave. Il y a cette idée qu'on est aussi jeune à soixante ans qu'on l'était à vingt ans, même si on est incapable des mêmes performances. De toute façon, on n'a pas les mêmes désirs à soixante et à vingt ans. Finalement, ce n'est pas un problème. Et puis, autant « entretenir » son corps en vivant son vieillissement de la manière la plus agréable possible, en faisant du sport, en marchant, en voyageant. Là, on est plutôt dans une volonté d'épanouissement personnel, dans une volonté de ne pas renoncer, quoi ! Ce n'est pas parce qu'on a soixante ans qu'il faut renoncer désormais à vivre et se cantonner dans le coin de son jardin. Le monde demeure ouvert. Les gens de la génération du baby-boom disposent de suffisamment d'argent pour recourir à toutes ces techniques et voyager.

Plus jeune, une phrase de Proust m'avait profondément bouleversé. Je savais qu'elle était vraie, mais plus je vieillis et plus j'en mesure la pertinence. Proust disait qu'un vieillard qui meurt, c'est un adolescent qui a longtemps duré. Je crois que chacun de nous se sent effectivement comme un adolescent qui a longtemps duré. Quand on se revoit en photo à quinze ans, à vingt ans, à trente ans, on se dit : « Mais ce n'est pas possible qu'il se soit écoulé vingt ans, trente ans. Je suis le même... » Nous avons cette volonté éperdue de ne pas vieillir, de maintenir intactes certaines choses que nous aimons. Et toutes ces technologies de la vie quotidienne – qui passent par les régimes alimentaires, les cosmétiques, voire les chirurgies esthétiques, le sport, etc. – sont finalement une manière de rester soi au fil du temps.

L'obsession du corps jeune participe-t-elle de l'angoisse de la mort ? Forcément, oui. La mort, aujourd'hui, est l'objet d'un déni dans nos sociétés occidentales. On ne peut pas dire qu'elle est un tabou. Un tabou, cela « fait » du sens. Sans le tabou de l'inceste, par exemple, le lien social est impensable. Dans toutes les sociétés humaines, vous avez des tabous qui sont fondateurs, en quelque sorte, du lien social. Quand on dit, très souvent, que « la mort est un tabou dans nos sociétés », ça n'a pas de sens. Il faut dire plutôt qu'elle est déniée. Nous la voyons en permanence autour de nous : il suffit d'ouvrir la télévision ou d'écouter la radio. On nous y annonce des attentats aux quatre coins du monde, des catastrophes écologiques, des accidents d'avion, et que sais-je encore ? Nous vivons en permanence avec ce discours ambiant de la mort, mais en même temps nous ne voyons plus la mort dans la vie quotidienne. Et cela vaut encore plus pour nos enfants, car, à plus de cinquante ans, j'ai bien souvent vu des cadavres, notamment quand j'étais plus jeune parce que nous allions saluer en quelque sorte une dernière fois la grand-mère, le grand-père ou le proche décédé. Aujourd'hui, on épargne aux enfants – pour leur bien, croit-on – ce moment de ritualisation du départ de l'autre. Et nos enfants sont en outre habités par la passion du *gore*, la passion des films d'épouvante. Ils regardent cent fois des films comme *Saw* ou *Scream*, qu'ils passent en boucle. En revanche, s'il y a un suicide ou une tentative de suicide, la mort d'un jeune dans un collège, dans un lycée, on s'empresse de dépêcher des psychologues parce qu'on redoute un traumatisme : les jeunes, comme leurs professeurs, sont complètement paumés. La mort qui nous environne en permanence – une mort virtualisée, spectacularisée – n'a rien à voir avec le rapport à la mort que chacun de nous entretient dans sa vie quotidienne, et qui est beaucoup plus angoissant. Cette idée de disparaître un jour définitivement, et que le monde continue avec, par exemple, les enfants qui grandissent, est extrêmement difficile à supporter. Nous essayons d'une manière ou d'une autre de combattre ce sentiment. Et d'ailleurs, nous vivons, dans la vie quotidienne, avec un fantasme d'immortalité. Freud a écrit de très belles pages là-dessus. Notre inconscient ignore la mort. Nous avons l'impression que la vie est à nous pour toujours, et même quand la maladie arrive, il est difficile de penser que, peut-être dans quelques mois, dans quelques jours, la mort sera là. C'est un impensable, et cela, Freud l'avait merveilleusement dit.

On ne peut pas penser la mort, et en même temps, il est très difficile, par ailleurs, de penser la vie. Quand on veut s'y arrêter un instant, on se dit : « Mais ma vie est une sorte de miracle incroyable. Pourquoi est-on un homme ? Pourquoi est-on une femme ? Pourquoi est-on né avec les parents qu'on a eus, dans telle classe sociale plutôt qu'une autre, pourquoi ? Pourquoi est-on né ? » Il n'y a rien à comprendre, mais on ne devrait jamais oublier que c'est une sorte de miracle, pas du tout au sens religieux, mais au sens où on ne devrait pas perdre cet émerveillement d'exister, cet étonnement d'exister. Et puis la mort, effectivement, est un autre immense mystère.

Les baby-boomers, dont je suis, veulent rester éternellement jeunes, mais ils vont subir le choc de la finitude auquel nul n'échappe. En tous les cas, ils auront repoussé au plus loin cette idée de la mort. Ou alors, ils l'auront peut-être intégrée parce qu'il y a une manière d'intégrer la mort dans sa vie quotidienne par la confrontation à la maladie, à une séparation douloureuse, à la mort d'un proche, parfois la mort d'un enfant, la mort des parents. Les baby-boomers n'y échapperont pas. À un moment ou à un autre, ils auront un rappel de la précarité de l'existence, et à ce moment-là, ils composeront avec le fait que la vie est une chance, mais qu'elle nous est mesurée puisqu'un jour ou l'autre nous la perdons. Alors finalement, il faut assumer cette immortalité qui nous manque. Je dis parfois qu'il faut justement la remplacer par la ferveur d'exister. Si nous étions immortels, la vie n'aurait plus aucun sens. C'est le thème du « Juif errant ». Il s'agit là d'un thème souvent traité par la littérature. Le fait d'être éternel est un châtiment, c'est quelque chose de terrifiant car le temps n'existe plus, et on ne peut plus en conséquence avoir de projet. La notion d'avenir n'a plus de sens. C'est quelque chose de terrible. Pour que la vie ait une valeur, pour que la vie ait du sens, il faut savoir, un jour ou l'autre, qu'elle nous est mesurée. L'amour n'a de sens que dans le fait qu'il est chaque jour, d'une certaine manière, un combat. Si l'autre vous était donné de façon éternelle, il n'y aurait plus aucun intérêt à vivre avec elle ou avec lui. En revanche, le fait de savoir qu'à tout moment peut survenir la séparation – parce que l'autre a trouvé ailleurs une autre personne avec qui vivre ou parce que soudain la maladie arrive ou le vieillissement – nous attache passionnément à l'autre :

on sait qu'on peut le perdre. Il faut assumer le fait que la valeur de sa vie vient, paradoxalement, de ce qu'elle est précaire. Remplaçons l'éternité qui nous manque par la ferveur d'exister.

Or, c'est ce que disent rechercher les sportifs de l'extrême : « Je le fais pour dépasser mes limites, les découvrir, savoir de quoi je suis capable. » À travers l'épreuve qu'ils s'infligent, ces hommes ou ces femmes demandent à la mort une réponse sur le sens de leur vie. Si les sports extrêmes passionnent beaucoup de baby-boomers d'une part, et énormément de jeunes d'autre part, c'est qu'il y a des liens entre ces comportements. Vous avez cinquante ans et vous avez l'impression d'avoir fait déjà plein de choses, mais vous doutez de vous-même. Ou alors, vous avez vingt ans et vous avez l'impression que votre existence vous échappe. Alors, quand on ne se sent pas bien dans sa peau ou qu'on a l'impression « d'avoir fait son temps », quand le lien social ne peut plus répondre à la question du sens de sa vie, on a finalement un moyen de se remettre au monde : c'est de se soumettre à l'épreuve et d'interroger symboliquement la mort pour avoir une réponse radicale sur le sens de sa vie. Dire : « Je vais me lancer dans une escalade périlleuse ou descendre une rivière en raft, je vais traverser un désert ou m'inscrire à un marathon. Je veux savoir de quoi je suis capable, voilà ! » Vous demandez, pour ainsi dire, à la mort une réponse ferme et radicale sur le sens de votre vie. Si vous réussissez, c'est que, quelque part, vous avez encore une légitimité à vivre, d'où cette quête éperdue. Vous vous sentez passionnément exister ! Vous êtes accroché à votre paroi, vous savez que vous existez. Vous sentez par tous les pores de votre peau que vous existez, et il y a finalement un moment d'émerveillement, un moment de transcendance – je ne le dis pas au sens religieux, mais au sens très personnel. Vous avez l'impression que vous échappez à la condition humaine, que vous retrouvez le sel de la vie, le goût de vivre, la ferveur d'exister pendant tout le temps de l'épreuve. Et même après, parce que vous direz à vos amis : « J'ai réussi cette escalade, c'était incroyable ; j'ai cru que j'allais tomber. À un moment donné, je me suis rattrapé in extremis. Et quand je suis arrivé au sommet, c'était tellement beau, tellement magique. Je ne peux pas t'expliquer ce que j'ai vécu. » Vous vous constituez une sorte de sacré personnel. Chaque fois que vous allez penser à ces moments-là, vous allez vous sentir hors de vous, dans une autre dimension de l'existence. C'est là une autre chose que recherchent les sportifs de l'extrême ou nos jeunes justement : se sentir exister quand on a l'impression que la vie nous échappe, quand on a l'impression de ne pas être vraiment réel, ce qui est une problématique chez nos jeunes. C'est un peu moins le cas des sportifs de l'extrême plus âgés, mais, en tous les cas, ils veulent à nouveau se sentir exister.

Ce sont des tentatives d'exister plutôt que de mourir. Je crois que la mort est rarement poursuivie en soi. Cela vaut autant pour nos jeunes que pour les adeptes du sport de l'extrême. Les jeunes, dans les conduites à risques, sont plutôt dans une volonté d'exister en dépit de leurs souffrances, du sentiment d'insignifiance qu'ils éprouvent. Chez les adeptes du sport de l'extrême, on est davantage dans le ludique, mais il s'agit non pas de se mettre dans la gueule du loup pour mourir, mais plutôt de regarder parfois la mort en face – je parle ici des plus radicaux –, de regarder la mort en face pour la défier, pour lui arracher justement cet émerveillement de vivre qui soudain s'est un peu dérobé. Quand on dit : « Je vais escalader ce sommet pour voir mes limites », c'est que, quelque part, on a perdu sa place dans le monde. On est en processus de recherche pour se sentir mieux dans sa vie, mieux dans sa peau, et pour retrouver du sens. C'est la question du sens de la vie qui est toujours engagée.

Pour les jeunes, cela représente un peu l'épreuve initiatique qui a existé de tout temps.

Oui, ce sont des rites. L'équivalent des rites de passage des sociétés traditionnelles. Le problème, c'est que nos sociétés contemporaines ne sont plus des sociétés traditionnelles. Ce ne sont plus des sociétés du « nous autres », mais des sociétés du « moi, personnellement, je ». Les rites de passage des sociétés traditionnelles avaient une fonction de transmission. Les aînés y transmettaient aux plus jeunes les grandes valeurs de la communauté. Le rite de passage était une espèce de mise à l'épreuve pour vérifier en quelque sorte si ces jeunes étaient à la hauteur des valeurs défendues et attendues de leur part par la communauté. Bien entendu, c'est quasiment toujours ce qui se produisait, sauf en de très rares exceptions. Aujourd'hui, il est plus difficile de parler de rites de passage. Dans certains de mes livres, par exemple dans *En souffrance. Adolescence et entrée dans la vie*, je théorise longuement cette idée que, dans les conduites à risque de nos jeunes d'aujourd'hui, on a plutôt affaire à des rites personnels de passage, des rites individuels de passage, des rites intimes de passage. En d'autres termes, ce n'est plus la communauté qui dit à ses jeunes : « On va te mettre à l'épreuve et puis on verra si tu es à la hauteur... Après quoi, tu seras définitivement un homme ou une femme. » Au contraire, dans nos sociétés, on cherche à prévenir ces comportements de mise en danger de soi – par l'engagement des travailleurs sociaux, des médecins, des infirmières, des enseignants, etc. – et on essaie de convaincre nos jeunes que la vie vaut la peine qu'ils la vivent. On essaie de leur transmettre des valeurs, mais qui paraissent souvent à contre-courant de la société d'aujourd'hui.

Dans cette difficulté de la transmission, aujourd'hui, il faut que d'une certaine manière le jeune ne s'autorise que de lui-même. On comprend qu'un certain nombre de jeunes, mal dans leur vie et mal dans leur peau, dont les familles sont fracturées, qui sont rejetés par leur père, leur mère et d'autres proches, qui sont exposés à des problèmes d'inceste ou d'agressions sexuelles, on comprend que ces jeunes ne puissent trouver un sens à leur vie que tout seuls. Tout seuls, en se confrontant à la mort, là où ils ont l'impression que la société leur renvoie leur insignifiance, leur nullité, là où ils ont l'impression qu'il est impossible de grandir et de trouver sa place, là où il y a une impuissance de la société à dire le sens de vivre. Alors, ils interrogent symboliquement la mort en se mettant à l'épreuve soit dans les conduites à risque de manière douloureuse, soit dans les activités physiques et sportives très intenses auxquelles ils se livrent, cette fois de manière plus tranquille, plus heureuse. Mais dans les deux cas, ils sont plongés dans une quête de réponse, de sens à leur vie. Si ça marche, on peut dire qu'il y a effectivement eu quelque chose comme un rite individuel de passage. Soudain, il y a cette illumination que la vie vaut quand même la peine qu'ils la vivent. Mais il faut en payer le prix. Et le prix à payer est lourd, surtout pour ceux qui sont dans les conduites à risque, mais aussi pour ceux qui s'adonnent aux activités physiques et sportives extrêmes. Un certain nombre d'entre eux sont en effet victimes d'accidents de VTT ou de planche à roulettes. D'autres se lancent à corps perdu dans le surf. Ils vont, par exemple, surfer sur des vagues beaucoup trop violentes, beaucoup trop puissantes pour eux. D'autres font de l'escalade et du hors-piste dans des endroits dangereux. Malheureusement, il y a une surmortalité de ces jeunes qui, pourtant, se situent plutôt dans une passion d'exister à travers l'activité physique et sportive à risque. Parfois, ils le payent de leur vie.

Par « conduites à risque », j'entends les troubles alimentaires comme l'anorexie et la boulimie, les tentatives de suicide, la vitesse sur les routes, les toxicomanies, la surconsommation d'alcool – notamment, le *binge-drinking*, « la biture express » comme on dit en France, qui touche maintenant des jeunes de treize ou quatorze ans –, mais aussi les fugues et l'errance au cœur des grandes villes. C'est cette grande difficulté à grandir et à vivre chez des jeunes qui se sentent en porte-à-faux avec le monde pour des raisons souvent familiales. Ils ont grandi dans des familles brisées, fragilisées, dans des familles recomposées ou monoparentales. Une famille monoparentale ou recomposée peut être parfois très bonne. Ce n'est donc pas cela qu'il faut dénoncer, mais cette situation accroît les risques d'une difficulté de vivre et de grandir. Il faut aussi compter tous ces problèmes d'agressions sexuelles ou autres qui projetent des jeunes hors d'eux-mêmes en leur donnant le sentiment que le monde n'est pas pour eux. Et c'est là où j'analyse les conduites à risque comme des tentatives de vivre, jamais comme des tentatives de mourir. C'est pour ça qu'il n'y a pas, à mon sens, de tentatives de suicide chez les jeunes, mais toujours des tentatives de vivre. Dans les services de réanimation, si vous interrogez un jeune sur son acte, après une tentative de suicide, il vous répondra: «Je l'ai fait pour que ça s'arrête. Je l'ai fait pour que ça ne me prenne plus la tête comme ça. Je l'ai fait pour faire réagir mon père…» Ce n'est donc absolument pas une parole de mort, mais plutôt une tentative de réconciliation avec le monde, une volonté que l'immense tension personnelle trouve enfin son terme.

Ceci m'évoque un autre aspect important dans notre échange: la mort n'a pas la même dimension pour un jeune que pour un adulte. L'enfant, comme l'adolescent, se représente la mort plutôt comme quelque chose de réversible. Cela, on le reconnaît pertinemment pour l'enfant. Vous dites à un gamin de cinq ou six ans: «Ton grand-père est mort, tu ne le reverras plus.» La semaine d'après, le gamin vous demande: «Mais quand est-ce que revient grand-père?» Et vous comprenez alors que les enfants ne vivent pas dans le même univers de sens que nous; ils sont dans une autre culture, pourrait-on dire. On pourrait penser que l'adolescent a grandi et qu'il sait que de la mort on ne revient jamais. Mais pas du tout! Il y a chez les adolescents cet entre-deux du «je sais bien, mais quand même…» «Je sais bien que la mort existe et qu'on n'en revient pas, mais quand même, moi, ce n'est pas pareil.» L'adolescent a ce sentiment d'être «spécial», d'avoir une espèce d'étoffe que les autres n'ont pas, ce qui fait que beaucoup de jeunes vont soit se livrer à des conduites à risque, soit se mettre en danger de façon terrible, ou encore se mettre dans des situations périlleuses à travers les activités physiques et sportives avec la conviction qu'eux ne peuvent pas mourir parce qu'ils sont trop bons, trop compétents. La mort, c'est pour les autres, les nuls, ceux qui manquent de maîtrise. Eux ont malheureusement le sentiment de tout maîtriser. Parce que la mort n'est pas en eux comme en nous – ou, en tous les cas, en moi, homme de plus de cinquante ans – une tragédie, quelque chose d'irréversible, quelque chose qui nous arrache à la vie. Non! Pour un ado, la mort est un «pays» dont on revient, à l'image du discours de tous ces adolescents pour qui la mort est une sorte de grand sommeil dont on se réveille le lendemain, et qui règle tous les problèmes ! Et je peux vous affirmer que j'ai recueilli un certain nombre d'entretiens où des ados vous disent carrément : « Je voulais m'endormir, et puis, à mon réveil, que tout soit résolu. » Alors, vous les regardez avec de grands yeux et avec émotion car vous vous dites : « Ce sont vraiment des ados. Il y a plein de choses qu'ils n'ont pas comprises de la violence du monde. » Combien perdent la vie d'avoir cru que la mort n'était qu'un sommeil dont on se réveille finalement tout fringant, en pleine forme ? Parce que longtemps, on s'estime immortel. Il y a ce fantasme, oui. Et qui perdure. Je suis moi-même dans le « je sais bien, mais quand même » ! Je sais pourtant qu'on n'en revient pas.

Dans l'un de vos livres, vous exposez que, de tout temps, les gens ont été fascinés par le spectacle de la mort et vous précisez même qu'on assistait jadis à des dissections en direct. Qu'est-ce que c'est que ce fantasme ?

J'ai longuement examiné la question dans mon livre *La chair à vif* qui traite notamment du « spectacle anatomique ». Ce qui m'a fasciné, c'est l'émergence de la passion anatomique dans le milieu du Moyen Âge, une passion qui explose au moment de la Renaissance. Pour la première fois dans l'histoire de l'humanité, des hommes vont se pencher sur le cadavre d'un semblable, vont l'ouvrir, franchir l'enceinte de la peau, vont – comment dire ? – décomposer la structure de ce corps humain pour voir de quoi il est constitué. Les anatomistes poursuivent alors une passion de savoir, de connaître, et en même temps, ils sont relativement détachés en regard de Dieu parce que l'objection que leur font justement leurs contemporains est : « Et la résurrection de la chair, la résurrection des corps ? » Sans compter la « cruauté » qu'il y a à dépecer de cette manière des cadavres. Donc, il se manifeste une résistance farouche des populations à l'encontre des entreprises anatomiques, du fait, entre autres, que les anatomistes sont obligés d'aller décrocher des pendus, de voler des dépouilles, de déterrer des cadavres dans les cimetières. Il y a en outre la violence faite aux proches des morts dans le fait d'imaginer que le cadavre de leur cher disparu a été dépecé de cette manière. Et il ne faut pas penser que l'Église a été un obstacle. L'Église, je crois, a très vite compris que le progrès de la connaissance était irréversible et qu'il fallait « tolérer » l'entreprise des anatomistes ; si bien qu'elle va plutôt exiger qu'une messe soit célébrée sur la dépouille de la personne qui a été disséquée. Et surtout elle va essayer de modérer le zèle des anatomistes. En d'autres termes, l'Église a eu une position éthique à cet égard pendant un moment, puis elle a complètement abandonné le terrain aux anatomistes qui se sont débrouillés pour récupérer les cadavres.

Au départ, il y a donc une opposition farouche des mentalités, une opposition culturelle en quelque sorte qui va se maintenir longtemps. Il y a une ambivalence, dirions-nous, de nos sociétés parce que nous connaissons également en effet les débuts, à la Renaissance, du spectacle anatomique, soit dans les amphithéâtres d'anatomie en Italie ou ailleurs. De grands bourgeois y participent, assis sur les gradins. Cela devient une fascination que de regarder la mort en face tout en étant dans un rapport de contrôle, c'est-à-dire du côté des vivants. Dans l'anatomie, il y a un exorcisme de la mort puisque l'entreprise consiste à tenir la mort en joue. Si vous dépecez un cadavre ou le regardez faire, vous devenez à un moment donné plus fort que la mort. Dans *Le malade imaginaire*, de Molière, rappelez-vous la réplique extraordinaire d'un homme qui cherche à séduire une femme en lui disant sensiblement : « Je vous emmènerai voir la dissection que je dois mener... » Et la femme lui répond à peu de choses près : « Ah ! mais c'est merveilleux que vous me proposiez cela, c'est bien mieux que le théâtre ! » Je trahis un peu Molière, mais quoi qu'il en soit, il y a l'idée que c'est effectivement merveilleux d'aller regarder disséquer quelqu'un.

Puis, on en arrive aujourd'hui – je fais un bond dans le temps – à ces expositions qui font courir le monde : celle de Gunther Von Hagens que vous avez eue à Montréal, il y a deux ans, ou celle que nous avons aujourd'hui en France et qui a été appelée, de façon bien française, *Our bodies* – qui n'est pas, il faut le préciser, de Gunther Von Hagens. Dans les deux cas, il s'agit de corps « plastinés », une invention de Gunther Von Hagens. Des expositions hallucinantes où l'on voit des hommes ou des femmes « écorchés », dans des positions de la vie quotidienne. À Montréal, on voyait une danseuse, des joueurs de football, une femme enceinte de plusieurs mois dont le ventre était éclaté, enfin toute une galerie de personnages… Et un clin d'œil à Vésale à travers un écorché qui offrait sa peau au seuil de l'exposition. On nous présente des personnages assez proches aujourd'hui en France. Lorsque j'ai visité l'exposition à Montréal, il y a deux ans, j'ai été frappé d'y croiser aussi bien des enfants que des gens du troisième âge. J'en ai parlé à un ami, professeur d'université au Québec, qui m'a dit : « Ah ! c'est cette exposition que ma mère est allée voir avec son club du troisième âge ! » Il y avait une sorte de consensus incroyable, aussi bien parmi les enfants que les personnes âgées, et j'ai visité l'exposition dans un climat de recueillement silencieux que je n'ai jamais vu nulle part. Il est rare que, dans les musées, on n'entende pas de grandes discussions. Là, non. Il y avait du silence, de la gravité, du recueillement. Évidemment, l'alibi de tout cela, c'est la pédagogie : il faut que les enfants apprennent, qu'ils sachent de quoi ils sont constitués. En même temps, on est face à la mort, face à des hommes et des femmes qui ont vécu, dont on doute qu'ils auraient aimé être exposés de la sorte dans les grandes villes. Dans beaucoup de pays, vous savez, les expositions de Gunther Von Hagens ont provoqué des polémiques. En France, elles ont longtemps été interdites. J'ai l'impression que l'exposition *Our bodies* semble avoir modifié les esprits. En tous les cas, si j'ai vu celle de Von Hagens à Montréal, c'est que je n'aurais jamais pu la voir en France, à l'époque. Cette exposition s'est pourtant baladée dans le monde entier. Elle a accueilli, je crois, cinq ou six millions de visiteurs, si ma mémoire est bonne. Elle a connu un succès prodigieux au Japon, par exemple.

Est-ce que voir ce genre de spectacle relève du même fantasme qu'une visite à la morgue à l'époque où elle était ouverte au public ?

Pour moi, c'est la poursuite au fil du temps, à travers des modalités différentes, de la même fascination : voir le cadavre de l'autre et être soi-même vivant. C'est une sorte de *memento mori* : je suis vivant parce que je vois l'autre, mort, ou parce que je vois un fragment du corps de l'autre. Je vois un crâne, j'ai un crâne sur mon bureau – ce qui n'est pas mon cas, je le précise – et de ce fait, je me rappelle à tout instant que je suis vivant. Donc, effectivement, le spectacle anatomique, depuis le Moyen Âge, traverse l'histoire et connaît une multitude de déclinaisons. Il y a eu d'abord le spectacle anatomique où les anatomistes disséquaient des cadavres dans les amphithéâtres, pour le bonheur de tous les grands bourgeois des villes. Il y a eu, au XIXe siècle, d'innombrables musées où l'on exposait des fragments de corps, des momies, où l'on reconstituait par diverses techniques, notamment la cire, des organes malades ou des maladies de peau. On y voyait des duplications artistiques, en quelque sorte, de maladies abominables, d'innombrables bocaux contenant des fœtus, des enfants morts, etc. Ce fut la grande époque des musées d'anatomie qui ont eu un succès immense dans le courant du XIXe siècle, partout dans le monde occidental. La morgue, c'était avant ! Dans *Thérèse Raquin* d'Émile Zola, il y a ce moment extraordinaire où l'homme qui a tué son rival va régulièrement à la morgue voir si, par hasard, on en aurait repêché le cadavre. Et là, il y a des pages extraordinaires de Zola qui raconte que, tous les jours, une foule de Parisiens se pressent pour regarder les morts repêchés dans la Seine ou trouvés égorgés dans les rues et qu'on ne parvient pas à identifier. On les expose à la morgue dans l'espoir que quelqu'un dira : « Ah ! mais je le reconnais, c'est untel ou unetelle ! » Et Zola rappelle que beaucoup d'adolescents, par exemple, ont eu leur première expérience sexuelle en regardant les cadavres des jeunes femmes mortes par noyade ou autrement. C'était un spectacle parmi d'autres, et il y a eu le cas – je crois que c'est Zola qui en parle – d'une enfant repêchée dans la Seine qui était, paraît-il, absolument bouleversante à cause de sa beauté et de l'émotion qui émanait de son visage. Des centaines de milliers de Parisiens ont défilé pour voir cette espèce d'ange que, comme tous les cadavres, on maintenait sous un filet d'eau froide qui coulait sans cesse de manière à retarder la putréfaction des chairs, et sans doute aussi à contrôler les odeurs. Enfin, je présume… Quoi qu'il en soit, on mettait en œuvre toutes sortes de techniques pour que les Parisiens puissent visiter les morts.

La dernière version de ce phénomène, à mon sens, ce sont les expositions du style de celle de Gunther Von Hagens. On a aussi, il est vrai, les films d'horreur. Je pense en ce sens à l'émergence des films *gore*, à la fascination du public pour la vue de personnes en train d'être écorchées, mangées par des cannibales, torturées. Oui, je prends note de cette passion pour le *gore* ou de cette espèce d'obscénité, de pornographie de la mort de l'autre où l'on ne se contente plus de le voir mourir : on veut aussi voir que des liquides jaillissent de son corps, on veut que du sang en jaillisse, on veut voir ses organes déchirés. Il y a cette fascination très adolescente. Ces films connaissent un succès incroyable auprès des ados, sans compter les innombrables sites ou jeux vidéo dans des logiques parfois très proches de la dissection de l'autre, de son dépeçage, de son massacre jusqu'à ce qu'il n'en reste que de vagues fragments épars.

Est-ce à dire que nous sommes des voyeurs devant la mort comme nous sommes des voyeurs devant la sexualité ? Je trouve qu'il y a effectivement quelque chose de cet ordre-là. C'est pour ça qu'il y a une pornographie de la mort, une obscénité, une volonté de voir au plus près, d'être collé – exactement comme dans la pornographie où, par exemple, voir la femme de loin ne suffit plus. Aujourd'hui, il existe des films pornographiques où le spectateur, par le truchement d'instruments médicaux, entre carrément dans le sexe de la femme. On peut se demander jusqu'où ira le fantasme. Pour la mort, c'est pareil : le spectateur veut avoir le nez collé sur les entrailles sanguinolentes de l'autre, et bon nombre de films d'épouvante d'aujourd'hui sont dans cette logique. On ne rêve plus la peur, comme autrefois dans les grands films d'un Jacques Tourneur. Aujourd'hui, on veut voir de ses propres yeux, sentir – un jour, sans doute, le cinéma deviendra-t-il « odorant » – et peut-être même goûter ! Certains voudront goûter les humeurs, les liquides jaillissant du corps. On veut être plongé le nez dedans, s'insinuer dans le cadavre ! C'est la « virtualisation » de la mort parce qu'on est tout de même ici dans le virtuel, la virtualité, n'est-ce pas ? Si les jeunes spectateurs étaient mis en face d'un vrai cadavre, ils ne réagiraient absolument pas de cette façon. Cela nous ramène à ce dont je parlais auparavant : qu'un jeune de leur lycée meure ou soit victime d'un accident, et c'est la terreur. Il leur faut effectivement rencontrer un psychologue pour s'en remettre. En revanche, quand ils regardent films et vidéos, ils sont dans la dénégation de la mort : la mort est un spectacle, il s'agit d'une abstraction, pas d'une réalité ! On est dans le virtuel, dans une « déréalisation » du monde.

Étrange, dira-t-on, cette fascination pour la mort en même temps que ce déni de la mort dans notre société. Est-ce vrai de tout temps ?

Non, parce que, dans nombre de sociétés humaines, la mort est culturellement intégrée, notamment par des rites funéraires, par des croyances qui promettent la vie éternelle ou autre chose. Pensons à la réincarnation et à la métempsychose, par exemple. Nous évoluons aujourd'hui dans une société d'individus, une société du « moi, personnellement, je » où les valeurs deviennent de plus en plus personnelles, de plus en plus personnalisées. Nous vivons dans un monde d'individualisation du sens. Finalement, le sens de ma vie ne renvoie qu'à moi et même les personnes qui me sont le plus proches peuvent être à l'opposé de moi ou en désaccord avec moi. On n'est plus dans le consensus que seule une culture peut produire. On n'est plus dans un monde de grands récits, comme le disait autrefois Jean-François Lyotard, de grands récits qui suscitent un accord de la plupart au sein de la communauté sur la manière dont il faut vivre, dont il faut mourir, dont il faut vieillir, etc. Aujourd'hui nous sommes livrés à nous-mêmes, pour le meilleur ou pour le pire. En d'autres termes, une société d'individus, une société individualiste invente la liberté. Nous sommes infiniment libres, mais pour assumer la liberté, il faut en même temps disposer des moyens symboliques nécessaires. Pour le dire autrement, il faut avoir une boussole qui permette de s'orienter, de se guider. Quand on a une boussole, on a mille chemins possibles. On sait à peu près dans quelle direction aller et se permettre des détours. Quand on n'a pas de boussole – c'est-à-dire quand on est mal dans sa peau, quand on ne sait plus très bien où on en est –, là, par contre, cela devient l'épreuve de la liberté. La liberté, c'est la pire ou la meilleure des choses.

Donc, dans nos sociétés contemporaines, il y a ce monde contrasté : des gens qui sont convaincus de l'immortalité, qui croient en la réincarnation, mais sans être d'aucune filiation religieuse. Ils y croient parce qu'ils en sont convaincus dans leur for intérieur. Pour eux, il est impossible qu'on disparaisse. Ils ont bricolé une théorie qui leur appartient. D'autres épousent l'idée de la résurrection de la chair, par exemple, parce qu'ils sont catholiques. Encore que beaucoup de catholiques, aujourd'hui, ne croient plus à la résurrection de la chair. Donc, même si quelqu'un adhère à un grand récit vieux de deux millénaires, et si on peut penser que tous ceux et celles qui vont à la messe le dimanche sont convaincus qu'ils vont ressusciter, c'est plus compliqué car les croyances religieuses sont percutées par le monde scientifique d'aujourd'hui. On ne sait plus très bien où on en est, même si on appartient vraiment à une filiation religieuse. Nous vivons dans un monde où tout est possible, où tous les extrêmes se côtoient, où la dénégation de la mort peut très bien coexister à côté, par exemple, de scientifiques, professeurs dans de grandes et prestigieuses universités, convaincus qu'ils vont bientôt télécharger leur esprit sur Internet, que c'est une affaire d'années parce que les choses évoluent si vite que cela doit nécessairement arriver. Et d'autres, au contraire, dont le collègue avec qui ils partagent leur bureau, les considèrent comme des fous qui fantasment, qui sont plutôt rigolos et délirants. Voilà le monde qui est le nôtre, aujourd'hui, un monde où tout est possible, où toutes les croyances les plus farfelues à nos yeux sont absolument convaincantes pour d'autres, un monde des plus étonnant à cet égard. Bien sûr, c'est passionnant d'observer tous ces contrastes, mais il s'agit aussi d'une réalité menaçante et compliquée parce que certaines de ces sectes ou certains de ces intégrismes religieux voudraient imposer au monde entier leurs valeurs, et cela, parfois, en ayant recours à des formes d'extrême violence.

La fin de vie doit être réintégrée dans le cours de la vie.

Axel Kahn

Né le 5 septembre 1944 au Petit-Pressigny en Indre-et-Loire, en France, Axel Kahn est docteur en médecine, spécialisé en hématologie, et docteur ès sciences (biochimie). D'abord chercheur à l'Institut national de la santé et de la recherche médicale (INSERM), il devient directeur d'unité en 1984, directeur de l'Institut Cochin et de l'Institut fédératif de recherche Alfred Jost de 2001 à 2008, avant d'accéder à la présidence de l'Université Paris Descartes le 20 décembre 2007.

Ses travaux portent sur les maladies génétiques, les cancers, la régulation de l'expression des gènes par les sucres et, plus récemment, sur le foie et le métabolisme du fer.

Membre du Comité consultatif national d'éthique de 1992 à 2004, il est appelé à la présidence du groupe d'experts de haut niveau pour les Sciences de la vie (organe-conseil sur les biosciences et les biotechnologies) de la Commission européenne, de 2000 à 2002.

Alex Kahn est l'auteur de plus de cinq cents articles parus dans des revues internationales et de nombreux livres de vulgarisation et de réflexion surtout éthique et philosophique dont Vivre toujours plus ? Le philosophe et le généticien, *en collaboration avec Roger-Pol Droit (Paris, Bayard Presse, 2008). En 1986, il cofonde la revue franco-québécoise* Médecine/Sciences *et en est le rédacteur en chef jusqu'en 1998.*

Détenteur de six doctorats honoris causa, il a reçu, entre autres distinctions, la médaille d'argent du CNRS, les titres de commandeur de l'Ordre national du Mérite, d'officier de l'Ordre national de la Légion d'honneur, de chevalier des Arts et des lettres, ainsi que la grande médaille de la Francophonie de l'Académie française.

Axel Kahn

Axel Kahn, chaque chose a un terme dans l'univers. D'où une question de prime abord simpliste d'un point de vue scientifique: Pourquoi meurt-on?

La question de savoir pourquoi l'on meurt est une des plus complexes qui soient et sans doute est-il impossible d'y répondre, si ce n'est par une boutade qui n'en est pas une. La bonne question serait: « Pourquoi pas la mort? » Autrement dit, sans doute n'y a-t-il pas de processus qui ont amené l'évolution naturelle à sélectionner la mort. En revanche, parce qu'elle n'était pas désavantageuse pour les organismes – et je vais m'expliquer –, la mort n'a aucune raison de n'être pas survenue.

Précisons un tout petit peu. L'évolution naturelle – le darwinisme en d'autres termes – indique que les modifications apportées aux gènes, et donc aux propriétés des organismes, surviennent au hasard: celles qui sont défavorables sont éliminées et celles qui sont favorables sont sélectionnées; enfin, celles qui sont neutres peuvent également être maintenues. Ce qui est absolument défavorable, c'est une mutation qui empêche les espèces de se reproduire. Donc, on voit très bien que, si une espèce ne se reproduit pas, son lignage disparaît immédiatement, et la mutation en cause, la modification est éliminée. En revanche, imaginons des modifications qui entraînent le vieillissement, la sénescence et la mort après que les organismes se sont reproduits. D'un point de vue évolutif, c'est totalement neutre. L'évolution ne fait que sélectionner l'aptitude à se reproduire. Ce qui se passe après que l'on s'est reproduit n'a aucun intérêt.

Et maintenant, quand on y réfléchit, pour éviter de vieillir il faut en permanence – on va utiliser une image, citer partiellement un vers – il faut « réparer des ans l'irréparable outrage ». Or, cela demande beaucoup d'énergie, et l'on peut se dire que la nature ne tient sans doute pas à consacrer, pour réparer les dommages, beaucoup d'efforts qui lui permettraient de s'opposer au vieillissement, car elle veut concentrer toute son énergie pour permettre aux organismes de se reproduire. Tout l'investissement est pour la reproduction. Par conséquent, ce qui se passe après n'a aucune importance, et, de ce fait, des modifications aléatoires – au hasard – peuvent survenir, s'accumuler, entraînant la sénescence, entraînant la mort. C'est sans doute la vision la plus proche de la réalité.

La bonne question est : « Pourquoi pas la mort ? » Si la vie ne s'était pas reproduite, il n'y aurait pas de vie. Voilà ! La vie n'existe que parce qu'elle s'est reproduite. Imaginons que la première cellule vivante ait été une cellule stérile. Eh bien, il n'y en aurait pas eu une deuxième ! Et il n'y aurait pas de vie. Si la première cellule vivante a un lignage et que vous en faites partie, c'est qu'elle s'est d'emblée reproduite. Et j'ajoute même : pour que cette première cellule vivante, apparue il y a environ quatre milliards d'années, ait pu évoluer dans quelqu'un d'aussi exceptionnel que vous, il a fallu que des modifications surviennent très tôt, toutes sélectionnées, aboutissant à la personne que vous êtes.

Mais attention ! Cela ne veut pas dire pour autant qu'il y ait un sens à la vie et à la mort. Pour un matérialiste, il n'y a pas de sens, vraiment, à la vie ou à la mort. C'est un processus biologique. Un « sens », c'est le sens qu'un « créateur » aurait voulu donner. Si on ne croit pas à un phénomène de création, il est difficile de lui trouver un sens. En revanche – et c'est là où il y a un paradoxe extraordinaire –, l'évolution a abouti à ces êtres exceptionnels, et ces êtres exceptionnels sont dotés de capacités mentales qui les entraînent obligatoirement à se poser la question du sens qu'a leur vie. Donc, la vie n'a pas de sens, mais chacun d'entre nous – vous, moi – ne peut manquer de se demander quel sens a sa vie, ou plus exactement quel sens il veut donner à sa vie. Par conséquent, la vie n'a pas de sens, mais chacun d'entre nous est conduit à se demander le sens que lui-même, d'un point de vue volontaire, désire donner à sa vie.

Quelles sont actuellement, selon le généticien que vous êtes aussi, les promesses de la science face au vieillissement ? Est-ce qu'elle progresse ? Aux États-Unis, ne dit-on pas qu'on se dirige tout droit vers une société dont les enfants vivront moins longtemps que leurs parents pour les raisons que l'on sait : mauvaise alimentation et manque d'exercice ?

Alors oui, il y a des promesses importantes de la science. Chez les animaux, en tout cas, mais ce n'est pas universel, pas totalement universel.

Nous descendons tous de cellules, d'organismes très primitifs qui avaient commencé d'accumuler ces mutations qui font vieillir, mutations dont nous avons hérité. Même si ce phénomène est aléatoire, il se retransmet de génération en génération. On commence à connaître ces mécanismes qui, chez tous les animaux et même dans la levure, conduisent au vieillissement. Ils sont relativement universels, dans le monde animal en tout cas. On commence même à pouvoir modifier la survenue de ces phénomènes et par conséquent à moduler celui du vieillissement. Par exemple, le *caenorhabditis elegans*, un petit ver, qui sert très souvent d'animal modèle aux biologistes, et qui a un peu moins de mille cellules – alors que nous en avons cinquante mille milliards –, vieillit selon des processus très voisins des nôtres. Or, en modifiant ces processus, on parvient, au maximum, à doubler, et même un peu plus, la durée de la vie du *caenorhabditis elegans*. Normalement, il vit vingt-cinq jours ; on arrive à en faire vivre certains plus de cinquante jours.

En modifiant les mêmes systèmes chez la souris – et la souris est beaucoup plus proche de nous que le *caenorhabditis elegans* puisque l'ancêtre commun de l'homme et du *caenorhabditis elegans* a vécu sans doute il y a huit cents millions d'années, de sept à huit cents millions d'années, alors que l'ancêtre commun de la souris et de l'homme n'a vécu qu'il y a quatre-vingts ou quatre-vingt-dix millions d'années –, en procédant aux mêmes modifications qui permettent de doubler la longévité du *caenorhabditis*, on peut entraîner, uniquement chez les individus mâles en l'occurrence, une augmentation de trente pour cent de la longévité moyenne des souris. Évidemment, on ne peut pas reproduire cela chez l'homme, mais on se rend compte qu'il est possible dans le monde animal, et de manière relativement simple, d'agir sur ces mécanismes assez universels qui conduisent au vieillissement. Et la meilleure méthode pour ce faire, la plus aisée, c'est de restreindre la prise calorique, c'est-à-dire diminuer l'alimentation. La frugalité, en d'autres termes.

La frugalité permet de faire de vieux os. Et il y a fort à parier que cela s'applique également à l'homme. Peut-être l'avez-vous remarqué ? Les grands obèses victimes de suralimentation ne feront sans doute pas de vieux os. On connaît cela dans certains endroits du monde. Prenons l'exemple des populations inuits de votre pays chez qui se répand une épidémie – si je puis m'exprimer ainsi –, une épidémie d'obésité. On constate d'ailleurs la même chose chez d'autres populations d'origine amérindienne, comme les Indiens Pimas du Mexique et de l'Arizona dont la population est touchée par l'obésité dans une proportion de plus de cinquante pour cent. La longévité y est très faible. Autre exemple : dans une île du Pacifique, lorsqu'on est passé des régimes carencés de la tradition au régime apporté par la victoire américaine sur les Japonais et qu'on appelle « le régime drugstore », on a vu apparaître une extraordinaire profusion de cas d'obésité très graves, avec diabète et mortalité précoce.

Par conséquent, on sait que, chez l'homme aussi sans doute, la suralimentation a des conséquences néfastes. Et la question devient maintenant : Est-on capable de moduler la longévité sans amener les gens à vivre frugalement ? Après tout, ils peuvent avoir envie de faire la fiesta, de manger très bien. La réponse est oui. On a cherché ce qui déclenchait les mécanismes qui peuvent être mis en œuvre par la frugalité, sans toutefois passer par le biais de la restriction calorique. Et on a trouvé des molécules qui jouent le même rôle. L'une de ces molécules, la tête de file de ces molécules, est un polyphénol, une molécule chimique un peu compliquée, mais pas trop, que l'on appelle le resvératrol. Or, le resvératrol est très populaire en France puisque le vin rouge en est la source principale. On s'est demandé si, par hasard, le resvératrol n'était pas responsable d'un phénomène que les Américains appellent le «*French paradox*». Ce phénomène peut, entre autres façons, se décrire comme suit: dans le Gers et dans d'autres départements du sud-ouest de la France, où l'on mange du confit d'oie et de la graisse, mais où l'on boit beaucoup de vin rouge, un vin rouge très tannique, la longévité est élevée et la mortalité par maladie cardiovasculaire est basse. Quoi qu'il en soit, on a voulu tester l'hypothèse non pas de l'effet du vin, mais de l'efficacité du resvératrol. On a donc pris des souris que l'on a suralimentées de façon à produire sensiblement les mêmes troubles que ceux observés chez les personnes obèses. Ces animaux ont eu, dès lors, un excès pondéral, une longévité diminuée et de petites anomalies artérielles. Quand, tout en les suralimentant, on leur a fait prendre de très grandes doses de resvératrol, puis des doses beaucoup plus faibles de produits dérivés du resvératrol, leur longévité n'a plus été altérée, et elle est même devenue identique à celle d'animaux frugaux. Cela étant dit, il ne faut pas trop se féliciter de ce que l'on puisse obtenir ce résultat par le vin rouge parce que la quantité qui permettrait d'offrir la dose efficace de resvératrol équivaudrait, pour une personne, à vingt litres de vin par jour. Je peux vous confirmer que, si vous utilisez cette méthode thérapeutique, vous ne ferez pas de vieux os.

D'autre part, à ceux qui s'inquiéteraient du fait que repousser l'heure de la mort ne ferait qu'allonger la vieillesse et son lot d'incapacités pour aboutir à une société de centenaires, je répondrai qu'il semblerait que, quand la longévité augmente, ce n'est pas uniquement la période de sénescence que l'on prolonge. On sait très bien qu'il y a encore un siècle, à soixante ans on s'installait dans un fauteuil, on se mettait un bonnet de laine sur la tête, du coton dans les oreilles, et on attendait la mort. Il y avait naturellement des exceptions : il y a toujours eu des centenaires. Mais pour l'essentiel, la longévité moyenne, l'espérance de vie à la naissance était inférieure à cinquante ans – même dans les pays développés comme le Canada ou les pays d'Europe. Aujourd'hui, un homme et une femme de soixante ans peuvent séduire : ils sont jeunes et actifs, ils font mille choses. Les femmes, grâce à la biologie, peuvent avoir des enfants à cinquante-cinq, soixante ans, et on voit bien qu'il n'y a pas que l'âge de la mort qui a reculé. Le phénomène de vieillissement a lui aussi été repoussé. Donc, il y a fort à parier que toute cette modulation prolonge l'espérance de vie et ralentisse le vieillissement. Et il y a fort à parier que le mécanisme par lequel la longévité moyenne est augmentée procède d'un ralentissement du vieillissement.

Vous avez écrit – je vous cite de mémoire : « L'idéal ne serait-il pas d'accepter l'humanité telle qu'elle devient, riche de la coexistence entre, souvent, quatre générations solidaires ? » Cette idée m'a beaucoup plu parce qu'actuellement, il n'y en a que pour les jeunes générations, dirait-on. Or, en même temps, tous les baby-boomers vieillissent. Ce dont vous rêvez, ne serait-ce pas d'une société où s'exercerait une solidarité, une interaction entre toutes les générations ?

Déjà, je m'offusque et je m'inquiète de la situation actuelle. Je vous ai dit que, grâce à l'alimentation, à l'hygiène et à la médecine – tout le monde le sait –, la longévité, qui était à la naissance de l'ordre de cinquante ans dans nos pays développés au début du XXe siècle, est à l'heure actuelle de près de quatre-vingts ans pour les femmes – quatre-vingts ou soixante-dix-neuf ans – et de soixante-quatorze ans pour les hommes, à peu de choses près. Très bientôt, une petite fille qui naîtra aura une chance sur deux d'être nonagénaire. Et bientôt sans doute, une chance sur deux d'être centenaire. Le même phénomène se constatera avec un petit décalage chez les hommes puisque ceux-ci ont une longévité moyenne inférieure. Dans le même temps, tout le monde continuera à mourir... Certes, la longévité augmente, mais nul progrès n'a été fait quant à l'évitement de la mort. La mort continue d'être une certitude quand on naît. On peut considérer qu'il s'agit là d'une grande limite aux succès de la médecine.

La médecine, et la science triomphante en général, connaissent un échec patent qui est la mort : quoi qu'on fasse, on vieillit, même si on vieillit plus lentement qu'avant ; on vieillit et on meurt, et rien n'indique que l'on cessera, un jour, de vieillir et de mourir. En même temps, alors qu'il y a de plus en plus de personnes très âgées, la société nous présente comme un archétype de vie désirable, un « idéal » à atteindre et un standard de vie, des personnes jeunes, belles, désirables, productrices, consommatrices et actives. Ce standard de vie est proposé à des personnes qui, justement, ne sont plus jeunes, belles, actives et désirables, du point de vue des critères de la jeunesse, des personnes qui ne sont pas non plus productrices, consommatrices et actives. Comme celles-ci s'éloignent du fameux archétype de la vie désirable, on a tendance à les retrancher de la société, à les mettre dans des maisons de retraite.

La vieillesse n'a jamais été prisée. L'affliction devant le vieillissement a toujours existé. Les philosophes, il y a plusieurs milliers d'années, déploraient le vieillissement. Et voilà quelques siècles, Ronsard écrivait : « Mignonne, allons voir si la rose/Qui ce matin avait déclose/Sa robe de pourpre au soleil. » Il signifiait par là qu'il fallait profiter de la vie tant qu'il en était temps. Jamais la vieillesse n'a été prisée, nous l'avons dit. N'empêche que les Anciens étaient censés être sages. Ils étaient souvent les chefs – par exemple, dans les sociétés dites traditionnelles – et ils jouaient un rôle très particulier dans l'équilibre de la société. Or aujourd'hui, ce que l'on prise n'est pas du tout la sagesse : il s'agit plutôt de la capacité à tout remettre en chantier, à tout transformer. La tradition n'est pas quelque chose dont on vante les mérites. Récemment, en Europe – vous vous en souviendrez peut-être –, lorsque le premier ministre britannique et le président américain ont voulu stigmatiser l'attitude des Français et des Allemands qui s'opposaient à la guerre en Irak, contrairement aux Anglais, aux Espagnols et aux

Polonais, ils ont opposé la « vieille » Europe, attachée à ses traditions, à la « jeune » Europe qui, elle, avait rompu les amarres et pouvait dorénavant se tourner vers l'avenir.

Nous nous retrouvons donc avec une population croissante de personnes âgées, population éloignée des standards de la vie idéale et à laquelle on ne fait plus jouer aucun rôle particulier dans la société. Et cela crée naturellement un déséquilibre, que je qualifie de « schizophrène ». De fait, j'aimerais – sans valoriser outre mesure le vieillissement, car il y a des moments importants et intenses aux différents âges de la vie – qu'il y ait réconciliation entre ces différents âges, c'est-à-dire que la mémoire vivante de l'Ancien, le regard distancié que souvent il peut poser notamment sur les plus jeunes générations, soit revalorisée à sa juste mesure. Que la fin de vie soit réintégrée dans le cours de la vie, qu'elle n'en soit pas retranchée. C'est un vœu, un rêve que je formule.

Dans votre livre intitulé* L'ultime liberté ?*, vous remettez en cause pour plusieurs raisons la notion de liberté, que l'on brandit comme un étendard quand il est question de l'euthanasie. Quelles sont à vos yeux les principales raisons de le faire ?

Vous savez, il faut d'abord se poser la question de ce qu'est la liberté. La liberté, c'est la possibilité de faire un choix entre au moins deux possibilités. J'ajoute que, dans beaucoup de cas, c'est la possibilité de changer d'opinion, c'est-à-dire de modifier son choix. Est-ce que l'ultime liberté, d'après ces critères, est souvent une liberté ? Est-ce que l'ultime liberté, si on pense à la personne qui veut mourir – elle désire qu'on lui donne la mort ou elle veut se suicider –, est celle d'une personne qui se dit : « Qu'est-ce que je pourrais bien faire aujourd'hui ? Aller voir mon copain ou ma copine, se faire des mamours ou faire l'amour intensément ? Ou alors aller au cinéma ou me faire une bonne bouffe ? Ou bien me tuer ? Il faut que je choisisse parmi tout cela ! » Bien évidemment, la question de la liberté ne se pose pas comme cela ! Dans l'immense majorité des cas, la personne qui veut mourir est une personne qui ne voit pas pourquoi ni comment elle pourrait continuer à vivre. Pour cette personne, la vie est intolérable : soit que sa douleur physique n'est pas calmée, soit que sa douleur morale et psychologique est intense et impitoyable, soit que la dépression est immense et entraîne d'ailleurs cette douleur psychologique, soit que sa vie lui semble totalement bouchée et qu'elle s'estime coincée dans un monde totalement hostile. Dès lors, si elle quitte ce monde, c'est qu'elle ne voit pas ce qu'elle pourrait faire d'autre. Faire ce qu'on ne peut manquer de faire, c'est tout sauf une liberté !

L'autre élément important, c'est qu'une fois que la personne l'a fait, il lui est difficile de changer d'avis parce qu'elle est morte. Et cela me ramène à une expérience vécue, tout à fait réelle, qui témoigne bien de ce que je veux dire. Quand j'avais 26 ans, j'étais interne des hôpitaux de Paris, de garde à l'Hôtel-Dieu. Un soir, assez tard, juste après dîner je crois, je vois arriver un jeune collègue, un confrère médecin d'une trentaine d'années qui me dit : « Voilà, j'ai pris 250 comprimés de tel produit. » Il savait, et je savais qu'à cette dose-là, il était perdu. Il les avait pris librement. Et après m'avoir dit cela, il ajoute : « Maintenant, je ne veux plus mourir, alors débrouille-toi. » J'ai tout fait, mais il est mort. La question est : Quand cet homme a-t-il exercé sa liberté ? Lorsqu'il a voulu prendre les 250 comprimés dans le but de se tuer ? Comme il était médecin, il savait très bien que c'était le moyen d'y parvenir. Mais qu'en a-t-il été réellement de sa liberté de changer d'avis ?

L'ultime liberté est donc pour le moins singulière, car elle n'est presque jamais une liberté. Il convient tout de même de se le rappeler, ce qui ne veut pas dire qu'il faille jeter la pierre aux gens qui en viennent à se suicider. Mais on ne peut pas assimiler cette liberté à une forme d'expression relativement banalisée de sa liberté et de son libre arbitre. Quand on choisit l'euthanasie, c'est cela ! Quand quelqu'un qui souffre le martyre demande à mourir, il n'est pas libre. Que voulez-vous qu'il demande d'autre ? Il demande à être soulagé avant tout. Ce qu'il faut voir, c'est que les gens qui demandent à mourir disent d'abord – avant de demander à mourir : « La vie m'est intolérable, et comme je ne vois pas comment elle pourrait être tolérée, comme personne ne me propose de moyens me permettant de la tolérer, je ne conçois rien d'autre à faire que de cesser de vivre. » Voilà le message d'une personne qui veut mourir. Et je remarque que, si cela est possible – ce ne l'est pas toujours –, la première forme légitime de manifestation de solidarité à l'égard de cette personne n'est pas de lui donner la mort, même si elle la réclame selon les procédures – mais de voir si on ne peut pas changer sa détermination simplement en lui donnant quelques raisons de vouloir vivre. Si une personne, qui a quelques raisons de vivre, persiste à vouloir mourir, alors là, dans cette éventualité, elle peut exprimer davantage son ultime liberté.

Je suis de ceux qui considèrent – comme d'ailleurs les instances internationales, puisque cela figure dans la Déclaration universelle des droits de l'homme – que « tous les êtres humains naissent égaux en dignité et en droits ». Et dire que tous les hommes naissent et demeurent égaux en dignité et en droits conduit à penser que personne n'est autorisé à nier la dignité de quelqu'un qui est vivant. Un vivant ne peut jamais être contesté dans sa dignité. En revanche, il est vrai que des personnes puissent s'inquiéter de leur indignité, surtout lorsque, dans les yeux des autres, elles voient ce qui ressemble un peu à du mépris, à du dégoût ou à de l'indifférence. Le sentiment que la personne a de sa propre dignité n'est jamais indépendant du regard que jettent les autres sur elle, regard qui l'amène à penser à sa propre dignité. En fait, l'expression « droit à mourir dans la dignité » renvoie directement à la question : Comment considérer ceux qui n'ont pas usé de ce droit ? Sont-ils indignes ? Et qui sont-ils ?

Des malades très vieux, qui persistent à vivre, sont-ils pour cela indignes ? Des malades qui souffrent d'Alzheimer, et qui de toute façon n'ont pas de volonté, sont-ils indignes ? Et la société doit-elle les mettre à mort de ce fait ? Tenter de répondre à ces questions conduit à des difficultés totalement insolubles. Par conséquent, je comprends très bien l'attitude d'un mouvement, très puissant en France, qui s'appelle l'Association pour le droit à mourir dans la dignité. Je ne partage pas ses analyses, mais je comprends son combat. En revanche, je ne comprends pas le nom de cette association. En effet, je ne vois pas comment « le droit à mourir dans la dignité » nous permettrait de conclure que ceux qui n'en usent pas deviennent indignes aux yeux de la société, et même, de fil en aiguille – ce n'est pas un procès d'intention –, que la société serait alors fondée à prendre l'ascendant sur eux et à interrompre leur vie. Pourquoi pas ? Au cours de l'histoire, la société a été conduite à agir de la sorte. Lorsque la société hitlérienne, par exemple, considérait que la dignité était liée à l'entendement, et que par conséquent les malades mentaux devaient être mis à mort, c'est une problématique de cet ordre qui la motivait.

On pourrait aussi être tenté de pratiquer l'euthanasie pour des motifs économiques. D'ailleurs, des économistes libéraux et ultralibéraux ont soutenu jusqu'au bout cette idée. Quelle est la pensée libérale ? La pensée libérale – celle qui a aujourd'hui du plomb dans l'aile parce qu'elle n'a pas donné de résultats durables, pourrait-on dire, surtout dans sa version la plus moderne –, la pensée libérale veut qu'il convient à l'homme de tout mettre en œuvre, dans sa lutte pour ses intérêts, pour promouvoir le succès de l'économie sans jamais faire des conditions d'épanouissement un but en soi. L'épanouissement ne sera qu'un sous-produit de la prospérité générale… Si on pense comme cela, tout ce qui menace la prospérité générale est un mal à éviter. Et si la multiplication des personnes âgées menace la prospérité générale, la société doit éviter, surmonter cette menace. On a connu cela, me direz-vous, chez les Inuits. Dans la Sparte antique, il y avait des processus de même nature. Sparte était une cité grecque typiquement eugéniste, où les enfants mal formés étaient mis à mort et où les vieillards affligés d'un certain état de faiblesse étaient laissés sans soins.

Je respecte, vraiment, le processus démocratique qui conduit des pays à modifier leur législation et à l'ouvrir à une euthanasie active, même si personnellement je ne milite pas pour cela. Ce qui se passe actuellement aux Pays-Bas est intéressant. D'une part – et cela permet de balayer certaines craintes –, l'euthanasie active y est de moins en moins pratiquée. Il n'y a pas inflation. L'euthanasie est de moins en moins pratiquée alors que les soins palliatifs augmentent. D'autre part, ceux qui sont les partisans de l'euthanasie active disent qu'il n'y a pas de raison de limiter l'euthanasie active à des personnes en fin de vie. « Vous savez, disent-ils, la vie n'est pas plus intolérable à un cancéreux en fin de vie qu'à un déprimé profond ou qu'à tout suicidant qui ne voit pas pourquoi il voudrait vivre. » Par conséquent, cette loi qui, au départ, se voulait une loi d'accompagnement de la fin de vie, autorisant une intervention directe et active pour abréger la vie, devient une forme de revendication. On n'en est pas encore là dans la loi, mais des gens revendiquent explicitement que le droit au suicide assisté soit inscrit comme une évolution naturelle de la vie. Toute personne libre qui désirerait se mettre à mort, mais qui ne voudrait pas se rater, pourrait demander l'aide de l'État. D'ores et déjà, on discute de l'application de la loi aux enfants atteints de certaines maladies et – ce qui est encore beaucoup plus problématique – de certaines formes de désordres mentaux. Or, l'on voit bien que l'entendement, le libre arbitre d'une personne atteinte de ces maladies mentales est tout de même très sujet à caution.

Je crois qu'il est bien que la loi dise : « Il est interdit de tuer son prochain. » Elle fait une exception pour la guerre, et je trouve que c'est déjà trop. Donc, il est interdit de tuer son prochain, et c'est mal. Cela étant dit, quand on tue son prochain en état de légitime défense, une action judiciaire est intentée. On voit que c'était un cas de légitime défense et la procédure est stoppée. Un non-lieu est prononcé. Ça ne me gêne pas du tout qu'en cas d'euthanasie totalement solidaire… d'euthanasie par amour, vraiment par amour, la personne qui a tué par amour et qui a commis ainsi une transgression doive être soumise à une procédure judiciaire, car la loi dit qu'il est interdit de tuer son prochain. Mais l'application de la jurisprudence, c'est-à-dire l'application de l'esprit de la loi à la réalité des motivations humaines, amène la société à pardonner bien vite, sans acharnement procédural. Voilà l'évolution que j'appelle au plus tôt de mes vœux. En France, il y a eu un très grand scandale autour de madame Humbert qui a tenté de tuer son fils Vincent, âgé de vingt ans. *In fine*, il a été achevé par le médecin qui n'a pas voulu le réanimer et qui a même commis un acte d'euthanasie active. Les deux – la mère et le médecin – ont été poursuivis, mais très rapidement un non-lieu a été prononcé, et je m'en réjouis. Je m'en réjouis.

Je ne m'habituerai jamais
au cri déchirant de la mère qui perd
son enfant.

Nago Humbert

Directeur de l'Unité de consultation en soins palliatifs pédiatriques du CHU Sainte-Justine

D'abord travailleur social dans un hôpital en Suisse, Nago Humbert s'intéresse à la douleur des malades. Il reprend alors ses études à la faculté de médecine Claude Bernard de Lyon où il complète une spécialité en psychologie médicale et un doctorat en biologie humaine. Il travaille ensuite pour le Croissant-Rouge palestinien et l'Organisation mondiale de la santé (OMS) au Moyen Orient. En 1993 il fonde Médecins du monde Suisse dont il assume toujours la présidence. Cette association s'engage à soigner, dans le monde, les populations les plus vulnérables dans des situations de crise et d'exclusion.

Son expérience en milieu hospitalier et son travail sur le terrain en mission humanitaire l'ont amené à écrire La douleur, un cri du corps et de l'âme *(Neuchâtel, (Victor) Attinger, 1989). Après la publication de ce livre, il vient au Québec où il crée ce qui deviendra l'unité de soins palliatifs pédiatriques au CHU mère-enfant SAINTE-JUSTINE, à Montréal. Également professeur au département de pédiatrie de la Faculté de médecine de l'Université de Montréal, il partage son temps entre la pratique clinique et universitaire et l'action humanitaire.*

Il se pose comme le défenseur des enfants par la dénonciation du manque de recherches cliniques en soins palliatifs et par l'accompagnement de ces mêmes enfants dans leur milieu de vie et de soins médicaux. Il y trouve le lieu propice à une coordination entre les divers intervenants et à une présence auprès de la famille tout entière, parents, grands-parents, et surtout frères et sœurs.

Nago Humbert

Nago Humbert, la mort d'un enfant, en soi inacceptable, serait-elle un sujet tabou dans notre société ?

C'est peut-être un phénomène récent. J'ai l'impression qu'il y a trente, quarante ou cinquante ans, lorsque les familles québécoises comptaient de très nombreux enfants, on ne s'étonnait pas d'en perdre un ou deux dans le lot, si je peux m'exprimer ainsi. Ça ne veut pas dire que la souffrance de la mère n'était pas terrible, mais cela faisait partie de la vie.

Écoutez, la grand-maman de ma compagne est très âgée, elle a 95 ans. Elle a eu je ne sais plus combien d'enfants et elle se souvient de tous, y compris de ceux qu'elle a perdus. Je crois que onze ou douze d'entre eux sont encore vivants. À l'époque, on se disait que la mort faisait partie de la vie, et si c'était un petit peu ridicule de penser ainsi, je crois tout de même qu'on est victime aujourd'hui d'une illusion : l'illusion de la technologie et de la toute-puissance de la médecine. Avec tout ce que la médecine réussit actuellement, avec les beaux hôpitaux, la technologie et les nouveaux médicaments dont elle dispose, il nous semble évident que l'enfant devient presque éternel… dans l'imaginaire. Il est vrai aussi qu'on ne meurt plus enfant, dans nos sociétés. Je veux dire que les grandes épidémies, c'est terminé – et ici, soyons clairs, je pense à l'Europe et à l'Amérique du Nord, je parle de la civilisation occidentale. Dès que vous allez un peu plus au sud, la mort n'est plus un tabou, la mort de l'enfant n'est plus un tabou, elle fait encore partie de la vie. Parce que, là-bas, pour diverses raisons, on n'a pas les médicaments que nous avons ici en profusion, pas ou peu de services, et on y meurt de la guerre.

Mais l'injustice profonde est, selon moi, dans la douleur, dans la souffrance. Je pense que mon indignation a commencé, pourrais-je dire, quand j'ai vu un malade – c'était un adulte – souffrir alors qu'on avait les moyens de le soulager. Quand on n'a pas les moyens, c'est toujours difficile. Le scandale, c'est quand on a les moyens de soulager quelqu'un et qu'on ne le fait pas. D'où ma première indignation. D'où le fait que, effectivement, j'ai commencé mon travail sur le traitement de la douleur. C'est scandaleux pour moi de laisser souffrir quelqu'un et ce l'est encore plus de faire souffrir quelqu'un. Et je pense que la technologie, parfois, va au-delà de ce qui acceptable, d'un point de vue éthique, pour les patients.

Il est clair que l'injustice, elle, est mondiale. Vous vous rendez à quatre heures d'avion d'ici, et des enfants meurent de faim ou de maladies qui, ici, seraient considérées comme bénignes, qui pourraient être soignées en une semaine, en quelques jours, avec des antibiotiques. Voilà le grand scandale aujourd'hui. C'est à quelques heures d'ici, et c'est ce qui m'énerve, qui m'indigne : c'est de savoir que, là, ce n'est plus tabou. J'ai souvenir, par exemple, d'images épouvantables du Rwanda. Au journal télévisé, on nous montrait des corps d'enfants dans des charrettes. Ces images, on a fini par s'y habituer. C'est là la pire des choses : s'habituer à l'injustice, à la mort. Imaginez-vous en train de reconnaître quelqu'un – votre enfant, votre neveu, votre petit-fils ou votre petite-fille – parmi les corps qu'on vous montre à la télévision... Pour moi, c'est cela, la vraie pornographie. Et j'estime qu'il est scandaleux d'avoir montré ces corps.

Et lors du tsunami de 2004, on nous montrait des enfants emportés dans les flots... Cela faisait certainement de beaux scoops à la télévision, mais alors là, la mort n'est plus taboue ? C'est tout de même intéressant : d'un côté, on veut la cacher complètement, elle ne doit pas exister au Québec ; de l'autre, ce n'est pas grave si on la montre à la télé pendant qu'on est en train de manger ! C'est indigne, absolument indigne. D'abord, ces enfants ne devraient pas mourir – c'est la première injustice – puis, et c'est encore pire, on les voit mourir en plein tsunami. On dit que c'est une catastrophe…

Il faut aussi voir quelles sont les causes des catastrophes. En Haïti, cela ne se résume pas à une catastrophe naturelle. C'en est une, bien sûr, mais le nombre de morts en Haïti n'a pourtant rien à voir avec le nombre de blessés à Cuba, juste à côté. C'est qu'il y a, en Haïti, un problème politique et aussi un problème écologique, celui de la déforestation, et on ne fait rien pour y remédier…

Il y a pire encore, selon moi, et j'en ai été témoin : ce sont des enfants tués par l'homme. On nous montre, à la télévision, les massacres perpétrés à Gaza, dont la moitié des victimes sont des femmes et des enfants, des enfants tués par des bombes et des fusils, tués par des hommes, en fait. Je ne me lancerai pas dans une analyse politique, mais dans une analyse simplement humaine. Selon moi, aucune cause ne justifie que l'on tue des enfants. Aucune. J'espère seulement que ceux qu'on a tués à Gaza n'ont pas trop souffert et qu'ils sont morts assez rapidement. Mais, encore une fois, la mort n'est plus taboue. Pour nous, dès lors, c'est une mort virtuelle, une mort « divertissante », à la limite.

Il y a une vingtaine d'années, je pense, une image m'a fortement marqué. C'était celle d'une petite fille qui s'appelait Omayra Sanchez, morte en direct à la télé, lors d'une éruption volcanique. Cette image était épouvantable : on y voyait la fillette s'enfoncer peu à peu dans une coulée de boue, les yeux de plus en plus gonflés. Cela a duré je ne sais plus combien de temps. Je voyais cela en direct à la télé et je me disais : « C'est pas possible, enfin ! On a bien un moyen de sortir cette petite fille de là ! Avec toute la technique déployée pour nous la montrer ici – j'étais en Suisse, à cette époque – comment est-il possible qu'on n'ait pas une pelle mécanique pour sauver cette enfant, pour la tirer de là ? » Cela, pour moi, c'était terrifiant.

Il est clair que la mort n'est jamais belle. Bon, bien sûr, il y a des films où les gens meurent dans les bras de belles infirmières, et hop ! ils ferment les yeux, et cloc ! ils sont morts. Nous, en soins palliatifs, ce n'est pas ce que nous voyons. Ceux qui ont vu quelqu'un décéder de maladie savent que ce n'est pas ainsi que ça se passe. Et les enfants ne sont pas épargnés. La difficulté qui s'ajoute dans le cas de l'enfant par rapport au vieillard, pour qui ce n'est que le cycle normal de la vie, c'est la peine des autres. Il y a la peine des parents, mais aussi la peine énorme des frères et des sœurs qui paient un lourd tribut à cette mort parce qu'elle survient à un moment qui n'est pas « normal » dans le cycle de la vie. Ce n'est tout simplement pas le moment.

On vient de compléter une recherche sur les grands-parents, sur leur souffrance devant la mort d'un tout jeune enfant. Les grands-parents répètent sans cesse : « C'est mon tour, pas le sien ! Pourquoi, alors ? Pourquoi lui ? Pourquoi elle ? Moi, j'ai fait ma vie ! » C'est cela, le drame de la mort d'un enfant. Comme il est ici inacceptable qu'un enfant meure, la grande difficulté tient à ce qu'on aura souvent plus de mal à lâcher prise devant la mort d'un enfant que devant celle d'une personne âgée.

Je repense souvent à mon rôle et au rôle de mon équipe de soins palliatifs. Il y a d'abord un rôle de soignant, un rôle médical, et parfois aussi un rôle de défenseur. À l'enfant qui me demande : « À quoi tu sers ? » ou « Qu'est-ce que tu fais ? », il m'arrive de répondre que je suis un peu son avocat dans l'hôpital. Il est normal que les différents spécialistes veuillent tout tenter pour garder l'enfant en vie. Nous, de l'équipe de soins palliatifs, nous sommes là pour « globaliser » l'enfant. Une maman me disait : « Ma fille n'est pas un tiroir, elle n'est pas un personnage à tiroirs avec le cœur d'un côté, les reins d'un autre, le foie ailleurs et le cerveau encore autre part ! » Tout ça parce que chaque spécialiste veut faire au mieux dans sa spécialité. On oublie alors parfois un petit peu la globalité de l'enfant. Mon équipe est là pour reconstruire, je dirais, un corps qui est un peu détruit, décomposé, déconstruit dans notre tête et dans la tête des spécialistes. Puis, on se demande: « Et la qualité? C'est quoi, la qualité? Qu'est-ce qu'on apporte en fait de qualité de vie? » C'est une grave question, que je me pose parfois. Est-ce que c'est bien, les soins palliatifs? Il m'arrive de ne pas en être sûr. Vous allez me dire: « Mais enfin, vous... »

On sait maintenant que les soins palliatifs « prolongent », comme on dit, contrairement à ce que pensent généralement les gens qui confondent souvent « soins palliatifs » et « phase terminale ». Nous, nous accompagnons les enfants malades pendant des années. Oui, parce qu'il y a aussi les maladies neurodégénératives... Nous avons donc une relation à plus long terme avec eux, et je me demande souvent, au sujet de certains de nos enfants, si c'était finalement un bien de les prolonger si longuement, parce qu'on les a maganés par les effets secondaires des médicaments, de la radiothérapie. Et tout ça pour quoi? Alors, je ne sais plus. Je vois les parents souffrir devant la transformation physique de leur enfant. C'est terrible! Le matin, c'est presque un rituel: un papa ou une maman, le portable sur les genoux dans la chambre, me montre des photos d'avant, de beaux petits garçons et de belles petites filles. Puis, je tourne la tête, et dans le lit, je vois quelqu'un qui a été transformé physiquement. Son caractère a aussi parfois été transformé par les médicaments, et la maman dit: « Ce n'est plus mon fils. » En même temps, on ne veut pas arrêter, c'est normal. Personne ne veut perdre son enfant. Je pense que nous avons la responsabilité aussi parfois de nous arrêter nous-mêmes, comme soignants.

C'est tout le dilemme de la médecine qui sauve des vies par opposition à la médecine qui s'intéresse à la fin de vie. Les deux sont en tout cas devenues, dans notre société, assez différentes, elles qui, à l'origine, étaient semblables puisque les médecins accompagnaient davantage et n'avaient pas les moyens de sauver autant de vies qu'aujourd'hui. Avec notre médecine « triomphaliste », il nous est difficile, aujourd'hui, d'accepter de laisser quelqu'un partir. Alors que, voilà soixante, quatre-vingts ans ou même moins, comme on n'avait pas les moyens que l'on a maintenant, on disait à la famille : « On a fait tout ce qu'on a pu, et puis là, on pense que la maladie a gagné et qu'il faut s'en remettre au bon Dieu. » Voilà. C'est ce qu'on disait. Maintenant, on dit plutôt : « On a les moyens de les maintenir en vie, alors qu'est-ce qu'on fait ? » Pour ceux qui croient en Dieu, c'est comme si on avait « retourné » le pouvoir, comme si c'était nous qui avions le pouvoir de dire : « Bon, on arrête... » Ce n'est pas cela, ce n'est pas vrai, ce n'est pas nous qui avons le pouvoir, ce n'est pas vrai ! Mais dans les discussions que nous avons afin de décider si on arrête ou pas, il y a ce pouvoir qui flotte dans l'air et dans les esprits. Je pense effectivement que cela devait être plus facile il y a soixante ans, parce que c'était comme ça, parce qu'il n'y avait pas d'autre solution possible. Mais ne suis pas un nostalgique de cette époque. À mon sens, la médecine a heureusement progressé et on peut soigner les enfants à l'aide d'antibiotiques ou d'autres médicaments très simples qu'on n'avait pas en ce temps-là, de telle façon que les gens mouraient de maladies assez bénignes. Donc, de ce point de vue, c'est plutôt mieux. Par contre, je pense qu'on traite plus, mais qu'on soigne moins.

Je travaille dans une institution en laquelle j'ai toute confiance, et si j'avais un enfant très malade – ou un neveu ou une connaissance qui souffre d'une grave maladie –, je l'amènerais à Sainte-Justine parce que je sais que j'y trouverais les meilleurs spécialistes. Là-dessus, je n'ai aucun doute. Par contre, j'estime troublant qu'on ait ressenti le besoin de créer une équipe de soins palliatifs. Pour moi, les soins palliatifs ne doivent pas être une spécialité. Tout soignant – physiothérapeute, infirmière, médecin – devrait apprendre, dans sa formation d'abord, qu'on ne guérit pas tout le monde, que cela fait partie de la profession – au même titre que de faire une injection ou de poser un stéthoscope sur un thorax – et qu'un jour, peut-être, on aura affaire à un malade qu'on ne pourra pas guérir.

Je donne des cours de soins palliatifs pédiatriques à la faculté de médecine, en deuxième année. J'ai deux cent vingt étudiants devant moi. La moitié d'entre eux n'entendront plus jamais parler de soins palliatifs au cours de leur formation. Les autres, qui feront de la médecine familiale, suivront obligatoirement un stage d'un mois dans une unité de soins palliatifs. Les premiers deviendront des spécialistes, et s'ils ne s'intéressent pas particulièrement aux soins palliatifs, ils n'en entendront plus parler. Comment voulez-vous que de jeunes médecins, si peu préparés en ce sens, puissent aborder sereinement un patient qu'ils ne pourront pas guérir ? Ils font médecine pour guérir les gens, et c'est très bien, mais soixante pour cent des patients ne guériront pas. À la limite, dans l'absolu, on peut même dire que cent pour cent des patients ne guériront pas puisque nous sommes mortels et que nous finissons tous par mourir. Alors, je crois que cela soulève des questions quant à la société dans laquelle nous vivons, mais que cela en soulève aussi quant à la formation des médecins, des infirmières et des autres soignants.

En quoi les soins palliatifs pédiatriques diffèrent-ils des soins palliatifs pour adultes ?

La grande spécificité est l'âge, tout bêtement. Je réponds par une lapalissade, me direz-vous, mais vous comprendrez naturellement qu'on ne meurt pas de la même façon à deux mois qu'à dix-sept ans. Notre champ d'intervention va de quelques heures après la naissance, et même souvent avant la naissance – parce que nous nous occupons maintenant aussi d'interruptions de grossesse du troisième trimestre – jusqu'à dix-huit ans. Un petit garçon, une petite fille de deux ans qui décède, cela n'a rien à voir avec un adolescent de quatorze ou quinze ans dans la même situation. Cela, pour plusieurs raisons. La première concerne l'évaluation de la douleur, et cela est très important : il ne saurait, en effet, y avoir de soins palliatifs sans le traitement de la douleur. Et l'évaluation de la douleur chez un « non-communiquant », comme on dit, c'est-à-dire chez un petit bébé, est plus problématique que chez un adulte capable de s'exprimer et de dire : « J'ai mal ici, j'ai mal là. » C'est là la première chose. Il y a aussi toute l'adaptation des traitements à la pédiatrie. Mais la grande spécificité des soins palliatifs pour adultes, c'est qu'on pourrait dire, à l'extrême limite : « On ne s'occupe que du patient, et puis voilà.» En pédiatrie, ce n'est pas possible. Et c'est la beauté du geste, la beauté de notre travail, sa richesse aussi. En pédiatrie, on entretient alors des rapports, des relations avec papa, maman ; on ne peut pas les exclure, pas plus que les frères, les sœurs, et maintenant de plus en plus les grands-parents, parfois le petit chum, la petite blonde de quinze ans. Vous imaginez : perdre son amoureux à quinze ou à seize ans…

D'autre part, je pense que les unités de soins palliatifs sont très bien pour les adultes, mais elles ne peuvent convenir dans le cas des enfants. Chez nous, à Sainte-Justine, nous avons une unité dite « de consultation » parce que selon la philosophie que j'ai essayé de mettre en place avec toute l'équipe, le médecin traitant – lui et toute l'équipe traitante – reste au centre de la relation avec l'enfant. Pensons à un enfant qui a été traité en oncologie par une équipe multidisciplinaire dont il connaît les membres – médecin, infirmières, travailleurs sociaux, etc. – depuis trois, quatre ou cinq ans. Il a eu des greffes, il a subi toutes sortes d'interventions. Si l'équipe traitante en vient à la conclusion qu'elle ne peut plus rien faire pour lui, que la maladie a gagné, cet enfant passe en phase palliative. On s'imagine bien que nous ne débarquons pas dans sa chambre en disant : « Bon, écoutez, tout le monde se tasse, c'est notre tour maintenant… » Ce serait épouvantable ! Il faut garder tous ces intervenants auprès de l'enfant ; ils sont importants pour lui. Voilà d'ailleurs pourquoi c'est notre équipe qui se déplace pour aller là où se trouve l'enfant, n'importe où dans l'hôpital.

À un enfant qui est condamné, dont le diagnostic indique qu'il va mourir, faut-il annoncer la vérité ? Comment agissez-vous ? Que lui dites-vous ?

Dire la vérité, c'est d'abord ne pas dire n'importe quoi. Et je crois qu'il faut cheminer – j'aime bien ce petit mot : « cheminer » – avec l'enfant, à son rythme. S'il court, on court un peu ; s'il marche lentement, on marche lentement. L'enfant sait très vite que c'est grave, qu'il a une maladie grave. Il subit d'ailleurs – il le constate – beaucoup de traitements, beaucoup d'agressions que je qualifie de « techniques ». Il ne vient pas à l'hôpital par plaisir ; il ne s'agit pas de petits bobos. Je répète souvent aux parents : « Ne dites pas qu'il a bobo parce qu'un bobo, pour un enfant, c'est pas grand-chose. » Dire : « Ton bobo a grandi dans ta tête », ce n'est pas une très bonne idée parce que si le petit frère entend cela et qu'un jour on lui dit qu'il a un bobo, il ne voudra pas venir à Sainte-Justine.

L'enfant malade pose rarement des questions directes. Par contre, il est généralement tenu au courant, par le médecin traitant, des résultats des examens. Et c'est souvent là que ça se joue. Il passe une résonance nucléaire, il se prépare à une ponction ou à quelque autre intervention, et ses parents seront mis au fait des résultats. L'enfant n'est pas stupide. Il est comme une éponge ; il sent les choses. Si on lui dit : « Non, non, c'est rien, tout va bien ! » et qu'il voit papa et maman sortir en larmes du bureau du docteur, il comprend tout de suite que ça ne va pas.

L'enfant a d'ailleurs tendance à protéger ses parents parce qu'il s'imagine que c'est à cause de lui qu'ils ont de la peine. Ils ont de la peine, c'est vrai, mais pas à cause de lui, à cause de la maladie. Il se sent responsable, il se sent coupable de faire de la peine à toute la famille, et quand il pose des questions, il y a une façon de dire les choses. Par exemple : « Peut-être qu'on ne guérira pas ta maladie, mais on va te soigner. » À un enfant qui me demandait : « Mais ça veut dire que tu vas être obligé de me soigner jusqu'au bout ? », j'ai répondu : « Oui. » Cela a suffi, il avait compris.

Je n'aime pas quand certains médecins disent : « Là, comme on ne peut plus rien faire, on va s'occuper de ton confort. » Cela me choque un peu parce que j'estime que le confort, on aurait pu aussi s'en occuper avant ! Il ne s'agit pas « juste de s'occuper du confort » ! Non, les choses ne se passent pas comme cela. La transition entre la phase curative et la phase palliative ne se fait pas d'un coup. Voilà pourquoi je trouve que, plus vite notre équipe s'engage, plus vite elle intervient auprès des parents et de l'enfant en cas de maladie que je qualifie de « potentiellement mortelle », plus vite les parents et l'enfant ont entendu parler de nous, plus c'est facile pour l'enfant et pour nous. On sait quel choc c'est pour les parents ! Certains m'écoutent en se disant que je suis la dernière personne qu'ils auraient voulu rencontrer dans leur vie. Et je les comprends parfaitement parce que, mon équipe et moi, nous sommes associés au mot « mort », que je le veuille ou non. Mais nous ne nous occupons que de la vie ; la mort n'est pas de notre ressort. Nous nous occupons de la vie de l'enfant et de celle des parents, des frères et des sœurs. Nous formons d'ailleurs une équipe très vivante, et nous y tenons. Nous voulons être vivants, mais nous ne nous leurrons pas : lorsque nous entrons dans la chambre de l'enfant ou que nous recevons les parents dans notre bureau, quand ils voient notre bobine, ils pensent à la mort de leur enfant. Après, nous entretenons avec eux des relations grâce auxquelles ils se rendent compte que nous pouvons leur être utiles, à leur enfant et à eux. Mais ils seraient tout de même heureux s'ils n'avaient plus jamais à nous rencontrer !

C'est le lot de bien des gens qui consacrent leur vie aux autres ! Une fois que les enfants savent, qu'ils ont compris ce qui se passe, qu'ils l'ont décodé ou qu'on le leur a dit – suivant leur âge –, est-ce que, de manière générale, les enfants dépriment comme les adultes ? Comment font-ils face à cette réalité ?

Tout dépend, fondamentalement, de leur âge. Un petit enfant qui ne souffre pas se remet extrêmement vite à jouer. C'est incroyable. S'il n'a pas de douleur – parce que les anesthésistes font un boulot extraordinaire –, un enfant, amputé le matin pour un ostéosarcome, pour un cancer de l'os qui nous oblige à lui couper la jambe, pourra être surpris, le soir même, en train de jouer avec des Legos. Lui, il vit « au jour le jour » : je n'ai plus mal, je joue. À quatre ou cinq ans, il dira : « Je joue. » Et c'est tout. Il va faire avec. Il n'a pas de vision à long terme. D'autres enfants, une fois qu'ils savent, ne veulent plus jamais en entendre parler : « Donc, ça y est. Inutile de revenir là-dessus. Tu ne parles pas de ça, hein ! C'est tout. » Certains enfants disent : « Écoute, je le sais. » Ils ajoutent même : « Nago, je te demande une chose, c'est qu'on n'en parle plus. » Alors, je dis : « Je suis tout à fait d'accord avec toi, on n'en parlera plus jamais à moins que, toi, tu veuilles en parler. » C'est très important. Si quelqu'un manque à cette promesse, l'enfant se sentira vraiment trahi.

Les plus difficiles, ce sont les adolescents. Parcourez les journaux d'adolescents, regardez leurs films, feuilletez leurs magazines : le corps y est un temple, déifié, magnifié. Il n'y en a que pour la performance, les sports extrêmes, l'immortalité... Et là, on va les maganer. Leur corps va être déglingué par la chimio, la chirurgie, la radiothérapie. Ils vont perdre leurs cheveux. On peut s'imaginer comme c'est épouvantable pour eux ! Il n'est pas difficile de comprendre que, pour eux, ce n'est pas possible, ce n'est pas supportable. C'est trop injuste. Ils ont toute une vie à vivre, ils ont déjà un passé. Les gens ne saisissent pas très bien quand je dis : « C'est plus facile de mourir à quatre ans qu'à cinquante-cinq ou soixante. » C'est affreux, je sais, pour des parents d'entendre cela, mais... J'ai perdu un ami qui avait 58 ans et qui me disait : « Moi, ce qui me fait le plus mal, c'est que je verrai pas mes petits-enfants. » Il avait tout un passé bien à lui : des enfants, une épouse et encore un avenir ; il n'était pas mort ! Il avait encore des rêves, des projets et cela, c'est très difficile. L'adolescent a déjà, lui aussi, un passé, et il a un avenir où tout est encore possible. Et on vient lui dire : « Le chemin est sans issue, il s'arrête ici. »

Chez l'adolescent, je dirais que, d'après mon expérience, il y a deux façons, en gros, de réagir – mais c'est un peu caricatural, et je n'aime pas la caricature, car chaque personne est unique. Je vais donc citer deux cas « types ».

Dans le premier, l'adolescent se referme complètement, il ne veut plus qu'on le voie comme il est devenu, il ne veut plus voir personne, il repousse ses amis, et c'est dur, mais on doit l'accepter. Je me rappelle d'un garçon qui me disait : « Regarde, t'as vu comme je suis ? T'as vu comment je suis maigre? Je veux pas qu'ils me voient comme ça, je veux pas qu'ils me voient mourir.» Ses amis étaient très tristes d'être tenus hors de sa chambre et ils trouvaient qu'il n'avait pas le droit de leur faire cela.

J'ai connu une autre sorte de réaction chez un adolescent qui se prénommait Laurent – je peux mentionner son prénom parce que son papa et sa maman m'y ont autorisé. Laurent a vécu sa dernière année de vie à deux cents à l'heure dès qu'il nous a connus, depuis notre première rencontre jusqu'à la dernière. Il est rentré à l'hôpital, le dernier soir, dans un état incroyable, au point que je ne comprenais pas comment il était encore en vie. Il a accepté de rester avec nous et il est décédé le lendemain. Mais, la veille de sa mort, il avait encore des choses à faire, des chums à voir, qui sont d'ailleurs venus à l'hôpital. Laurent a fait de la planche à neige, il nous a aussi appelés depuis Hawaï où il pratiquait la plongée sous-marine. En fait, il a vécu à cent cinquante pour cent, à deux cent cinquante pour cent en se disant: «Si je me crashe, je me crashe.» C'était vraiment cela. Il avait dix-sept ou dix-huit ans. Il a décidé de vivre en accéléré, au maximum, jusqu'au bout, en étant généreux avec les autres. Cela n'a pas dû être facile pour son papa, sa maman et sa sœur… Pas facile pour nous non plus, d'ailleurs, parce qu'on ne le suivait pas, mais il a fait comme il voulait. On lui a offert ce qu'on pouvait lui offrir, mais, comme a dit son père quand je suis entré dans la chambre où il venait de décéder: «Laurent a fait de toi ce qu'il voulait.» J'ai répondu: «Oui, c'est pas grave, c'était bien.» Laurent a dirigé la manœuvre jusqu'au bout.

On a l'impression que votre métier est pour le moins triste, même s'il comporte aussi certainement des joies. Qu'est-ce qui est selon vous le plus difficile?

Les joies, ce sont les relations qu'on peut tisser avec des enfants qui, à cause de la maladie, atteignent une maturité à laquelle je ne parviendrai peut-être jamais. Les joies, ce sont aussi les discussions tout à fait incroyables, les rapports d'une réalité, d'une vérité et d'une transparence qu'on a rarement, même avec des adultes. Voilà le beau côté du métier. Et c'est touchant, très touchant. Juste avant Noël, je suis allé voir un petit garçon. Je savais que c'était la dernière fois, que je ne le reverrais sûrement pas. Il m'a rappelé au moment où je sortais de sa chambre, pour me dire : « Joyeux Noël à Nago quand même. » C'est le genre de moment qui fait qu'on s'écroule en larmes dans le corridor, une fois ressorti de la chambre.

Je ne sais pas si je ferai ce travail encore longtemps. Je pense sincèrement qu'il ne faut pas faire que cela. Ce qu'il y a de plus dur pour moi dans ce travail, c'est la douleur des parents. Moi, ça me fait une peine, une peine indescriptible. Je ne m'habituerai jamais au cri déchirant de la mère qui perd son enfant. Cela, non, non, non, je ne supporte pas. Je suis aussi très ébranlé par la douleur des frères et des sœurs qui ont perdu… C'est terrible de voir ces petits bonshommes et ces petites bonnes femmes s'accrocher parce qu'ils perdent, en celui ou celle qui s'en va, une partie d'eux-mêmes, de la famille et… oui, de leur innocence. Ils ne devraient pas avoir à vivre cela à cet âge-là. Alors, je leur dis : « Il sera avec toi toute ta vie, tu comprends ? Un frère, une sœur qui vient de décéder, ça reste avec toi, ça va planer au-dessus de toi… Mais il faut que son souvenir reste une bonne chose pour toi, qu'il soit un apport positif, pas un poids. »

En ce sens, je tiens à raconter une anecdote qui m'a beaucoup touché. En Suisse, j'avais montré un film que j'avais réalisé sur des « survivants » qui témoignaient de leur douleur après la mort d'un frère ou d'une sœur. Une fois la projection terminée, une dame âgée est venue vers moi et m'a dit : « J'attendais cette phrase depuis, je ne sais pas, soixante ans à peu près, cette phrase que vous dites, à savoir que ce sont les frères et les sœurs qui paient le plus lourd tribut. » J'ai revu cette dame, plus tard, parce que ce qu'elle m'avait confié m'intriguait. Cette femme avait été déportée avec sa maman et sa sœur à Bergen-Belsen, pendant la Deuxième Guerre mondiale. Elle s'en était sortie avec sa maman, mais sa sœur n'en était pas revenue. Cela, m'a-t-elle dit, elle l'avait payé toute sa vie parce qu'elle n'avait jamais pu se plaindre de rien. Chaque fois qu'elle se plaignait, comme toute petite fille en a le droit, sa mère lui disait : « Écoute, t'es en vie, t'as rien à dire. Ta sœur, elle, elle est morte. » Et la vieille femme a fini par m'avouer : « Je me disais que j'aurais mieux fait d'être à la place de ma sœur parce qu'alors, ma mère m'aurait peut-être aimée. » Elle a ajouté : « Je souffrais de cette espèce de syndrome de la survivante qui ne se sent pas à sa place. » Elle avait ressenti cela toute sa vie, jusque dans son très grand âge. « Je me sentais comme une usurpatrice de la vie. "Ta sœur est morte dans le camp de concentration, que je me disais, et toi t'en es revenue. Alors, tu ne peux pas avoir de problèmes." »

Au Québec, les soins palliatifs pédiatriques sont-ils suffisants et disponibles partout, ou seulement à Sainte-Justine et dans quelques autres institutions spécialisées ?

On peut dire, je pense, avec toute la modestie qui s'impose, que le Québec est en avance – en tout cas sur l'Europe, d'où je viens. Alors oui, nettement. La France commence à progresser en ce sens ; la Suisse, très peu. Notre équipe existe depuis neuf ans. C'est encore tout récent. Et nous avons travaillé pendant deux ans au ministère de la Santé de manière à établir des normes en soins palliatifs pédiatriques pour que tout enfant, au Québec, puisse recevoir des soins de cette nature.

La difficulté, en ce qui a trait à la formation, tient au fait que, si vous êtes omnipraticien à Chibougamau ou ailleurs en région, il ne vous est pas obligatoirement nécessaire de recevoir une formation spécifique en soins palliatifs pédiatriques puisque vous ne verrez peut-être qu'un seul enfant nécessitant de tels soins dans toute votre carrière. Le problème vient donc aussi de là. Et heureusement. Heureusement aussi que moins d'enfants meurent que de personnes âgées ! Pour toutes les tranches d'âge de zéro à dix-huit ans, on déplore environ mille décès d'enfants au Québec chaque année – toutes causes confondues :

accidents de voiture, suicides, maladies. Il entre donc dans nos attributions de former et surtout de seconder nos confrères médecins parce qu'il est bien que les enfants restent dans la région où ils vivent, qu'ils restent près de chez eux. Comme les médecins en région n'ont que rarement à prodiguer des soins palliatifs à des enfants, il faut que nous soyons derrière eux pour les appuyer, les conseiller. Et ça marche relativement bien. Nous avons des enfants qui repartent de Sainte-Justine pour retourner dans leur coin de pays ; nous travaillons avec les CLSC, avec les médecins en région, avec tous les intervenants.

Quatre centres universitaires offrent des soins palliatifs pédiatriques et se sont dotés d'équipes en ce sens : il s'agit de l'Hôpital pour enfants de Montréal, du CHU Sainte-Justine, du Centre hospitalier universitaire de Sherbrooke (CHUS) et du Centre hospitalier universitaire de Québec (CHUL). Mais plusieurs équipes médicales donnent de tels soins sans en avoir conscience – comme l'autre qui faisait de la prose sans le savoir ! Nous n'avons rien inventé, il nous faut rester très modestes. Nous nous sommes juste penchés davantage sur certaines spécificités.

Des maisons spécialisées existent : Le Phare en est un exemple. Le Phare est avant tout une maison de répit, et cela, c'est important. On avait besoin d'une maison du genre parce que les parents qui prennent soin d'enfants très malades s'épuisent à la longue. Les enfants qu'on accueille là ont des maladies « potentiellement mortelles », comme on dit. Et, effectivement, ils peuvent décéder à la maison du Phare où l'on dispense des soins palliatifs. Je trouve que c'est très bien. Mais j'insiste sur un point, comme je le fais à Sainte-Justine : nous ne devons pas nous substituer aux équipes qui existent déjà et qui traitent les enfants de longue date. Je ne déplacerais pas un enfant de Sainte-Justine en disant : « Il va mourir, alors on va l'amener au Phare. » Ce serait totalement ridicule puisqu'il n'y connaît personne.

Il n'y a pas que les enfants atteints d'un cancer qui vont mourir; il y a beaucoup d'enfants qui souffrent de maladies neurodégénératives. C'est une lente descente – je ne dirais pas aux enfers... ou peut-être que oui –, une longue descente en tout cas vers la mort. Et c'est extrêmement épuisant pour les parents. Or, il y avait jadis peu de ressources pour que ceux-ci puissent reprendre leur souffle, le temps d'une semaine ou deux, ce qui soulage la famille, les frères et les sœurs. Le Phare répond à ce besoin. Il permet un répit. Si des enfants, qui ont séjourné au Phare et en connaissent l'équipe, parvenus à un stade plus avancé de la maladie, souhaitent y décéder, ils pourront s'y rendre le moment venu.

On oublie ou on ignore à quel point on est privilégié en ce pays et en Europe. Quand on voyage et qu'on découvre des pays moins favorisés, je pense que, d'un point de vue éthique, cela nous resitue. Nous vivons pour ainsi dire dans une société où l'on ne se reconnaît que des droits, pas de devoirs. Songez au scandale que représente tout l'argent dépensé pour venir à la rescousse des banques et des profiteurs du système qui n'ont rien créé! Et on ose nous dire après cela qu'on n'a pas un sou pour sauver les enfants de la faim! Depuis mon enfance, j'entends parler des enfants qui ont faim dans le monde. Je pensais bien qu'à mon âge, ce problème, cette honte seraient choses du passé. Pour moi, il est là le vrai problème, elle est là la vraie souffrance, la cruelle injustice. Mais on se sent impuissant devant cela. Le cynisme de la violence de l'administration Bush nous a ramenés à un autre âge. Depuis que l'administration a changé de dirigeants, on croirait sortir du Moyen Âge, on croirait sortir d'un âge des ténèbres. Mais ce que vient de vivre Gaza et l'immobilisme de la communauté internationale devant ce désastre me désolent infiniment.

Toutes les cultures s'édifient
en résistant au pouvoir destructeur
de la mort.

Luce Des Aulniers

Anthropologue et professeure au département de communication sociale et publique de la Faculté de communication de l'Université du Québec à Montréal, Luce Des Aulniers a fondé en 1980 le premier programme interdisciplinaire en études sur la mort. Depuis, outre la dynamique entre identité et altérité, ses travaux se concentrent sur les rapports du vivant avec la mort, notamment : maladie grave, soins palliatifs, rites de deuil, interculturalité et nouvelles pratiques, violence, suicide, tabous, cinéma et représentations.

La signification du testament a récemment retenu son attention, tant dans le processus de deuil individuel que dans ses dimensions familiales et sociales. Elle s'est intéressée, entre autres, au legs matériel qui est une manière de reconnaître les liens humains tissés au cours d'une vie, ce qui peut faciliter le deuil pour certaines personnes. Le legs matériel sert de base à l'expression d'un legs moral, et s'il est bien communiqué, la distribution des biens est en mesure de favoriser l'apaisement et peut resserrer la cohésion des survivants.

Pédagogue reconnue en études supérieures, directrice de multiples et diverses recherches, consultante scientifique pour les coopératives funéraires du Québec, contributrice aux analyses de groupes de première ligne en éducation et en santé, elle vient également de faire paraître (2009) un essai intitulé La fascination – Nouveau désir d'éternité *aux Presses de l'Université du Québec. Sa recherche actuelle porte sur le statut contemporain du deuil.*

Luce Des Aulniers

Luce Des Aulniers, la mort serait-elle un tabou dans notre société, y serait-elle occultée ?

Un tabou, pour reprendre l'expression de Martine Courtois, c'est « ce qui ne peut exister que caché[1] ». Il y a donc du tabou « générique », intrinsèque, à propos des choses qui, par leur mystère, sont inaccessibles, opaques, voilées, embrumées. La mort porte donc une part de tabou incontournable, irréductible, puisque l'on ne connaît pas ce dont elle est constituée, et ce, même si on étudie l'avant, le tout proche, le passage, les formes de survie dans l'au-delà, etc. On reparlera du caractère bénéfique de ce mystère, parce qu'il nous dynamise. Mais de manière générale, le « tabou » est inhérent au fait même de la culture. Son existence permet à un groupe d'effectuer des choix, de classer, de symboliser, de se structurer, de s'organiser, de perdurer. Il y a des choses que l'on choisit de taire ou de laisser dans l'ombre, en vue de la survie : ça se vérifie pour tous les groupes, des collectivités jusqu'aux familles. Et quand on y pense, dans le for intérieur de chacun, il y a des choses « inavouables », pas forcément reliées à une faute et à une culpabilité, mais imparties à un jardin secret qui nous forge, et à partir duquel nous élaborons notre vie sans forcément le savoir, puisque nous ne sommes pas transparents à nous-mêmes !

C'est tout de même différent lorsque l'on dit parfois, d'un air entendu, « tiens ça mort » : alors il se peut que ce soit au bénéfice d'un but commun, su tel, partagé. Il se peut ! Car là où le problème émerge, c'est sur l'ampleur de l'interdit à ne pas révéler, et pour quels motifs. Ainsi, un tabou peut devenir néfaste s'il est formé dans des règles

1. Courtois, Martine, *Les mots de la mort*, Paris, Bélin, 1991.

organisationnelles – par exemple sous le sceau du secret d'État d'une société totalitaire – ou encore implicite, dans les conventions – par exemple dans la fameuse rectitude politique des années 1990. L'interdit de montrer devient aussi occultation de logiques qui font marcher une société, s'il consolide les tenants du pouvoir, de tous les pouvoirs et de leurs ramifications mondialisées, au détriment des personnes qui composent le groupe, s'il bloque l'accès au savoir et à la discussion sur l'accessibilité de ce savoir. Internet semble changer la donne à cet effet, mais c'est à vérifier, car on peut se demander s'il n'enkyste pas aussi des prénotions, des préjugés et tout ce tissu d'entendements convenus et clamés avec assurance, par-delà le gigantesque marché aux idées qu'il offre.

Alors, en quoi le tabou de la mort serait-il néfaste ? C'est qu'il nous leurre sur deux choses. D'abord sur le fait que nous pourrions ne jamais mourir – que nous serions a-mortels (le « a » renvoie ainsi à une particule privative et si nous voulons être exacts pour parler de ce phénomène désignant la non-mort, nous ne parlerons pas en ce cas d'« immortalité »). J'ai dit d'emblée que le tabou occulte minimalement la réalité de la mort, et ensuite, il y a des degrés ! Et pourtant, même en étant au fait de ce tabou – c'est ce dont on n'arrête pas de discourir depuis les années 1970, en nous intimant de nous en défaire –, même, donc, en admettant un tant soit peu la réalité de la mort, la deuxième chose tenue cachée et donc leurrante, c'est qu'on peut « tabouiser », mine de rien, bien des éléments autour de la mort. Par exemple, on peut taire et couvrir de manière gentiment stratégique les iniquités dans les manières de mourir ou les féroces luttes de pouvoir qui prennent en otage les gens qui vont mourir, qu'il s'agisse de prisonniers politiques, ou – et bien sûr, sur un autre registre – des grands malades. « Détabouiser » la mort, je veux bien, quand il s'agit de décoder les logiques qui appuient nos multiples manières de composer avec elle. N'empêche que, se hisser du tabou en voulant mettre partout le mot « mort », c'est désigner l'arbre qui cache la forêt, celle de ces morts sans cris, victimes du bon vouloir, voire de l'arbitraire, et surtout la forêt luxuriante de toutes les morts symboliques, muettes, muselées, à la suite d'indifférence, et pire, de bêtise, d'incurie, celle qui n'apprend pas des autres et de l'histoire, celle des injustices sociales répétées, qui tuent lentement et sûrement. En ce sens, le tabou de ce qui distille et procure de la mort est énorme.

Pour le dire à gros traits, le tabou peut être sain, quand il nous fait devenir créatifs. Or, être créatif, ça n'a rien à voir avec l'injonction actuelle à tout révéler de soi ou à hypervaloriser les énoncés sur soi, deux phénomènes qui prétendent à la « transparence » totale, contribuant ainsi à un nouveau mythe par lequel tout ce qui existe doit forcément être mis en spectacle (d'ailleurs, on peut soupçonner ses héraults de nous cacher le fond de leurs intérêts !). La santé du tabou n'est donc pas univoque. Le tabou devient délétère quand il fait consentir à fermer les yeux et à bloquer l'écoute sur ce dont il nous faudrait être plus conscients afin de devenir plus libres. Il aliène quand il obture une réelle communication entre les êtres et leur masque des aspects essentiels qui les feraient changer et avancer, et pas simplement modifier leur look et leur style !

Le tabou de la mort comporte donc un aspect sain du fait qu'il nous empêche, en bonne part, d'être obsédés par la mort, parce que l'on ne pourrait vivre dans la conscience continue de la mort. Mais il nous est surtout précieux parce qu'il nous oblige à créer à partir du butoir et de l'invisible de la mort et, de là, à nous exprimer, même de façon maladroite et confuse, sur nos croyances, sur les pratiques autour de la mort, sur nos fantaisies, etc. En revanche, il est dangereux quand il fait de nous des « méconnaisseurs » ou des témoins indifférents ou impuissants de ce qui tue, quand il nous fait intimement avoir honte de nous et de nos grands malades, et encore davantage de nos morts, par exemple en leur refusant le salut définitif, définitif parce qu'il définit aussi du reste et de l'à-venir, qui n'est pas du résidu. Le tabou de la mort est nocif parce que, si nous ne réfléchissons pas à la mort, nous ne réfléchissons pas non plus à la conduite de notre vie.

Nous vivons à une époque où les deux aspects du tabou coexistent. Au fond, nous ne parlons jamais de la mort, nous ne parlons que des humains face à elle, et c'est sur ce phénomène humain que s'agrippe davantage le tabou social, et pour lequel nous avons à être vigilants. Mais pas en clamant la fin absolue du tabou, à l'endroit de la mort ou de toute autre expérience humaine qui se forge en bonne part de secret et de silence, en prétendant alors éradiquer « le dernier » des tabous ! On peut sourire et se méfier, car il s'agit davantage alors d'une entreprise de pouvoir qui ne connaît pas le principe même de la limite, qui fantasme de son a-mortalité.

Et qu'en est-il du déni de la mort ?

Le déni de la mort alimente son tabou. De la même manière que le tabou, il comporte une portée positive… et négative. Positive, parce que c'est un mécanisme de l'inconscient qui nous protège contre l'impact d'un choc, une sorte de coussin psychique, si l'on veut, pour éviter le chaos d'affects qui seraient trop sollicités. C'est alors une défense ou une mise en limite inconsciemment avisée. Par exemple, quand on apprend la mort soudaine de quelqu'un qu'on aime, ou même sans mort soudaine, on ne veut pas y croire, on ne peut pas y croire. L'incrédulité, associée au déni, fait en sorte que nous ne soyons pas ravagés par la conscience de l'absence, alors trop abrupte. Cette parade de l'inconscient a une portée salutaire justement parce qu'elle permet une zone de repli, un moment de flottement entre ce que l'on ne peut admettre comme réalité et cette réalité même qui, pourtant, fait son chemin. C'est ce qui explique que nous « faisions comme si » l'autre n'était pas mort, par exemple, en lui parlant. On reconnaît bien petit à petit qu'il ne peut nous répondre, que son silence est irréductible, mais persiste en soi une part magique dans laquelle l'imaginaire tout-puissant impose sa volonté.

Or, un critère premier du caractère salutaire de cette forme de déni réside dans le fait qu'il soit doucement porté vers l'action, pas de l'agir – car on le prévient ! –, mais de l'action graduée, même si partiellement un peu hébétée. Plus nous disons à quelqu'un que nous l'aimons et que nous allons le regretter, plus terrible est le déchirement éprouvé dans les gestes rituels nécessaires pour que ce déchirement soit vécu progressivement plutôt qu'abruptement : l'exposition du corps, la fermeture du cercueil, le convoi jusqu'à l'église, la marche derrière le cercueil, le dépôt des cendres au crématorium ou l'inhumation du corps au cimetière. Cette séquence de gestes ancre la mort dans la dimension sensorimotrice de la prise en actes et contribue éminemment à ce que le déni s'atténue peu à peu. Le travail de deuil sera d'autant bien amorcé si on tient compte de ce facteur. Un second critère, corollaire du premier, tient dans le fait que le déni soit ponctuel. Le principe de réalité gagne ainsi petit à petit du terrain. Cette réalité, c'est celle de la mort de l'autre, mort qui est une des bases de la pédagogie des rapports entre la vie et la mort : la mort de l'autre nous apprend la réalité du principe vivant qui est de naître, de grandir, de mûrir, de se retirer, de perdre ses forces physiques, de mourir.

Le problème, c'est justement quand cette loi est mise de côté. On trouve des expressions du déni de la mort dans le durcissement de notre fameux jeu du « comme si ». Il se chronicise, se systématise et forcément, il nous aliène et nous sclérose. Je viens de parler de l'a-mortalité, ou de la croyance vraiment magique selon laquelle on ne meurt pas. De larges pans de la culture nord-occidentale vivent sous l'emprise de cette a-mortalité, de cette non-mortalité, bien sûr à des degrés divers. En effet, il n'y a pas de commune mesure entre l'évocation furtive de la mort qui viendrait nous attrister et nous faire l'esquiver – on pourra reparler des traces qu'elle laisse – et l'agir compulsif qui fait courir les recettes pour « être éternel » ou des exploits délirants pour braver la mort. Ce qui est en jeu, dans tous les cas, c'est ce que nous faisons avec notre sentiment de toute-puissance : l'atténuons-nous pour jauger de la limite, ou au contraire faisons-nous comme si nous n'avions pas de limites? Il n'y a qu'à observer les publicités pour décoder de quel côté des représentations on penche davantage, du moins publiquement.

Vous ouvrez là un lien entre le déni et ce qu'il suppose comme arrière-scène.

Oui, parce que le déni de base s'amplifie en fonction des représentations de la mort. Et là il existe une gradation entre deux pôles extrêmes: d'un côté la peur de la mort, quand ce n'est la terreur, et de l'autre, la douceur absolue. Les deux procèdent du déni parce qu'ils dé-réalisent la mort. Ils nous empêchent notamment d'assumer comment la mort est vitale pour tout ce qui vit, et par conséquent de considérer comment la mort marche en nous. La mort est alors externalisée, et son appréhension tout autant, comme si la mise en écran devenait un nouveau mode d'expression exacerbée, et alors de défense forcément renforcée. On le voit sur le Net et dans la cinématographie, dans l'étalage d'images qui, au lieu d'occulter la mort, l'exposent *ad nauseam* en la donnant pour «vraie», quitte à jouer sous la peau des cadavres, à y investiguer les tréfonds et à y trouver une source de nouvelle Vérité positiviste. Les romans de Kathy Reichs – de formidables romans, mais ce n'est pas la question – ont amorcé le bal jusqu'au succès populaire des expositions, ou plutôt des entreprises de «plastination» (Body Worlds, et une de ses copies, Bodies). Du côté de la peur, on constate l'amplification de la douleur physique dans les téléromans, mais aussi toutes les formes de mort qu'on donne. Il y va des guerres et des génocides, rendus de manière spectaculaire pour faire gonfler les cotes d'écoute, sans égards à la saturation et à l'insensibilisation qui peuvent s'ensuivre. Surtout, on relève la mort prodiguée arbitrairement, et de manière débonnaire, presque banale, par exemple dans le mot *delete*, jusqu'aux films d'horreur qui mettent toujours en scène des violences inouïes envers le corps. Si l'humanité a toujours eu minimalement peur de la mort, de la décrépitude, de l'isolement, de l'obscurité, du froid, du magma et du chaos, l'imaginaire télévisuel et cinématographique, qui modélise beaucoup nos représentations actuelles, y ajoute plus que son lot de fantasmes – et donc de débridé inconscient, nécessaire, soit, mais à demeurer dans un statut d'images ! –, dans la dévoration, l'explosion, le démembrement, la putrescence, la disparition. Si on s'alimente de ces fantasmagories qui sur-réalisent la mort, on a bien « raison » d'avoir peur, et partant logiquement de là, de dénier le caractère insécable de la vie et de la mort. En passant, on perd notre sens critique, entre autres, à propos des intérêts en jeu de la part de ceux qui manipulent et exacerbent ces fameuses peurs. On sur-réalise d'autant dans ces nouvelles puissances de « ressusciter », de déconditionner le cerveau, pour repartir une autre existence, bien sûr, puissante, riche, séductrice et célèbre que l'on retrouve en nombre étonnant actuellement dans les séries télé, du côté américain. La question revient toujours : qu'est-ce que cette surenchère révèle de nous et de nos aspirations, de nos désirs plus ou moins secrets ?

À l'autre pôle, il y a la mythologie de la mort jolie, à la limite, rapide et sans douleur, si ce n'est à la carte qui, elle, n'est pas plus « représentative » de la survenue de la mort. C'est la mort doucereuse dans le confort total, comme dans le film de Denys Arcand, *Les invasions barbares*. C'est la mort au moment que nous voulons, comme nous la voulons et quand nous nous estimons prêts. Il s'agit ici aussi d'une vision irréaliste ou déréalisante de la mort à qui on enlève une fois encore son caractère imprévisible, ne serait-ce qu'un peu… La survenue de la mort nous fait tellement peur que nous préférons souvent aller au-devant, que, par défense anticipée, nous devenons proactifs, et cette réactivité fait le lit de la demande euthanasique actuelle. Mais cela, c'est férocement tabou dans les médias. Car la mort est justement vivante, parce qu'elle advient très souvent hors des volontés, et cela ne signifie pas qu'elle soit pour autant affreuse. Mais toujours, il y a des représentations de la mort qui laissent découvrir la posture humaine devant elle, posture qui se livre tout au long de la vie et qui peut se décoder dans notre quotidien. Quand nous fouillons ces représentations de la mort, nous constatons qu'elles sont effectivement véhiculées par les plus puissants instruments actuels d'enculturation, d'éducation ou d'apprentissage que sont la télévision, Internet, et tout particulièrement le cinéma. Celui-ci exerce une profonde influence non seulement sur les imaginaires, mais sur l'acceptabilité ou la non-acceptabilité de certaines pratiques, voire d'affects. Les médias assument donc une responsabilité sociale que les chercheurs sont loin d'avoir examinée à fond.

Et l'acceptation de la mort, dont nous entendons parler si souvent?

L'acceptation comme mot d'ordre pourrait bien consister en une réaction à l'endroit des équivalences que l'on établit, par exemple, entre la mort et la déprime, ou pire, entre la mort et toutes ces manifestations hyperviolentes. Là où ce mot d'ordre peut être excessif, c'est quand il court-circuite la réflexion et l'analyse sur la violence intrinsèque de la mort. La mort en soi nous fait violence parce qu'elle heurte notre détermination et, au fond, la pulsion qui donne ce qui en nous désire du vivant, du lien, de la création. Pour éviter de réfléchir au fait même que nous concevons la violence et la mort comme automatiquement négatives, on nous enjoint de l'exact contraire: ce que j'appelle «la mort-ti-oiseau». On ne se doute pas de la charge de la violence symbolique quand nous tentons de persuader quelqu'un d'accepter sa mort, de «lâcher prise», d'ailleurs trop souvent à notre insu, pour ne pas entendre ce qu'il aurait à nous dire… Et cela est un autre tabou inaperçu dans le champ du mourir.

On peut se demander si c'est la mort que nous avons à accepter ou plutôt notre fragilité fondamentale devant elle. Notre désarroi. Autrement dit, ce qu'il y aurait à accepter et à explorer, c'est l'effet de la mort sur les cultures humaines. Et aucune culture, contrairement à ce que l'on veut parfois laisser croire, ne se bâtit sur l'acceptation de la mort comme telle. Toutes les cultures se sont édifiées en résistant au pouvoir destructeur de la mort. Louis-Vincent Thomas[2] ouvrait en ce sens une piste hautement féconde en relevant cette question: qu'est-ce

2. Louis-Vincent Thomas, *Mort et pouvoir*, Paris, Payot, 1979.

qu'une culture si ce n'est la manifestation d'une force de vie, animée par la conscience de la mort, conscience furtive, mais tellement forte et puissante, qu'elle nous pousse à créer, à nous organiser en groupe, à instituer des règles du vivre ensemble, etc. ? Qu'est-ce que la création, qu'est-ce que la procréation, qu'est-ce que l'édification d'une politique pour les autres générations, sinon des manières de dire : « La mort peut toujours passer, elle ne m'emportera pas entièrement » ? Créations techniques, artistiques, organisationnelles et procréation, et, bien entendu, toutes les philosophies et les religions sont des façons non pas de dénier, mais de refuser le caractère entièrement annihilant de la mort. Dans le meilleur des cas, il n'y aurait donc pas tant acceptation que prise de conscience, oui, ardue, que la mort vaincra cette force en nous. Quand vient le moment de la mort, on peut assister à un sentiment d'accomplissement, au travers des « bilans », à un relâchement de cette résistance, à un épuisement physique consenti, à une sorte d'abandon vers un ailleurs. On accepte alors de quitter ce que fut et ce qu'aurait pu être sa propre existence, mais cela ne se fait jamais sans arrachement, ce qui n'empêche pas une sérénité, mais jamais sur commande d'une nouvelle forme de politesse de l'agréable.

Or, quand on forge une idéalisation de mort « acceptée », il me semble que l'on se leurre, à partir d'une autre image que l'on prendrait pour du réel et qui aboutit à un souhait de mort non seulement sur-humaine, mais à une jauge trompeuse, a-humaine. Un problème actuel à ce chapitre est qu'à force de diffuser cette image, chacun se sent obligé de « bien mourir », selon son modèle. Cette nouvelle civilité de la belle mort n'est pas sans rappeler la morale de la bonne mort, tant décriée depuis le milieu du XXe siècle, celle qui faisait avouer aux catholiques leurs péchés, presque comme des mots de passe… On peut examiner les soubassements de cette vision de la mort, bien sûr, dans la trajectoire ou la philosophie de toute une vie, mais aussi, autrefois comme maintenant, dans la volonté de l'outre-vie, au Paradis il n'y a pas si longtemps, et maintenant dans le souvenir des proches, voire la belle vision. Car ce qui nous importe, c'est de laisser de soi une « image » pas trop dérangeante. Il y aurait beaucoup à dire sur cette idéologie… Entendons-nous tout de même, une mort devant laquelle la personne a pu manifester la teneur de ses liens, les recevoir, les faire évoluer, sans être à l'arraché ou dans le tabou complètement verrouillé, où la personne a pu constater en soi les mouvements tout à fait inusités de sa conscience et de ses audaces, et sans les affres de la douleur, demeure un universel de mort particulièrement apaisant. Si on peut légitimement la souhaiter et créer des conditions concrètes pour la vivre, d'évidence, on ne peut la provoquer, à force d'incantations plus ou moins subtiles. C'est là une autre limite « de santé », comme on dit, à notre vieille toute-puissance.

S'il y a toute-puissance, ce ne serait pas sur le temps ?

Tout à fait. Notre rapport au temps offre une clé essentielle pour comprendre notre rapport actuel dominant, à la fois à la vie et à la mort. Nous pensons le maîtriser, mais c'est à voir…

Pour un grand nombre, notre rythme de vie effréné, dans la mesure où il devient chronique, et en quelque sorte une seconde nature, est un symptôme criant du déni de la mort et de la fuite du temps. Le problème, c'est qu'en courant, nous allons assurément plus vite vers la mort, sans compter qu'entre-temps nous ne voyons pas trop venir et que nous ne voulons pas nous souvenir, pré-Alzheimer consentis, sauf… de sa trace propre. Fait intéressant, la précipitation rend compte d'une pauvre vitalité puisqu'elle est toujours dans le présent. « Vivre au jour le jour » revient à consommer les uns à la suite des autres des moments d'éphémère – c'est ce qui s'appelle l'intensité – en nous donnant l'illusion que c'est ainsi que nous vivons pleinement. Si nous cherchons à ce point la plénitude, et à temps plein, ce doit être que, de loin en loin, un vide nous tenaille. Ou plutôt la peur rampante de ce que nous considérons comme un vide.

Et plus nous fuyons, plus nous sommes angoissés, même si nous le percevons moins, parce que le percevoir voudrait dire nous arrêter, ressentir, toucher cette angoisse, l'ouvrir, y entrer et nous dire : « Cette angoisse, c'est mon rapport au temps, c'est ma peur de la mort, c'est le fait que je m'y précipite. » Pressentant le changement que nous serions alors incités à opérer dans notre vie, nous fermons la porte, et hop ! nous accélérons encore le pas, la pharmacopée souvent réquisitionnée en adjuvant automatique. Cela est exprimé d'une façon un peu caricaturale, certes, mais ce réflexe d'agitation contribue à ce que la peur, à l'origine de ce rythme effréné, peur néanmoins tout à fait légitime devant la réalité de notre finitude, devienne de l'angoisse.

Dès lors, il se peut bien que nous ne contemplions pas des choses très simples et que nous nous forgions parfois de complexes maladies psychosomatiques, tout bonnement parce que le corps n'est pas fait pour vivre continuellement à ce rythme… Il est fait pour vivre à la fois des moments toniques d'activités associées à éros, la vitalité, la force de vie, et d'autres moments associés à thanatos, moments de relâchement et de délaissement des soucis, pour nous rendre disponibles à l'inconnu, à l'inaperçu. Or, l'inconnu, c'est d'abord un rythme différent de celui que nous voulons bien imprimer à notre vie. Dans thanatos, il y a une espèce d'abandon relatif à une force, à un rythme qui instaure une certaine eurythmie dans notre vie, pour atteindre une forme de repos, de dessaisissement de ce qui préoccupe, et du coup, de nous donner du courage pour affronter ce qui, toujours, en passant, allège l'angoisse.

Sans l'admettre, une certaine mentalité fait s'intéresser aux autres, à l'étranger ou à l'inconnu en large part pour en retirer personnellement quelque chose, et pas forcément pour la pure et simple beauté de la différence, ce qui exige beaucoup de temps d'arrêt, mais surtout du temps d'écoute et de « métabolisation ». Et cela a des conséquences sur le cerveau, surtout pour ce qui est du déni, et particulièrement quant aux images de mort : tout va tellement vite que ces individus *busy bodies* n'ont pas le temps d'y réfléchir et de les intégrer. La mort qui, au fond, pouvait obséder, la mort ainsi devenue morbide, parce que compte à rebours omniprésent, sous la nonchalance élégante, devient alors souhaitée littéralement, comme un arrêt sur image.

Cette obsession latente peut se comprendre ! Notre culture est la toute première, dans l'histoire de l'humanité, à concevoir le temps comme relativement limité, compris entre les deux dates de la naissance et de la mort qui se trouvent justement gravées sur les pierres tombales. Toutes les autres cultures, philosophies et religions avaient insisté sur le fait que la vie irradiait avant la naissance et après la mort. Contrairement à ce que nous pensons généralement, nous avons en Occident du Nord, depuis plus de deux siècles, une conscience extrêmement aiguë de la mort individuelle et du temps, car la mort signifie qu'il n'y a plus aucune vie, plus rien, à la fin de mon temps comme individu, capable de m'assurer que je suis en vie de façon empirique. Cela se vérifie lorsque nous disons : « Vis ta vie, vis donc ta vie ! » pour dire, au fond : « Vis donc ton existence ! » S'il n'y a plus de vie avant et après l'existence, raison de plus pour nous dire en amont : « Il faut que je profite au maximum – on observe l'obsession quantitative – du peu de temps que j'ai ! » En somme, dans l'histoire, la compression du temps présent est liée d'une façon macroscopique à l'évolution de notre rapport au temps et à la vie, que nous concevons maintenant comme réduite à la durée de l'existence. D'où le mot d'ordre : « Tu n'as qu'une vie à vivre, alors vis-la pleinement, vis le temps présent ! » Il est souvent interprété comme hommage au principe de plaisir intégral, quête boulimique de l'agréable.

Il y a là une conception consommatoire et consommatrice à outrance du plaisir, qui est déréalisante, parce que la vie n'est évidemment pas qu'une collection d'instants d'extase. En même temps et paradoxalement, cette conception est tranquillement terrorisante, parce que cela sous-entend que la vie ne se déroulerait que sous un seul et unique registre, celui du plaisir. Dès lors, forcément, nous courons d'un plaisir à l'autre et notre sens du plaisir peut s'émousser. Nous en voulons toujours plus, mais nous goûtons de moins en moins. Le plaisir n'est éprouvé que s'il provoque de fortes émotions. Le « vivre au présent » est ainsi aujourd'hui largement associé à une conception très étriquée du plaisir parce que celui-ci est, par définition, en contrepoint avec la souffrance, non seulement la nôtre, mais celle des autres, et notre capacité à la supporter, à la regarder et à agir pour la soulager. Et si nous nous en tenons à l'unique quête de plaisir, nous sommes assujettis aux marchands, aux fabulateurs et affabulateurs de tout acabit, tant religieux que néo-religieux ou pseudoreligieux. Ce modèle du « vivre au temps présent » est très éloigné du *carpe diem* – « Cueille le jour » – du poète Horace, qui propose bien autre chose que de consommer et de « consumer » dans une perspective bêtement « accumulatrice » et épuisante. Ce « vivre au temps présent » est aussi très loin du « ici et maintenant » des bouddhistes.

Par ailleurs, une certaine paresse intellectuelle nous amène à nous centrer uniquement sur le présent – ce qu'on appelle l'« élémentalisme ». Nous sommes comme détachés du passé, de tout ce que nous devons à nos ancêtres, à l'importance de la transmission, mais aussi à une société qui a construit, pour les raisons qui étaient les siennes, les choses de la manière dont elles sont. Dès lors, amnésiques, nous voudrions nous engendrer nous-mêmes. Nous sommes actuellement plongés dans ce mythe, qui a son poids, et cela je le soulève depuis trente ans… Si nous sommes ancrés uniquement dans le présent, nous perdons aussi la capacité de rêver et de nous projeter dans l'avenir. Celui-ci a tendance à être perçu uniquement sous le rapport de la programmation. Mais si nous programmons l'avenir comme nous concevons le passé, nous nous prenons pour des démiurges. Nous nous imaginons que les seules bonnes choses susceptibles de nous arriver sont celles que nous avons prévues. Si elles ne surviennent pas, nous devenons abattus, frustrés et furieux. La mort, celle des autres, celle qui n'arrive jamais au bon moment, peut alors se mettre en travers de nos planifications de l'avenir… Mais, j'y reviens encore, la mort est quelque chose de très vivant en ce qu'elle est imprévisible.

Tout de même, de multiples contre-cultures existent, de multiples émanations de façons de voir différentes qui ne trouvent pas nécessairement un écho dans les médias. Nous connaissons tous des gens qui ont essayé de mourir au plus près du désir qu'ils avaient, tout en reconnaissant que la mort peut se présenter comme elle veut, à son heure. Nous connaissons tous des gens qui prennent le temps d'observer, de partager et d'induire des choix qui n'ont pas que valeur d'instantané pour eux, leur chemin de rang, leur quartier… Il existe toutes sortes de manifestations de cette conscience de la mort et de ce qu'elle change dans nos vies.

Quelles sont ces manifestations de contre-cultures ou ces façons de voir différentes?

La plus importante de ces manifestations me semble être, depuis une trentaine d'années, le mouvement écologique. Ce mouvement donne espérance en l'humanité et en sa capacité subtile de percevoir sa fragilité. Il traduit une représentation de la mort par laquelle nous nous dégageons du côté atroce de la mort individuelle, amplifié par notre ultra-individualisme qui se donne souvent comme «naturel», a-historique. Le mouvement écologique serait l'une des plus grandes manifestations de la conscience de la mort qui donne une forme d'immortalité, ou de survie quelconque par-delà la finitude individuelle. Il rejoint en cela les grandes cosmogonies. Désormais, dans cette logique qui touche, oui, c'est le mot, cette conscience de la mort n'est plus centrée sur l'individu obnubilé et terrorisé par sa propre fin. L'individu s'avérerait en contrepartie culturelle capable de déposer sa petite expérience au sein d'une expérience plus grande que la sienne: celle du groupe, de la collectivité, des écosystèmes et, à la limite, de la planète, du cosmos. On observe donc actuellement une transcendance du souci de la mort individuelle et de plusieurs angoisses qui l'accompagnent. Cette transcendance n'est plus renvoyée systématiquement sur le plan spirituel, comme c'était le cas dans les traditions religieuses très fortes, chargées de l'énorme fonction de nous soulager. Le souci de l'environnement est une façon de manifester notre conscience de la mort. Et comme nous ne la dénions pas, elle renvoie à la mort de l'individu, à celle de l'espèce humaine et de toutes les autres espèces.

Dès qu'il y a combat pour le respect de la vie sur la planète, nous avançons dans l'intégration de la réalité de la mort et de la vie au sein même de la vie. Nous prenons en compte le fait que nous ne sommes pas tout-puissants, même dans notre capacité de destruction de la planète. Nous mettons un frein à cette capacité et nous renonçons à faire de la planète ce que nous voulons, dans un réflexe d'usage à courte vue. Ce renoncement extraordinaire est symbolique de notre capacité de faire le deuil à la fois de la tentation de nous vouloir tout-puissants, et de la tentation prométhéenne, c'est-à-dire de la croyance que, maîtrisant la technique, nous pouvons maîtriser l'univers. Nous sommes en train de mettre un frein à ce fantasme d'absolu et d'emprise totale. Les écologistes d'aujourd'hui, par-delà leurs différences, sont un peu comme les pacifistes de l'époque de la guerre froide, mus eux aussi par la peur de disparaître. Un renversement radical dans la conception que l'être humain a de lui-même s'est donc récemment opéré. Et que maints écologistes ne puissent le formuler ainsi n'est pas forcément problématique.

Car ce qu'il y a là d'intéressant à noter, c'est qu'en prenant conscience de la mort potentielle de la planète, les individus se rendent aussi compte qu'ils ne sont pas « non mortels » ou pas « a-mortels », qu'ils peuvent se faire du mal entre eux, à l'espèce humaine, aux autres espèces et à nos interdépendances.

On retrouve ici ce que je soulignais au début de notre entretien, le caractère dynamique de cette conscience de la mort. Devant la réalité de la mort qui se distille tout au long de la vie de mille et une manières, nous voudrons déborder notre existence individuelle enserrée dans un rapport au temps étriqué. Et cela, c'est le désir d'immortalité dont j'ai évoqué des formes : faire des enfants, créer, s'engager envers une cause à longue portée, ici, écologique, et, de manière plus éthérée, aspirer à une forme de vie suprahumaine.

La création dont vous parlez est une des modalités d'immortalité, celle qui laisse des traces.

Oui. Il ne faut cependant pas se méprendre sur l'idée de création. Elle n'est pas que légère, elle oblige à des renoncements, elle fait risquer. Et pas seulement des traces. Néanmoins, laisser des traces peut se résumer à contribuer à une vie de quartier un tant soit peu conviviale. Il ne s'agit pas nécessairement de créer une œuvre d'art, et non plus d'en gagner une forme de notoriété, même si cela est à la fois agréable et engage un pari d'amélioration du monde.

Il peut donc s'agir de traces tangibles, mais pas nécessairement individualisées parce que celles-ci, à l'excès, risquent de faire succomber à l'attrait du prestige, ce qu'on appelle en anglais *exposure*, c'est-à-dire étalage, parade, exhibition. Tant et si bien que, poussé dans ses derniers retranchements, le souci de laisser des traces engendrera un Marc Lépine, le tueur de l'École polytechnique de Montréal, en 1989. Un être désireux qu'on se souvienne de lui peut, à la limite, créer de la mort de façon tellement brutale et horrible qu'il restera absolument inoubliable. Et en se suicidant, il se donnera le mot de la fin, ne laissant à personne le loisir de le lui offrir ou de le lui imposer.

En revanche, par exemple, dans le désir de laisser des traces en plantant des arbres, il y a quelque chose de formidable parce que ces traces sont à la fois visibles, anonymes et sources de respiration... Laisser des traces ne veut pas nécessairement dire graver un « Je suis passé par là » au couteau sur un séquoia, ni peinturlurer des graffitis sur un rocher ou sur un édifice patrimonial.

A-t-on raison de parler de plus en plus de la disparition des rites funéraires ?

Je parlerais plutôt de pseudodisparition des rites funéraires, parce qu'ils ne sont pas vraiment disparus. Plusieurs tendances coexistent. Une tendance lourde depuis vingt-cinq ou trente ans veut, d'une part, l'allègement des rites étalés sur moins de trois jours et, d'autre part, une socialisation moins élargie. Nous n'ameutons plus tout le monde à l'occasion d'un décès – encore que des funérailles permettent à des gens proches de la personne décédée de faire connaissance, si elles ne se connaissaient pas, de se découvrir, de se côtoyer, ce qui donne parfois lieu à des choses fort riches sur le plan de la circulation des mises en significations.

Un facteur qui me semble jouer sur ce rétrécissement, parmi beaucoup d'autres, serait un phénomène qui n'a apparemment rien à y voir, et qui consiste en la « chronicisation » de la maladie. Comme si le temps consacré à quelqu'un de malade, et *a fortiori* sur une longue période, se dérobait après sa mort. C'est une piste à explorer, que j'ai documentée dans les années 1980[3]. Plus spécifiquement en ce qui concerne les rites, j'ai noté ce qui me semble être une forme de déplacement, à l'occasion du soin aux grands malades. Un devoir presque commensal relie parfois les vivants et la personne qui va mourir. Les proches, les amis, la famille viennent réchauffer physiquement et moralement le mourant.

Recueillir, sinon la toute dernière parole du mourant, du moins la dernière parole qu'il nous destine personnellement, demeure très important, sur le plan des mythologies personnelles. Mais il y a, pour ainsi dire, mystification autour de cette dernière parole, comme si elle avait une résonance unique ou comme si se condensait en elle l'entièreté d'une vie. Quand nous repensons après coup au deuil, nous ne pensons pas nécessairement, ni seulement, aux façons dont la mort s'est annoncée, mais bien plus à la relation qui s'est tissée avec le disparu tout au long de la vie, à des périodes propices ou à l'occasion de la maladie. Cela est beaucoup plus important que d'être là au dernier instant, même si l'imaginaire associe quelque chose de très fort à l'avant-mort. Les accompagnateurs deviennent ainsi partie prenante de cette force magique que représente le passage de la vie à la mort. Et cela se retrouve dans l'imaginaire de toutes les cultures.

3. Des Aulniers, Luce, *Itinérances de la maladie grave, Le temps des nomades*, Paris, l'Harmattan, 1997.

Il n'y a pas que l'allègement des rites inscrits dans le temps alloué, il y a également le caractère un peu tronqué de la signification rituelle en soi. Les deux phénomènes sont interreliés, car tout rite requiert du temps. Qu'il y ait ou non cérémonie funéraire, on entend dire : « C'est la vie ! Mourir, ça fait partie de la vie. » Cette rengaine répétée à satiété semble témoigner d'une curieuse « intégration » de la réalité de la mort dans la vie. Elle est aussi une forme de déni du passage de la mort. Nous faisons comme si elle n'existait pas, puis nous disons : « C'est la vie, dépêchons-nous de continuer. *The show must go on !* »

Nous avons refusé le joug idéologique de la religion, laquelle offrait un cadre d'interprétation au rite qui longtemps allait de soi. Cette désaffection du cadre rituel qui donnait armature à une quelconque signification sociale et religieuse s'est produite en lien avec la nécessité de personnaliser les funérailles et de valoriser la participation de chacun, et qui est rapidement devenue le mot d'ordre des entreprises funéraires qui ont introduit et amplifié la mode des funérailles à la carte. Or, nous nous sommes retrouvés dans les années 1990 à la fois familiers de cette nouvelle mentalité et rapidement assourdis. C'est que le rite de mort, sous prétexte de personnalisation, s'est manifesté surtout dans l'éloge de la personne qui était morte, avec ceci de particulier que chacun l'évoquant parlait également de la relation qu'il entretenait avec elle. Nous nous retrouvions dans des surenchères où l'on évoquait le rite d'une manière limitée, parce que l'on n'ouvrait pas sur les transcendances dont je vous parlais, à travers des engagements sociaux, des partages concrets de valeurs, des croyances, mais aussi l'importance de se trouver ensemble devant la mort. Il y a alors eu saturation des « éloges à », qui équivalaient souvent à ce que l'on appelle des « bien cuits », lors d'anniversaires, par exemple. Nous nous sommes également trouvés saturés devant le mot d'ordre où, à force de personnalisation, il fallait être original à tout prix. Au bilan, le caractère foncièrement grave de toute mort s'est trouvé mis de côté sur le plan de la réflexion comme sur celui de l'affect, pour se concentrer justement sur les traces, à la limite, ramenées à un concours d'innovation.

Le corollaire fut l'émergence de quelques gourous *new age* qui reprenaient les choses en mains. Or, les personnes qui refusaient cette autre forme d'interprétation se sont senties déroutées, à raison, en résistance devant cette autre forme d'*exposure*, ce qui a également contribué, ces dernières années, au caractère minimaliste de ce que l'on persiste à appeler rite pour se donner bonne conscience, alors qu'à mon sens, en ces cas, il s'agit d'une simple cérémonie.

À quoi servent les rites ?

Pour vous répondre, je signalerais d'abord comment un délicat équilibre reste à trouver. D'un côté, si nous savons trop dans le détail ce à quoi servent les rites, nous risquons de les utiliser comme un procédé qui « fonctionne », de les instrumentaliser et, à la limite, de nous en servir comme d'une technique, porteuse d'un objectif X auquel correspond un effet Y ! Le rite devient ainsi un truc obligé en fonction de ses vertus, prévisibles, en atmosphère contrôlée… Si c'est le cas, nous n'aurions rien gagné en nous affranchissant des codes religieux trop univoques. Mais sans institution, même ténue, qui le porte, le contient, sans une sorte de système symbolique historicisé, transmis, le rite n'est plus. Sinon, c'est un geste, soit, qui peut faire du bien, mais pas un geste rituel. D'un autre côté, nous ne pouvons plus, dans nos sociétés, participer à un rite sans acquiescer minimalement aux significations qu'il peut emprunter. Or, ce qui fait la force des rites, à la base, c'est la simple et forte croyance qu'ils nous aident à vivre, sans forcément nous faire précisément nommer en quoi, en demeurant tout compte fait dans la part bénéfique du tabou. Il y a de l'indicible et de l'inénarrable. Du coup, il nous faut faire confiance – mais c'est ardu – aux personnes capables de faciliter la mise en place d'un rite ou des conditions de lieu et de calme, notamment – ce qui est encore plus ardu, mais la formation actuelle des professionnels aidant…

Les rites autour de la mort répondent à de multiples fonctions, conscientes et inconscientes, sur des registres différents et complémentaires. De nos jours, on pense d'emblée au caractère psychologique du rite qui est d'accueillir, de manifester et d'épancher le chagrin, et puis de nous ressaisir alors qu'on peut avoir le sentiment que tout ou beaucoup se défait autour de nous. Et surtout que l'on soit démunis dans le maelström des émotions qui sont alors souvent contradictoires. Nous éprouvons, par exemple, du soulagement pour la personne qui a beaucoup souffert, et en même temps, de l'arrachement devant la séparation. Il importe d'à la fois le ressentir et de toucher ce que l'on ressent et, en même temps, de l'endiguer. À cet égard, partout et de tout temps, la musique joue un rôle, cathartique, libératoire, « modulatoire » de l'émotion. Et la musique contribue éminemment à la transcendance de l'expérience, si elle rappelle le destin, et repose celui-ci dans la beauté et dans la grandeur, tout simplement.

En termes psychosociaux, outre ce que j'ai déjà souligné du caractère sensorimoteur – à mon sens essentiel, même si pas très en vogue ! –, le rite de mort introduit la présence des tiers, qui sont d'autant un soutien pour les êtres en deuil, lesquels font ainsi une sorte de provision de solidarité, de chaleur, d'aide active, sur le moment, mais surtout pour l'après-coup, les rassurant sur le fait que la mort, même s'ils sont sans l'autre, et parfois en cruelle absence, ne les laisse pas totalement seuls, en voie vers une mort sociale, une anomie. Le groupe, et par lui la croyance partagée, fait en sorte que l'individu recueille au-delà de son expérience des significations qui se sont imbriquées dans l'imaginaire collectif, et ce n'est pas pour rien ! Par exemple, l'extrême onction (aujourd'hui le sacrement des malades), qui était une sorte de rite de purification, s'accompagnait du viatique qui, au départ, signifiait « aide au voyage » avant de prendre la forme de la communion portée au mourant. Le viatique se retrouve dans toutes les cultures : il rassure les gens devant le saut sacré qu'ils s'apprêtent à faire. Et des petits gestes le rappellent toujours, lorsque l'on donne un objet qui subira le même sort physique que la personne décédée.

En termes philosophiques et éducatifs, on n'insistera pas assez, le rite est proprement le lieu par excellence d'apprentissage non seulement de la réalité de la mort, notamment dans l'exposition du corps, mais assurément une manière de riposter à ce qui représente, *a priori*, une perte de sens, d'où qu'on le cherche tant, mais surtout qu'on s'empresse d'offrir ses interprétations, avec plus ou moins de pertinence. Voilà en quoi c'est si important de prendre le temps de marquer le coup et de prévoir un moment d'expression sur le sens de la mort et d'une quelconque survie. C'est justement en cela que se nomment les essais de transcendance dont j'ai parlé, à travers l'histoire du groupe, les élans d'humanité, les actes qui ont pu contribuer, les croyances... Voilà pourquoi la fonction éducative est si importante, non seulement parce qu'elle montre un tant soit peu comment et que faire, sans tout laisser uniquement au fil de l'expressivité brute, mais aussi parce que se condensent là, pour les générations de jeunes, des prises en compte du réel, qui sont partie intrinsèque du passage desdites générations. Il n'en demeure pas moins une autre fonction, cette fois politique, qui est de nommer le système de places qui est bouleversé parfois par la mort d'un des membres d'une famille ou d'une collectivité et de rassurer ces dernières sur la persistance et la relative pérennité du groupe même. À la base même du groupe, il y a ce besoin vital de ne pas perdre pied dans le désarroi que provoque la violence même de la mort et de proposer une forme de sens. Et ce n'est pas parce que des tenants de pouvoir religieux ou politique (au sens large) ont monopolisé et phagocyté le sens qu'il faille renoncer à un questionnement.

En somme, d'un point de vue strictement économique, on peut sourire en pensant que le rite des funérailles, puis du souvenir, s'il prend quelque temps, en sauve en revanche beaucoup, dans tous les effets des dépressions, dans les conduites « ingestives » compulsives, comme l'alcoolisme, la boulimie, et même la toxicomanie de divers ordres.

Quand on fouille l'expérience de l'humanité, il y a peu d'événements, ou de chocs salutaires, qui tissent autant le lien entre la psyché et la culture que la présence de la mort, cadrée, saluée, et ainsi mise à sa place. Car tout l'enjeu secret des rites de mort est bien d'établir la distinction, puis la progressive séparation entre les vivants et les morts. Séparation ne signifie pas ignorance mutuelle, mais bien aménagement des nouveaux rapports ainsi constitués. C'est ce départage qui permet au groupe de refouetter sa vitalité ou son « vouloir-vivre », mais pour ce faire, il aura fallu au préalable que celui-ci fasse corps, fasse soutien, fasse présence. Et offre sens et transcendance de cette mort-là, même si unique, à des degrés divers. C'est le groupe qui rassure non seulement sur le souvenir – encore une fois, il ne peut se porter que seul, même si chaque image, puis chaque réminiscence est singulière. C'est par le groupe aussi, au creuset des relations qu'il permet et enrichit, même si les résonances sont intimes, que se pose la question existentielle du vivre, des « raisons de vivre ».

Dans vos travaux, vous avez souvent évoqué la disparition du corps. Quels en sont les impacts ?

On constate, depuis vingt ans, une diminution de la disparition de la dépouille – très souvent au gré des premiers concernés – qui semble actuellement faire l'objet sinon de ressaisissement, du moins de questionnement.

Pour moi, l'argument massue qui a servi la disparition du corps tient dans la combinatoire suivante : le caractère forcément désagréable de la confrontation avec le corps, même mis en scène par les soins thanatopratiques, singulièrement pour des générations qui carburent à l'hédonisme. Comme si l'exposition était agréable pour les générations qui nous ont suivies ! Ensuite, comme je l'ai souligné, la tendance à la « désincarnation » des liens, phénomène en soi que je ne peux commenter ici, mais qui, pour le dire rapidement, a forcément, et même largement, dénié un effet sur la prise en compte de cette réalité, et donc, sur l'entrée même dans le deuil. Car la bougie d'allumage du deuil, la confrontation primaire à laquelle nous résistons et qui nous fait du tort, c'est précisément ce butoir incontournable du cadavre. Lorsque cette confrontation n'a pas lieu, ce n'est pas seulement la conduite du deuil qui hésite et fait des siennes, c'est le rapport même à la matérialité, à partir de laquelle peut surgir une forme de métaphysique. Pas de physique, métaphysique bancale. Pas d'affrontement, pas de franchissement, et encore moins de dépassement.

Par ailleurs, ce qui a contribué à cette disparition. c'est la confusion entre l'incinération comme modalité de disposition du corps et l'absence d'exposition. Nous savons de mieux en mieux que l'une peut se faire avec l'autre. Par ailleurs, le choix de l'incinération demeure fort éloquent. Il ne s'agit pas de la crémation rituelle bouddhiste ou hindouiste, dans laquelle est désirée la « désintrication » des éléments corporels et de l'âme pour faciliter la survie de cette dernière, en soignant la symbolique séquentielle des gestes profondément rituels. Ici, il s'agit davantage d'une modalité commode. Au minimum, elle tient compte de la réduction de l'espace et, je dirais presque à l'excès ou à, tout le moins, avec des risques non banals, à une conception du corps déchet : dès le moment où il ne fonctionne plus, et même avant la mort, dès le moment où il n'est plus source dominante de plaisir, il est littéralement dénié. On fait comme s'il n'existait plus. Mais comme il existe, il devient encombrant et, du coup, est à liquider. S'instaure et s'accompagne ainsi, au gré de notre rapport au temps axé sur le présent engoncé, une sorte de disparition des morts, à travers la dissolution, comme une réponse détraquée aux injonctions forcenées du paraître, comme une sorte d'extrême autoabolition... Disparition en prime du phénomène de mort, comme tel, ramené à son caractère spectaculaire et non plus comme cheville ouvrière de notre rapport au monde. Par-delà les arguments de fusion avec la nature, il se pourrait bien que la dispersion des cendres procède d'une logique apparentée à la *tabula rasa*, mais répondant au fantasme « déique » d'être partout et nulle part... En fait, à l'oubli des morts, à l'effacement des lieux consacrés au souvenir, non seulement des générations passées, mais de l'idée de la mort. Elle-même subit un rétrécissement sémantique ; par exemple, il arrive que, sans aucune prise en acte de ce corps-être qui s'est absenté, on tienne, avec ou sans les cendres, une « cérémonie de commémoration », comme on la désigne. Commémorer veut dire « ramener un élément du passé à la mémoire ». Quand nous utilisons ce terme pour désigner une cérémonie célébrée une semaine après la mort, nous trompons le temps. Nous ignorons l'effet à long terme sur les survivants, sur les gens « en deuil ». Comment, en effet, commémorer un événement qui ne s'est pas encore produit puisque la première étape du rite funéraire, qui consiste à prendre acte de la réalité de la mort, a été escamotée ?

Si nous leur laissons une place, ils ne reviendront pas, sur le plan de l'imaginaire, nous encombrer par toutes sortes de cauchemars, de syncopes visuelles agressives ou de violences furieuses.

Ce sur quoi nous pourrions nous méprendre alors, c'est la nécessité vitale de cette présence du mort et, par-delà cet être, de LA mort. La preuve s'en définit *a contrario* dans le surgissement des formes fantomatiques, voire des horreurs, qui traduisent non seulement le détournement du besoin d'une présence qui aurait pu être bien campée dans son espace propre, mais actuellement un envahissement encombrant proprement morbide, cauchemardesque, détraqué dans les violences impromptues, et sans doute manifeste d'une certaine culpabilité devant la déperdition plus ou moins confuse de ce lien entre la société des vivants et celle des morts. Les morts réclament d'avoir quelque vie aux yeux des vivants, et si les vivants ne leur font pas une place, ils ressurgissent brutalement, et la surmodernité ne peut changer cette loi. Mais surtout, en zone opaque, cet abandon des morts, à mon sens, rebondit aussi sur la qualité du lien, charnel, vibrant, risqué et merveilleux entre vivants, et non pas entre zombies harnachés à la méfiance et à une technologie qui peut faire office aussi de remparts sécurisants d'une crainte ignorée.

Nous exécutons généralement ces rites au moment de la mort, et aussi selon un cycle qui est fonction des sociétés. Toutes les sociétés ont des fêtes à l'occasion desquelles leurs membres saluent les morts. Ainsi, chaque année, la collectivité des morts se rappelle au souvenir des vivants. Ces fêtes nous font nous souvenir que nous sommes les héritiers de nos mères, de nos pères, d'un lignage, ce qui est essentiel à une réflexion sur ce que nous faisons de notre temps et de notre planète. Nous ne pouvons pas avoir une conscience de l'écologie de la planète si nous n'avons pas d'abord une conscience de nos morts. Je le répète, c'est d'ailleurs par la conscience de l'écologie que nous arrivons actuellement à une forme de transcendance de la réalité individuelle et de la réalité interpersonnelle, parce que nous nous rendons compte que la planète est en train de mourir. Autrement dit, la conscience de la mort de la planète aura peut-être plus fait pour la place et le sens de la mort dans notre culture que n'importe quoi d'autre. L'évocation d'une mort de cette terre qui nous nourrit tous nous aura amenés à considérer que, si la mort est le sort qui nous attend tous, elle peut aussi nous aider à devenir un peu plus créatifs.

Consentir à ce qui nous arrive.

Johanne de Montigny

Depuis un quart de siècle, psychologue à l'Unité de soins palliatifs du Centre universitaire de santé McGill (CUSM), à Montréal, Johanne de Montigny a aussi été chargée de cours au Centre d'études sur la mort et le deuil (CEM) de l'Université du Québec à Montréal (UQÀM). Elle œuvre également à titre de conférencière et de formatrice auprès du grand public et des intervenants du réseau de la santé.

Après avoir frôlé la mort dans un écrasement d'avion, elle a dû réapprendre à vivre, particulièrement en raison de la prise de conscience des pertes survenues ce jour-là dans son existence.

Sensible à l'apport des personnes en fin de vie, elle accorde d'abord son attention à l'être intérieur avec tout son potentiel d'amour et de spiritualité. Pour Johanne de Montigny, les messages des mourants sont très importants, qu'ils soient ou non verbalisés. Ils expriment ce qu'une personne a envie de laisser avant de partir : là se cachent le bilan d'une vie et tout le sens d'une qualité de fin de vie.

Johanne de Montigny

Johanne de Montigny, pourquoi avoir choisi l'accompagnement des mourants ?

On peut imaginer qu'un événement explique la décision de la plupart des gens qui ont fait ce choix. On peut l'imaginer, oui, mais j'ai tout de même côtoyé des personnes dans le milieu qui avaient décidé d'opter pour ce domaine sans motivation précise, avec l'intuition qu'elles aimeraient y œuvrer. La plupart du temps, on sait cependant qu'un événement particulier peut nous mener là, souvent une perte significative ou le fait d'avoir frôlé personnellement la mort, la prise de conscience que la mort n'est pas une hypothèse, mais une réalité on ne peut plus vérifiable lorsqu'on est placé devant elle.

Un jour, à 29 ans, j'ai été propulsée devant la mort. Je n'avais jamais vraiment songé à la mort parce que, à cet âge-là, je ne pense pas qu'on en soit si conscient. À 29 ans, on est immortel, on a le vent dans les voiles, la vie commence. Habituellement, on est en santé à moins d'avoir connu plus tôt un épisode de maladie, ce qui arrive même à des adolescents ou à de jeunes enfants. Ce n'est donc pas toujours une question d'âge, mais c'est décidément une question d'expérience, une expérience qui nous tombe dessus un jour ou l'autre. C'est ce qui m'est arrivé. Après l'accident tragique auquel j'ai survécu, en surmontant la convalescence et le fait d'apprivoiser une nouvelle vie – parce qu'il faut réapprendre à vivre lorsqu'on a vécu un événement majeur, et cela, toutes les personnes qui ont vécu des « crashs » de vie pourront le confirmer –, j'ai dû réapprendre à vivre autrement, faire vraiment un cheminement intérieur, personnel, un cheminement de carrière aussi, et tout ça a été vraiment au cœur de ma décision d'aller vers l'accompagnement. Principalement d'ailleurs, parce que, dans le crash d'avion auquel j'ai survécu, un homme est mort à côté de moi avant même l'impact, sans doute d'une crise cardiaque.

C'était la première fois que je voyais quelqu'un mourir, la première fois que je voyais quelqu'un mourir devant moi – à côté de moi, précisément. Nous nous tenions la main, cet homme et moi, parce que nous étions propulsés devant notre mort, mais il est mort avant même l'écrasement. Alors, j'ai été profondément marquée par la perte de cet homme que je ne connaissais pourtant pas, mais qui, dans cette tragédie, était devenu un frère. Durant ma convalescence, j'ai longuement réfléchi à la perte vécue, par les familles en deuil, d'un être aimé qu'un événement tragique est venu leur arracher. J'ai aussi beaucoup pensé à cet homme qui m'a semblé être mort trop tôt et que je n'avais pas su accompagner comme j'aurais souhaité le faire puisque nous étions envahis par une même peur. Quand la main de l'autre lâche ou quand sa main à soi lâche celle de l'autre, on a l'impression de l'abandonner. Et de cela, j'ai eu mal même si, d'un point de vue rationnel, cela n'avait pas de sens. C'était du côté de la représentation que cela prenait tout son sens. La perte de cet homme m'a profondément touchée, mais aussi la perte des autres personnes qui étaient avec moi ce jour-là.

La question du deuil, de la perte, a été significative dans mon cheminement personnel. Avant la guérison, j'ai été un être profondément en deuil, en deuil de personnes que je ne connaissais pas, mais qui avaient vécu avec moi cet événement : elles en étaient mortes et j'avais survécu… Le questionnement est parti de là, et depuis, il n'a jamais cessé. Avec le retour à la vie, le retour aux études en psychologie, il m'a semblé très vite, intuitivement et fondamentalement, que je devais inscrire mon métier de psychologue dans l'accompagnement des personnes en fin de vie. Le recul me permet de dire, en tant que psychologue analysant le chemin parcouru, que mon choix s'est un peu imposé en guise de réparation de la mort d'un individu qui m'a beaucoup inspirée dans le métier que j'exerce aujourd'hui.

Après toutes ces années passées à accompagner des mourants ou des gens en fin de vie, en quoi diriez-vous leur être utile ? Pourquoi est-il nécessaire de les accompagner ainsi ?

D'abord, parce qu'une présence, c'est très important à la fin de la vie. Dans le cours de la vie, on a besoin des autres, bien sûr, mais on peut quand même souvent se débrouiller tout seul. À l'âge de la maturité, beaucoup de choses comptent – le succès, les titres, les rencontres –, beaucoup d'éléments qui, comme on sait, aident à éprouver un certain bonheur. À la fin de la vie, il ne reste qu'à faire le bilan. On est en petite jaquette bleue dans une chambre impersonnelle et dénudée, soi-même assez nu devant tout ça, et alors qu'est-ce qu'il reste ? Il reste la relation humaine. Et la relation humaine, c'est vraiment, dirais-je, le rapport qu'on entretient avec les êtres qu'on aime, les gens qui ont fait qu'on est tel qu'on est aujourd'hui, les membres de sa famille ou de son entourage qui ont été significatifs et sans lesquels on ne serait pas devenu ce qu'on est.

Alors, à la fin de la vie, la seule énergie qui reste pour ce qui est de l'investissement personnel est canalisée vers l'investissement relationnel. On a envie d'être là avec quelqu'un qui inspire le calme, la présence, l'écoute, la sécurité, l'affectivité, l'amour. On n'a pas envie d'être accompagné par des gens eux-mêmes extrêmement angoissés ou anxieux qui vont ajouter encore au poids du processus de mourir. Quand une personne accompagne l'être qui va mourir avec une capacité de silence enveloppant, avec une capacité d'écoute pour le peu de paroles qui lui seront confiées par le mourant, quand elle n'a pas d'attentes, surtout pas d'attentes de réciprocité dans le contact, quand elle est là simplement pour l'autre, je crois que le mourant reçoit cet accompagnement comme un dernier cadeau de la vie. Et lui-même a beaucoup à offrir.

On a tendance à croire que le mourant est un être impuissant, qu'il n'a plus d'utilité dans la société, qu'il n'a plus de rôle, qu'il perd jusqu'à son titre de parent parce qu'il est cloué au lit dans sa douleur existentielle même si la douleur physique est efficacement soulagée. J'ai donc pensé, au tout début de ma pratique – puisque cela fait vingt-trois ans que j'exerce –, que ces êtres étaient sans pouvoir, qu'ils étaient démunis, qu'ils étaient totalement dépendants de nous. Aujourd'hui, je comprends qu'ils ont des messages extrêmement précieux à nous livrer avant de partir. Que leur message soit négatif ou positif, verbalisé ou silencieux, à nous de le décoder, à nous d'apprendre de ce chemin tracé d'avance pour nous, puisque nous l'emprunterons tous un jour.

Or, je me demande souvent avec mon équipe si notre travail auprès des mourants nous apprendra un jour « à mieux mourir » ou à être capables de mourir dans une certaine sérénité. J'ose espérer que ce que m'enseignent au quotidien ces personnes en fin de vie, et les familles qui les accompagnent, m'influencera et m'aidera vraiment à la fin de ma propre vie. Je sais que cela exerce déjà une influence dans ma vie. Quant à savoir ce que les mourants nous apportent à la fin de leur vie, au fond, ils nous donnent d'abord une leçon d'humilité parce que nous sommes, la plupart du temps, impuissants nous-mêmes devant une maladie incontournable et incurable, parfois devant une souffrance globale qui est difficile à apaiser. Nous sommes en présence de personnes que nous connaissons si peu, qui nous offrent des fragments de leur vie, qui nous offrent totalement la fin d'une vie. Et je me sens privilégiée, j'ai le sentiment que c'est un travail extrêmement intime au cœur de l'être humain, qui le rejoint dans son intériorité.

Au fil des années, j'ai appris à dépasser le seul contact avec le corps malade, avec le corps en déclin, avec le cancer qui prend presque toute la place. J'ai appris à voir l'être – grâce à mon métier de psychologue, grâce aussi à mon propre travail de réflexion et d'analyse –, à le voir à l'intérieur, à le découvrir dans sa beauté psychique. Parce que seul ce qui nous est accessible de l'extérieur pourrait être affolant, cela pourrait être décourageant. Mais si on va un peu plus loin et si on regarde vraiment, on voit toutes les potentialités de l'être humain en qui peut encore, dans un moment aussi grave, s'éveiller un potentiel d'amour, de bonté, de spiritualité – ou tout autre synonyme que les gens aimeraient substituer au mot « spiritualité », et qui pourrait aussi vouloir dire sérénité, confiance, espoir. Ce sont tous des mots précieux qu'on utilise si peu dans la vie non menacée parce qu'on a l'impression d'être au-dessus de ses moyens physiques et psychologiques ; pourtant, la vie, on le sait une fois qu'on l'a personnellement expérimenté, est si fragile ! Tout être qui a perdu un enfant, un proche ou une autre personne très significative dans sa vie s'éveille, au fond, à cette dure réalité : on va perdre des êtres aimés ou qu'on aurait aimé aimer, on n'aura pas le temps d'aimer suffisamment ou de mieux aimer, on va soi-même devoir tirer sa révérence, saluer ses proches, disparaître. De ce fait, pour moi, les derniers messages d'une personne sont encore une fois quelque chose de très important, qu'elle les verbalise ou non, et cela prend toute sa mesure dans ce que je décode par rapport à ce que j'ai ressenti, à ce que j'ai vu, vécu, entendu, ou à ce que j'aurais souhaité entendre.

Tout me sert à quelque chose, même quand c'est très difficile d'entrer dans une chambre. Après plusieurs années de pratique, je ne me sens toujours pas si à l'aise que cela d'entrer pour la première fois dans une chambre parce que, derrière la porte – et cela, malgré mon expérience –, je sais qu'il y a une famille à la dynamique unique, aux rapports uniques, au profil psychologique unique. Et je dois débrouiller tout cela en très peu de temps parce que le séjour de vie terminale dans les unités de soins palliatifs en milieu hospitalier – par exemple, à l'Hôpital général de Montréal où je travaille – peut représenter de sept à quatorze jours de survie avant le grand départ. Cela nous oblige à être pleinement présent chaque fois que nous y sommes. Cela me fait prendre conscience du nombre de fois où nous sommes quelque part sans nous y investir, et quel que soit le temps que nous y passons, nous ne sommes pas vraiment présents.

En soins palliatifs, il serait difficile de nous « absenter » pendant nos interventions. Nous sommes confrontés à une relation si authentique que nous ne pouvons pas nous défiler. Et si nous nous défilons, il ne faut pas nous culpabiliser, mais tout simplement en conclure que nous ne sommes pas faits pour ce travail, et qu'il est acceptable aussi que nous le quittions. Par ailleurs, si on est un membre de la famille du mourant et qu'on trouve trop difficile d'être témoin de la perte de maman, de papa, et qu'on ne se sent pas capable d'être là, un jour, on sera peut-être capable d'une autre expérience liée à l'accompagnement. Quant à nous, acteurs des soins palliatifs, nous devons être très conscients de notre choix et renouveler notre engagement intime, trouver toujours un nouveau sens à ce choix. Et c'est passionnant parce que chaque jour est différent. C'est toujours la mort, oui, mais vécue différemment par chacun. Le thème est le même, mais c'est la façon de la voir arriver, cette mort, qui diffère, la façon de s'y préparer ou de la refuser jusqu'au bout – parce que des personnes la refusent jusqu'au bout et meurent dans le refus.

On essaie, comme psychologue, de soutenir les mourants avec tact et doigté – parce que, au fond, c'est eux qui nous montrent le chemin, ce n'est pas nous qui le leur dictons –, on essaie simplement de leur fournir une ambiance sécurisante pour qu'ils puissent eux-mêmes percer le jour, mais il ne nous revient pas de leur dire quelle est la bonne façon de mourir. La bonne façon de mourir, c'est celle que chacun peut adopter, sa façon à lui, sa façon à elle. Et même si cela se passe dans l'anxiété ou la douleur, à nos yeux de soignants, il y a toujours là pour nous quelque chose d'infiniment profond à apprendre. À travers cet apprentissage, le psychologue cherche à contenir les détresses, faciliter les communications, porter les questions et représenter le tremplin nécessaire au grand saut qu'impose la séparation.

C'est tout un processus. Il m'arrive d'utiliser l'expression « consentir à ce qui nous arrive » parce qu'« accepter l'inacceptable » est difficile, mais de façon générale on y parvient petit à petit. Les mourants, pour la plupart, ont une certaine sagesse. Certaines fois, le refus est extérieur, et l'acceptation, intérieure. D'autres fois, c'est l'inverse : l'acceptation est extérieure – pour apaiser l'entourage, pour ne pas être abandonné dans le besoin – et le refus, ou la grande tristesse, se terre à l'intérieur.

Je pense que mourir n'est pas facile, que c'est toute une odyssée, une tâche de titan – même aujourd'hui, même après vingt-trois ans d'accompagnement, et je dis cela tant pour les personnes en fin de vie que pour moi. Quand on aime beaucoup la vie, comme moi je l'aime, il est extrêmement difficile de penser qu'il faudra la quitter, qu'il faudra quitter ses proches, les gens qui ont été importants pour soi. Je crois que cela demande une amplitude psychique pour communiquer autour de soi le sentiment que, si on avait à espérer une mort avec laquelle on se sentirait en paix, on aimerait pouvoir dire, avant de mourir, à ceux qu'on aime, à celui ou à celle qui est à côté de soi : « Merci pour tout ce que tu m'as appris et va ton chemin ! J'ai confiance que ta route sera belle. Et moi, si tu me l'accordes, je garde confiance aussi. Je ne sais pas où je m'en vais, peut-être que c'est la fin, peut-être qu'il n'y a rien, mais quand je fais le bilan de ma vie, je suis très contente et je me retire avec cette part d'enchantement. Et ça, c'est déjà beaucoup. C'est comme si je partais avec un bagage plein, et même si je n'avais plus jamais l'occasion de l'ouvrir, ce n'est pas grave étant donné qu'il m'en reste quelque chose avant de quitter le monde. » Tel est mon souhait le plus cher.

Je trouve cela difficile quand le mourant pense que la mort arrive beaucoup trop tôt, quel que soit son âge, et qu'il n'est pas du tout prêt – mais comment l'être ? C'est un cheminement qui peut se faire rapidement ou ne jamais se faire. Je crois cependant que plus on est satisfait de sa vie, plus on est capable de s'abandonner au processus de mourir. Moins on est satisfait de ses accomplissements ou de sa vie, plus on espère pouvoir se rattraper plus tard. Cela compte, me semble-t-il, peut-être plus que la foi.

Au début de ma pratique, je pensais que la foi était une clé de sérénité pour ceux et celles qui allaient mourir. Puis, j'ai compris que, selon leurs croyances religieuses, certains pouvaient être très angoissés par la peur d'être punis pour leurs erreurs et d'autres, au contraire, être rassurés par la conviction qu'il leur serait fait miséricorde, que quelqu'un de grand les attendait. Dans l'exercice de mon métier, j'ai également compris que le potentiel élevé de l'humain reste vainqueur, il demeure plus fort que sa réalité : ce potentiel, c'est sa capacité d'imaginer, de visualiser, de dépasser la dure réalité vécue dans le corps – ce dont est incapable le petit animal. Et c'est d'ailleurs pour cette raison que, pour le petit animal, on ne se pose pas de questions et on fait souvent appel à l'euthanasie : il ne souffre essentiellement en effet que dans son corps. Or, on ne laisse pas « quelqu'un » souffrir dans son corps. Tandis que l'être humain est capable de transcender même sa souffrance morale grâce à l'imagination, à l'imaginaire, au fantasme, à la représentation symbolique, grâce à l'esprit, à l'astuce extraordinaire de l'esprit qui permet de déjouer la réalité beaucoup trop cruelle, en y donnant un sens.

Dans le film *La vie est belle*, l'adulte bienveillant montre au petit garçon que l'horreur de la guerre peut se vivre autrement que dans la dure réalité, en recourant à des images, à des fantaisies, à des représentations, de façon telle que l'enfant passe au travers de ce qu'il y a de plus insupportable. Il en va de même pour moi. Je conçois parfois l'accompagnement de la même manière, comme si le patient dans le lit était le petit enfant pris dans la guerre, et que l'accompagnant était l'adulte qui l'aide à voir autrement la cruauté du moment. Il faut mettre à profit nos ressources jusque-là insoupçonnées, aller puiser dans l'espoir et l'amour, dans les représentations et la créativité – dans ce qu'on a envie de laisser avant de partir – tout le sens de la qualité d'une fin de vie.

Au départ, je croyais que la spiritualité, la religion, en fait, faisait la différence en fin de vie, mais ce n'est finalement pas le cas, me semble-t-il. Plusieurs proposeraient différentes explications à la sérénité mais, après toutes ces années, j'en suis arrivée à la conclusion que cela tient au fait que la personne mourante est vraiment en bonne partie satisfaite, qu'elle accepte ses erreurs de parcours, qu'elle éprouve un sentiment d'accomplissement et qu'elle a l'impression d'avoir transmis, d'avoir laissé quelque chose, que ce soit une bonne éducation à son enfant, des valeurs, un livre, une lettre, une peinture, ou autre legs. Elle a le sentiment d'avoir laissé une trace susceptible d'aider ce monde en toute humilité. Il s'agit en somme du sentiment que la vie n'aura pas été vaine, que la vie, même difficile, aura été une chance.

Nous aurions pu ne jamais naître, vous et moi. Voilà comment je perçois la vie, même difficile. Comme psychologue, j'entends pourtant les gens me confier des épreuves du matin au soir, et je la trouve souvent cruelle, la vie. Parfois, je suis émue et même souvent impressionnée de découvrir, pour employer un mot à la mode, la « résilience » de gens vraiment capables de rebondir après des catastrophes incroyables. Je suis toujours remuée par cela. Et je me dis : « Quelle chance extraordinaire d'être passée par ici, par la vie ! » Je me dis : « Si jamais je ne devais plus m'en souvenir, parce qu'il n'existerait rien après, au moins j'aurai connu ça. Quel bonheur ! » Cela se compare un peu à la situation de quelqu'un qui n'a jamais voyagé et qui ne sait pas, de ce fait, ce qu'il rate. Le voyage peut, à l'occasion, mal se passer, mais on en aura malgré tout retenu des instants extraordinaires. Voilà pourquoi je répète que c'est une chance d'avoir fait le voyage de la vie, une chance immense – de cela, je serai toujours reconnaissante, et j'espère que, sur mon lit de mort, cette conscience me portera secours dans les moments les plus difficiles.

Je crois que les mots-clés pour traverser le mourir le mieux possible – le moins mal possible, avec le moins de souffrance possible – sont la gratitude et l'amour qui nous habitent encore à ce moment, et que même la mort ne peut pas tuer. La mort va venir chercher le corps, mais elle ne viendra pas dérober cet amour qui, espérons-le, va se perpétuer et nous survivre. Certains mots-clés nous aident, je pense, à faire le grand saut, des mots comme la gratitude d'avoir vécu; l'amour qui nous habite ou qu'on aurait aimé plus grand encore, mais qui a été là; et le désir amoureux. Il y a aussi, me semble-t-il, la volonté de laisser les nôtres dans un deuil qui ne sera pas catastrophique grâce à la façon dont on va les quitter, en leur montrant qu'ils seront capables de se passer de nous, que d'autres personnes sont des plus importantes dans leur quotidien, et que, s'ils ne se passeront peut-être jamais du souvenir qu'ils gardent de nous, ils pourront se passer de nous à l'avenir.

Est-ce à dire que, pour bien mourir, il faut vivre simplement, vivre ce que nous avons à vivre, vivre notre plein potentiel, vivre de façon la plus créative possible?

Il faut se tourner vers ses talents. Un jour je m'entretenais avec un jeune de 17 ou 18 ans dans l'espace thérapeutique. En fait je l'écoutais surtout, et je sentais bien qu'il n'était pas motivé dans son quotidien, qu'il n'était pas motivé à vivre. Il m'expliquait qu'il ne sentait pas que son professeur aimait ce qu'il faisait. Et je me suis dit: « Nous, les adultes – comme amis, parents, professeurs ou employeurs –, nous avons une belle responsabilité, celle d'aller chercher en l'autre son originalité, son talent, et de les faire valoir autour de nous. » Ce jeune devant moi me disait: « Apparemment, l'informatique serait pour moi un jour le travail le plus payant, et je devrais m'engager dans cet univers de la haute technologie si je veux gagner des sous et vivre confortablement. » Je lui ai alors demandé si ça lui plaisait, et il m'a répondu: « Je ne déteste pas ça, mais je préfère le dessin… » Or, il avait un talent fou, mais dormant, parce que personne ne l'encourageait à se tourner vers son talent. On l'encourageait plutôt à s'orienter en fonction des débouchés du moment.

Je crois qu'on fait erreur quand on ne s'attarde pas à chaque être humain qu'on a devant soi pour découvrir et lui faire découvrir son originalité, son potentiel, ses talents. Trop souvent, ce qu'on lui propose ne l'intéresse pas ; il sait qu'il n'en tirera aucun plaisir. Dieu sait pourtant qu'on passe beaucoup de temps dans la vie à faire des choses qu'on n'aime pas, à supporter des rencontres qu'on trouve pénibles ou à dire « oui » quand on a envie de dire « non ». Plus chacun se tournera vers ce potentiel personnel plutôt que d'essayer d'être quelqu'un d'autre ou de dépasser ses limites, plus il l'inscrira et s'inscrira dans « l'interrelationnel ». Je crois que la plus grande faculté de l'homme est la capacité de vivre seul certains moments, de se découvrir et de s'épanouir dans son être le plus profond, mais de vivre aussi des rencontres qui lui révéleront des lieux qu'il n'aurait pas découverts sans le regard de l'autre. Nous avons besoin du regard de l'autre, nous avons besoin de cette personne qui nous inspirera et qui croira en nous.

Des gens ont vécu soit tout à fait seuls et dans l'isolement, donc insuffisamment stimulés par le regard de l'autre, soit, au contraire, happés par des groupes peu nourrissants sur le plan personnel. Dans un cas comme dans l'autre, ils n'ont pas eu la chance de cultiver leur intériorité. Si on développe au mieux ces deux facettes de l'être humain – la capacité et le désir de vivre avec les autres, en plus de la capacité de vivre seul –, je crois qu'on tient la combinaison gagnante pour s'accomplir. Plus on nourrit ces différents aspects de la vie, moins on risque d'être complètement démuni sur un lit de mourant parce qu'on aura connu dans la vie des moments de solitude et de réflexion. Et les gens qui ont été hyperactifs toute leur vie durant trouveront pénible d'être cloués au lit. Si on n'a pas cultivé tout son potentiel intérieur, le travail, à la fin, se fera peut-être – espérons-le – en accéléré, ou peut-être manquera-t-on de temps pour y parvenir parce qu'on ne se sera pas suffisamment préparé en ce sens pendant sa vie. Difficile d'être un virtuose du violon pour qui n'en a jamais pratiqué !

Quand la mort prend par surprise, il faut faire avec. Les proches trouvent ça difficile parce qu'ils cherchent toujours à se rappeler quels ont été les derniers mots prononcés. Lorsqu'un enfant arrive au monde, on est ébloui devant ses premiers mots et lorsqu'un mourant quitte le monde, on est très attentif à ses derniers mots. Si un homme ou une femme meurt subitement, celui ou celle qui lui survit se demandera : « Quel est le dernier mot que je lui ai dit ? » Tous se souviennent, bien sûr, des événements tragiques du 11 septembre 2001 ainsi que des gens qui, dans les tours et les avions, ont pris leur cellulaire pour dire « Je t'aime » à un proche avant de mourir. Pour eux, c'était important.

Quand la mort est annoncée, on a un peu de temps pour essayer, une fois encore, je dirais, de dépasser les conflits, souvent inévitables à l'intérieur d'une famille. Quelle famille n'en a pas connu ? Certaines n'ont peut-être pas vécu de conflits majeurs, mais c'est là une minorité. Fréquemment, parmi les gens qui se retrouvent autour du lit du mourant, il y a un frère qui n'a pas vu sa sœur depuis dix ans ou un père qui avait abandonné ses enfants et ne les avait pas revus depuis huit ans. Il y a une maman qui s'en veut pour certaines paroles prononcées et qu'elle regrette. Tout cela est très humain, et on n'y échappe pas. Les derniers moments, pour la psychologue que je suis, sont des moments pendant lesquels j'espère pouvoir faciliter une communication extrêmement difficile parce qu'il s'agit de la dernière. Une communication au cours de laquelle on a envie de dire : « Je suis désolée pour les blessures que j'ai pu infliger, les erreurs que j'ai pu commettre. » Ceci, non pas dans le sens religieux du terme, ce n'est pas mon rôle, mais dans son sens psychologique. Le sentiment de culpabilité est alors tellement lourd chez le mourant comme chez le survivant qu'ils peuvent, autant l'un que l'autre, s'en vouloir d'avoir agi ou de ne pas avoir agi de telle façon. Ce sont des moments de réconciliation, lorsque cela est possible. Ce sont des moments d'apaisement, et peut-être de révélations encore jamais faites et qu'on aimerait faire. Ce sont des moments privilégiés parce qu'il ne reste que cela, la relation et la communication. Alors, il faut la célébrer, cette communication, il faut en faire quelque chose, et le psychologue, dans son rôle extrêmement discret, ne doit rien imposer ni même suggérer. Il doit se contenter d'être comme un pont de verre qui aide les uns et les autres à se rejoindre avant la grande séparation.

Un exemple permettra de mieux faire comprendre mon propos. Si j'entre dans une chambre où se trouve un couple paralysé par le silence et par tout ce qui se passe autour de lui, si je m'assois et demande à l'homme qui est mourant : « Qu'aimeriez-vous dire à votre conjointe ? » Il me répondra : « Qu'est-ce que vous voulez dire ? » Je lui dirai : « C'est tout simple : dans l'expérience actuelle que vous vivez, auriez-vous un message à nous laisser ? » J'entrouvre une porte, j'invite à parler. Jamais je ne lui dirais : « C'est important que vous vous parliez. » Je n'ai pas de recommandations à faire ; c'est une situation intime qui n'appartient qu'à ce couple. Si je suis invitée dans la chambre, j'inviterai à mon tour avec délicatesse ceux qui s'y trouvent à faire un pas en leur disant que l'expérience m'a fait comprendre que les deuils se vivent mieux dans la mesure où la fin de vie a été marquée par des messages d'amour, de réconciliation ou de gratitude. Quand cela se produit, le deuil sera beaucoup moins pénible. Mais quand tout le monde se campe sur ses positions, se retranche dans le mutisme, fait le silence sur les grands secrets et malheurs dans la famille, alors le deuil est un peu plus difficile parce que les attentes sont grandes. Je le répète : on espère autant la dernière parole du mourant que la première parole, le premier sourire de l'enfant. On attend un mot de lui ou d'elle, un mot qui va nous faire grand bien, un mot « trésor » qui nous accompagnera toujours.

Un autre exemple me vient à l'esprit. Je me rappelle une maman qui, avant de mourir, a dit à son fils de 17 ans : « Ce sera bientôt ton anniversaire. Comme tu vois, je ne peux pas te fêter, je suis dans une position extrêmement difficile ; mais je m'en voudrais, après avoir beaucoup réfléchi, de ne pas te laisser quelque chose en cadeau. Et le seul que je pense pouvoir t'offrir, c'est un petit peu le bilan de notre vie avec toi, ton père et moi. » C'était formidable ! J'ai assisté à cette scène sans dire un mot, comme un simple témoin privilégié d'un moment exceptionnel, celui d'une maman qui déclare son amour à son fils en lui disant: «J'ai confiance en toi pour ton avenir. Je sais que tu iras loin. De là-haut, je vais veiller sur toi. J'aimerais aussi te dire que, quand ton père et moi on t'a fabriqué, on te désirait profondément et que tu es le fils qu'on aurait espéré avoir.» Des cadeaux comme ça, ce n'est pas emballé, mais on met toute une vie à les déballer parce que ces mots-là ne sont pas prononcés dans le métro, ils le sont dans un contexte extrêmement intime, protégé, et on s'en souviendra toujours comme d'un moment fort, le moment de la mort d'un être cher. Je suis certaine que cela a donné des ailes à ce fils. Il pleurera la mort de sa mère, mais il se souviendra aussi de la confiance qu'elle lui a témoignée avant de partir. Et voilà où je voulais en venir: si nous avons la générosité comme mourant de livrer quelque chose d'important à un être proche, je crois que notre mission aura été vraiment accomplie, que nous partirons plus en paix et que l'endeuillé reprendra la vie moins péniblement, avec courage et confiance. Il m'apparaît de ce fait que le mourant a de la puissance dans ce qu'il laisse comme message. Il n'est pas aussi impuissant qu'on le croit. Il n'est pas démuni. Cela, je ne l'aurais pas su si je n'avais pas accompagné des mourants. J'aurais pensé que c'est tout juste horrible de mourir…

Une chose me frappe chez beaucoup de gens: quand on parle de la mort, ils y associent immédiatement le mot «injuste». Cela me surprend quelque peu d'autant plus que j'ignore pourquoi les gens croient que la mort est quelque chose d'injuste. En réalité, c'est la seule justice qui soit, pourrait-on dire, puisque tout le monde y passe! C'est aussi comme si on avait oublié de lire un paragraphe d'un contrat pourtant clair en arrivant dans ce monde. Dans ma conception, même si la mort n'est pas injuste, elle projette néanmoins l'endeuillé dans le choc et le refus obstiné ou temporaire. La mort donne une impression de surréel. Il n'y a rien d'illégal à mourir, exception faite d'une mort par meurtre. C'est un fait de la vie qui «meurtrit». Je ne dirais pas que c'est agréable. Ce passage obligé fait partie de notre condition humaine, et c'est très dur à accepter. Pourtant, je suis toujours étonnée d'entendre le mot « injuste » à ce propos. Et j'observe qu'on dit souvent aussi – peut-être le vivrai-je moi-même ainsi, je ne voudrais surtout pas faire la morale autour de ça, mais simplement y réfléchir – que la mort est une trahison, ce qui n'est pas bien loin de l'injustice. Sauf que je ne vois pas non plus en quoi on est trahi. Je crois que c'est le parcours inévitable de toute vie : puisqu'elle a eu un commencement, elle aura une fin. Cette fin. Encore une fois, je ne dis surtout pas que c'est facile, mais je tente de bien saisir ce que veulent dire les gens. Je me fais un devoir d'explorer davantage ce qu'ils entendent par l'expression : « C'est injuste ! » Je respecte leur perception de la mort, mais j'avoue être intriguée par la fréquence de cette association entre la « mort » et l'« injustice ». Comme psychologue, j'entends aussi « le sentiment d'injustice ».

À la longue, ce travail d'accompagnement des mourants ne vous pèse-t-il pas ?

Non, pas du tout. Il m'arrive souvent de pleurer, d'être émue, mais je ne dirais pas que ça me pèse. Je me sens privilégiée, je le répète, d'être au cœur de rencontres essentielles. Il faut s'assurer qu'on est à la bonne place, pour soi, et que le sens qu'on donne à ce travail aide à supporter autant de tristesse – parce qu'on donne du sens et que cela aide finalement le soignant que l'on est à être témoin de toutes ces larmes du mourant et de ceux qui restent.

Je ne pense donc pas que cela me pèse à la longue, mais cela s'explique certainement par mon expérience personnelle : j'ai bien failli mourir moi-même, et cela a laissé sur moi une empreinte parce que je me suis retrouvée, sur le coup, partagée entre mon désir de vivre et la sagesse, puisque j'y étais forcée, « de me laisser glisser dans ma mort », pour emprunter une expression de Marie de Hennezel. Donc, j'étais partagée entre : « Est-ce que je me laisse glisser dans la mort qui me frôle de si près ? » ou « Est-ce que j'entretiens mon désir de vivre à tout prix ? » Ce n'est pas parce qu'on a cette volonté ou ce désir que l'on vit plutôt que de mourir. Des gens pourraient avoir le même désir que j'avais avant de presque mourir, et leur désir ne serait finalement pas exaucé. Il ne s'agit donc pas d'une question de volonté ni de désir, c'est une question de chance, de hasard, de se trouver là au moment des événements, de l'accident dans lequel sa vie est menacée.

J'ai estimé que le fait d'avoir survécu était un grand cadeau, et que je me devais, pour rendre grâce à la vie qui m'avait été redonnée, de faire quelque chose aussi pour ceux et celles qui vont mourir. Ce sens que j'ai donné à mon travail me garde infiniment vivante. J'ai personnellement une joie profonde de vivre. Je ne suis pas aspirée, je suis inspirée par la mort de l'autre. Dans ce sens, une flamme de joie de vivre m'alimente continuellement. Chaque jour, je quitte le travail en me disant combien j'éprouve de gratitude d'être encore là et en santé, à 59 ans. Je parcours chaque jour les notices nécrologiques du journal ; j'y vois le nom de gens de 40, 50, 60, 70 ans, de tous les âges, et je me dis : « Mon Dieu, je suis encore là ! » Le fait d'être encore là, c'est quelque chose dont je prends conscience au quotidien et qui m'aide à ne pas vivre la mort de l'autre comme un poids sur ma vie.

Les personnes en fin de vie
sont des vivants à part entière.

Serge Daneault

Médecin depuis 1980, soucieux de maintenir un contact quotidien avec les patients, Serge Daneault se concentre sur les soins palliatifs à domicile à partir du Centre de santé et de services sociaux (CSSS) Jeanne-Mance, au centre-ville de Montréal, ainsi qu'à l'Hôpital Notre-Dame du Centre hospitalier de l'Université de Montréal (CHUM). Professeur à la Faculté de médecine de l'Université de Montréal, il dirige, depuis 1998, une équipe de recherche qui mène des travaux principalement sur le phénomène de la souffrance des personnes affligées de maladies graves par rapport aux soins dispensés par les services de santé.

Avec deux coauteures, membres de cette équipe de recherche, il a publié Souffrance et médecine *(PUQ, 2006), qui suggère que le soulagement de la souffrance devrait être au cœur des préoccupations de l'ensemble des soignants.*

Le docteur Daneault, qui aime réfléchir aux grands enjeux de nos sociétés postindustrielles, s'intéresse à l'influence des organismes de santé sur le bien-être des grands malades et de leurs proches. Il espère que sa réflexion puisse amorcer un débat d'idées sur les pratiques comme sur les changements à y apporter.

Serge Daneault

Serge Daneault, est-il juste de dire que Montréal est une ville pionnière en matière de soins palliatifs, et que trop de gens l'ignorent ?

Ce n'est que trop vrai. En Amérique du Nord, le mouvement des soins palliatifs a vu le jour à Montréal, plus précisément – sauf erreur de ma part – avec la création de l'unité des soins palliatifs de l'Hôpital Royal Victoria par le docteur Balfour Mount. Il s'est agi de la toute première unité intrahospitalière du genre en Amérique du Nord, et cela se passait en 1974, en 1974-1975. Puis, l'Hôpital Notre-Dame a créé la première unité francophone de soins palliatifs au monde. Le mouvement a ensuite essaimé en France, en Belgique, en Suisse, mais tout a commencé ici. Cela s'explique par le fait qu'il y a eu chez nous des visionnaires, et je pense bien sûr à ce bon docteur Mount, un chirurgien d'une très grande réputation. Je ne me rappelle pas quel a été chez lui l'élément déclencheur, mais je sais qu'il a téléphoné à Cecily Saunders, l'instigatrice des soins palliatifs en Angleterre et la fondatrice du St. Christopher's Hospice de Londres, pour suivre chez elle un stage. Madame Saunders s'est exclamée : « Ah ! Vous voulez venir voir des spectacles à Londres et justifier cela par une visite éclair à l'hôpital ! » Sur quoi, il a repris : « Non, non ! Je parle sérieusement. » À son retour, il a organisé sa propre unité à l'Hôpital Royal Victoria.

Vous vous demandez sans doute comment, de mon côté, je suis venu aux soins palliatifs. Je suis médecin depuis 1980, et dans la première partie de ma vie professionnelle, j'ai pratiqué la médecine générale. Quiconque la pratique en milieu rural, comme c'était mon cas, est nécessairement confronté à la fin de la vie. Je n'oublierai jamais ma première patiente en soins palliatifs : Lina, une femme qui n'avait pas 40 ans, mère de deux petits garçons, décédée d'un cancer chez elle, et que j'ai accompagnée jusqu'à la fin. Il faut comprendre que, dans les années 1980, on ne savait rien en ce domaine, on ne recevait pas de formation à l'université en la matière, et c'était donc très difficile. On ne savait pas comment soulager les douleurs de fin de vie ni ses manifestations qui compromettent la dignité de la personne et ne lui permettent évidemment pas de connaître une fin de vie harmonieuse. La morphine existait – on en connaissait le nom, mais pas les molécules – et on en avait très peur. On en donnait, à l'époque, dans les cas de conditions cardiaques graves qui nous étaient amenés à l'urgence et dont on était sûr qu'ils n'en réchapperaient pas. Alors, il ne nous serait pas venu à l'idée d'utiliser la morphine pour soulager des douleurs et permettre ainsi aux gens de vivre ce qu'ils avaient à vivre. On ne savait absolument rien non plus de tous les autres aspects de la prise en charge des malades en fin de vie, de tout ce qui s'appelle l'accompagnement… Telle fut ma première expérience en ce sens, et j'en ai gardé un très bon souvenir, comme aussi de quelques autres cas dont je me suis alors occupé.

Par la suite, j'ai fait une spécialité et des études de doctorat. Après cette nouvelle incursion dans le monde intellectuel, je me suis dit : « Non, non ! Je tiens absolument à voir des malades. Je suis médecin et je sens le besoin de voir des malades. » À l'époque, il n'était pas question pour moi de me remettre à la médecine générale. Je trouvais cela trop exigeant. J'ai un respect infini pour mes collègues qui sont généralistes parce que le métier qu'ils exercent est extraordinaire, mais extrêmement difficile. Alors, je me suis dit : « Tiens, je m'inscris dans un domaine particulier, précis, celui des soins palliatifs. » Et je suis allé me former à l'Hôpital Royal Victoria justement, où j'ai fait la connaissance de Balfour Mount et d'autres très bons médecins. Puis j'ai moi-même commencé à pratiquer la médecine palliative.

On peut trouver curieux que j'aie jugé trop exigeante la médecine générale. Les gens sont plutôt enclins à croire que la médecine palliative l'est bien davantage, peut-être à cause du rapport humain, de la difficulté qu'il y a à affronter chaque jour des êtres humains en fin de vie. Les personnes en fin de vie – il faut le comprendre, il ne faut jamais l'oublier – sont jusqu'au dernier souffle des personnes à part entière, des vivants à part entière. J'ai vite pris conscience que j'étais celui qui recevait le plus comme être humain à leur contact. Les personnes en fin de vie, qui se savent en fin de vie, sont engagées dans le processus de léguer leur héritage – pas un héritage matériel, mais l'héritage de ce qu'elles sont. C'est inouï ce qu'on peut apprendre, ce qu'on peut recevoir de ces personnes, et cela vous donne un goût de vivre absolument extraordinaire. Quand vous rentrez chez vous, et que vous y retrouvez vos proches, vous les aimez encore davantage, et mieux aussi, j'espère.

Toutes ces années à côtoyer la mort m'ont conforté dans l'idée que les gens ont vraiment très peur de la mort. Et cette peur est probablement plus grande maintenant qu'auparavant, au moins dans nos sociétés occidentales. Je me rappelle avoir entendu mes parents raconter que, dans leur temps, les gens mouraient à la maison, que les dépouilles étaient exposées à domicile et que, donc, la mort était omniprésente. Les gens mouraient de toutes sortes de maladies plus ou moins aiguës. Ceux et celles qui travaillent en soins palliatifs – c'est une opinion personnelle – sont peut-être les plus sensibles à cela, peut-être sont-ils habités par une peur plus grande et cherchent-ils à apprivoiser la mort en étant constamment à son contact. Avec le temps – il y a plus de quinze ans maintenant que j'exerce ce métier –, et quand je considère le nombre de personnes que j'ai accompagnées, à savoir plusieurs milliers, je crois que ce travail colore positivement le regard qu'on porte sur la mort. En fait, je pense que la vie a autant de valeur parce que nous allons mourir. Si nous n'allions pas mourir, notre vie serait sans valeur, me semble-t-il. Nous n'éprouverions nul besoin d'accomplir quoi que ce soit et aucune nécessité non plus d'être responsables de ceux que nous aimons, car, dans cette responsabilité que nous assumons et que nous souhaitons assumer à l'égard de ceux que nous aimons, se fonde cette espèce de continuité de « nous après nous ». Parce que nous sommes mortels, nous y aspirons. Il nous faut transmettre un héritage, et cet héritage-là ne se construit pas dans les dernières semaines de vie ! Il y faut toute une vie. Je dirais que nous ne savons plus comment mourir parce que nous ne savons plus comment vivre.

D'une part, nous occultons la mort, et d'autre part, il m'apparaît que notre civilisation est en train de – comment dire ? – fausser la nature même de la mort. Je m'explique : nous faisons partie d'une génération qui a entretenu l'illusion de contrôler sa vie, sa destinée, ses relations, etc. Comme nous saisissons, maintenant, qu'un jour tout cela va se terminer – à 20 ans personne n'y pense, mais après un certain âge, il devient impossible de l'ignorer –, nous voulons nous donner l'illusion que nous contrôlerons la mort. Tout le mouvement favorable à l'aide au suicide et à l'euthanasie correspond à cette volonté de contrôler le processus du mourir ; cela vaut aussi d'ailleurs pour le mouvement des soins palliatifs – ce qui est assez paradoxal. Nous voulons contrôler comment cela va se passer, alors que la mort est précisément le contraire : elle est la perte du contrôle, la perte totale du contrôle. En ce sens, nous ne pouvons pas bien mourir si nous ne perdons pas le contrôle et si nous n'acceptons pas de le perdre.

En fin de vie, la peur la plus grande qu'entretiennent les gens, d'après la recherche que j'ai menée en ce domaine, est la peur de souffrir. En dépit des progrès technologiques ou pharmacologiques spectaculaires de la médecine contemporaine, nul n'a la certitude de pouvoir soulager la souffrance. On croit qu'on réussira jusqu'à un certain point à prendre adéquatement en charge les douleurs physiques – ce qui est vrai en grande partie, mais pas en totalité : certaines douleurs physiques sont effectivement difficiles à soulager –, mais tous les autres aspects et expressions de la souffrance sèment beaucoup d'inquiétude. Je pense que nous vivons dans une société productiviste et que nous nous définissons par ce que nous produisons. De ce fait, nous avons énormément peur de la fatigue, pas de la petite fatigue due à un simple surcroît de travail, mais de cette grande fatigue qui est celle de la personne en fin de vie, cette grande perte d'énergie. Nous associons cette peur de la grande fatigue, cette peur de l'incapacité de faire, au désir d'euthanasie, au souhait d'euthanasie parce que nous nous disons : « Si je ne suis plus capable de faire ceci, de faire cela, ma vie n'a plus de sens. » Voilà qui est assez effrayant. Quand vous mettez un enfant au monde, vous dites-vous que sa vie n'a pas de sens du fait qu'il dort vingt-deux heures par jour et qu'il est totalement dépendant d'autrui ? Je rappelle toujours cette phrase – parce qu'elle n'est pas de moi, mais d'une ex-collègue de travail devenue une amie – qui résume de façon absolument extraordinaire ce qu'est mourir : « Mourir, c'est naître à l'envers. » Si mourir, c'est naître à l'envers, il est normal qu'il y ait vers la fin perte progressive des capacités, et cette fatigue, cette asthénie, cette incapacité de faire, qui effraie tant les gens, est partie intégrante du processus alors en cours.

Les gens ont peur de lâcher prise, de perdre le contrôle de leur vie, de perdre ce qu'ils sont. Même s'ils entendent souvent l'expression « lâcher prise », cela ne les empêche pas de se dire : « Si je lâche prise, je ne suis plus, je ne suis plus rien, plus rien. » Alors que tout cela est inévitable. Pourtant, pour la très grande majorité des gens – et je tiens à préciser tout de suite que nous avons une conception assez spectaculaire de la mort héritée des médias, des films américains dans lesquels il est très impressionnant de mourir, alors que ça ne se passe pas comme ça –, le « mourir », c'est tout simple : l'oiseau quitte la branche. La personne mourante cesse de respirer et les proches disent : « Ah ! ce n'est que ça ! Ce n'est que ça ? » Oui, ce n'est que cela. Toutefois, une petite minorité de gens en fin de vie s'accrochent et ils ont une agonie pénible pour eux et pour leurs proches. Ce sont précisément ceux qui sont incapables de lâcher prise, qui en sont vraiment incapables, pour diverses raisons. Et pour eux, le passage est difficile, si on se représente cela comme un passage, la fin est difficile, le dernier acte de la pièce est difficile.

A-t-on peur aussi de mourir dans la solitude?

La mort dans l'isolement est rare, plutôt rare. Dans notre société, les grands isolés, ce sont les plus pauvres. Ils ont toujours été isolés. Mais il est rare que des gens meurent seuls. Les gens que j'ai vu mourir seuls, ce sont des gens que j'ai visités à domicile, pas assez pauvres pour être à la rue – parce que ceux-là ne meurent pas seuls, mais dans les refuges où ils sont d'ailleurs traités de façon absolument angélique, car ceux qui s'occupent d'eux sont extraordinaires –, mais pauvres néanmoins, esseulés, qui vivent encore à la maison. On tente par-dessus tout de les convaincre d'être admis dans une unité de soins palliatifs ou dans une maison de soins palliatifs pour qu'ils ne soient pas seuls au moins au moment de la dernière scène, du dernier acte. S'ils se laissent convaincre, ils seront bien entourés dans ces milieux qui disposent d'un personnel formé pour faire face à la situation et d'un énorme réservoir de bénévoles. Il y a beaucoup de bénévoles à Montréal qui se dévouent auprès des mourants, qui sont là au moment où la personne ferme à tout jamais les yeux. Il est vrai qu'on entend souvent: « Je ne veux pas mourir tout seul! », mais ce n'est pas ce qu'on voit, pas dans une ville comme Montréal. En tout cas, pas à mon avis. Pas ici. Non.

Selon les statistiques que j'ai consultées, on ne dénombrerait que quelques centaines de lits de soins palliatifs au Québec pour quelque cinquante-cinq à soixante mille décès par année. N'est-ce pas bien peu?

Il y a quelques années, une enquête menée au Québec concluait que seulement 10 à 15 % des gens qui les requéraient recevaient des soins palliatifs. L'enquête n'aboutissait peut-être pas à des résultats aussi précis, mais elle donnait tout de même un ordre de grandeur: la majorité des gens n'auraient pas accès aux soins palliatifs. C'est possible, mais j'estime que les chiffres avancés étaient exagérément élevés parce que beaucoup de gens ne veulent pas de soins palliatifs. Beaucoup se figent, alors même qu'ils vivent indéniablement leur dernière maladie, dans une attitude, une logique de combat. Dans cet état d'esprit, ils refusent catégoriquement tous soins palliatifs.

Le combat n'est pas la seule attitude devant l'inéluctable ; il y a le déni, bien entendu, qui est encouragé par notre système de soins de santé. On sait que, depuis une vingtaine d'années, une multitude de chimiothérapies palliatives sont maintenant offertes aux malades. Certaines ont des effets, même des effets substantiels sur la survie, mais elles sont néanmoins reconnues comme des chimiothérapies dites « palliatives ». Lorsque les gens acceptent de s'y soumettre, les médecins leur expliquent généralement qu'il s'agit de chimiothérapie palliative. Mais quand arrive le moment d'aller à l'hôpital et de recevoir leurs traitements, même si on leur en a expliqué la nature et l'objectif, les malades se disent : « Moi, je vais guérir. Je serai le cas sur trente mille, le cas sur trois millions qui va guérir ! » Ce faisant, ils s'installent dans une logique de combat. Tout est axé là-dessus : ils doivent penser positivement parce que, quand on pense positif, on a plus de chances de survivre. Ils ne doivent pas réfléchir à la mort, à leur mort, et des recherches menées entre autres aux États-Unis nous apprennent qu'ils refusent, par exemple, que soit retiré de leur dossier médical l'ordre de réanimation : si leur cœur cesse de battre, ils veulent être réanimés. Puis, un jour, arrive ce qui était inéluctable. J'ai connu des cas, ici même à Montréal, de malades auxquels on a retiré la dernière aiguille de chimiothérapie après le décès. Dans ces cas, on ne peut imaginer que la personne dise « au revoir » ou « adieu », on ne peut imaginer qu'elle mette de l'ordre dans ses affaires.

Je me souviens d'un homme d'affaires atteint d'une forme fulgurante de cancer du pancréas qui a subi des chimiothérapies successives en se disant : « Moi, j'ai toujours gagné. Je vais gagner ! » Il a fini par s'éteindre des suites d'une complication aux soins intensifs. Sa femme était autorisée, dans les derniers jours, à le voir quelques minutes par heure ; ses deux enfants, encore très jeunes, ne pouvaient pas voir leur père.

Celui-ci, convaincu qu'il allait gagner sur la maladie, n'avait jamais prévu quoi que ce soit pour la survie de sa compagnie. Cette histoire a été terrible et pénible. On était dans le mensonge, alors qu'« on est toujours plus solide dans la vérité, dans sa vérité », disait, voilà une quinzaine d'années, Serge Marquis, un autre de mes collègues et amis. En un sens, on peut comprendre les gens d'adopter pareille attitude : ne dit-on pas que « tant qu'il y a de la vie, il y a de l'espoir » ? Mais se faire accroire qu'on va guérir de ce cancer et qu'on n'en aura plus jamais d'autres, qu'on n'aura pas d'accident vasculaire cérébral, qu'on n'aura pas de maladies cardiaques, je pense que ce n'est ni vrai ni réaliste. Oui, on peut guérir de ce cancer, on peut se soumettre à une chimiothérapie qui sera efficace, mais ce n'est toujours que partie remise…

Pendant quinze ans, j'ai travaillé au CLSC des Faubourgs, où j'ai accompagné plusieurs centaines de malades à domicile. L'objectif était de permettre à ceux qui le souhaitaient de finir leurs jours chez eux, avec leurs proches. Au début, j'assistais beaucoup de malades atteints du sida. On peut comprendre aisément que ces malades ne souhaitaient pas se retrouver dans les hôpitaux, où ils ne se sentaient pas aussi bien que chez eux, dans leur foyer, dans leur communauté. Puis, de plus en plus de gens atteints du cancer et d'autres maladies, dont des maladies neurologiques, ont demandé à vivre leur fin de vie chez eux parce que le foyer d'une personne est en quelque sorte elle-même. Quand vous entrez dans une maison – c'est un grand privilège que j'ai de pouvoir aller chez des gens –, la personne qui l'habite est là : dans les murs, dans la décoration, dans la façon dont les choses sont disposées. Sur le territoire relevant de ce CLSC, un malade sur trois réussissait à mourir à domicile, bien entouré et bien pourvu aussi en matière de services.

Cette constatation conduit à ce qui est, à mes yeux, un grand scandale : les gens habitant d'un côté d'une rue peuvent bénéficier à domicile de services de soins palliatifs de qualité et en quantité adéquate, tandis que ceux de l'autre côté de la rue n'y ont pas droit parce que l'établissement de santé publique dont ils relèvent a d'autres priorités. Personne ne veut mal faire, et pourtant, en dépit d'une politique de soins palliatifs sur le plan national, qui date de 2004, les moyens et les garanties de leur accessibilité à la grandeur du territoire québécois ne sont toujours pas devenus réalité. Cela vaut aussi bien pour les malades en institution que pour ceux à domicile. Vous pouvez être traité ou subir une intervention chirurgicale dans un hôpital reconnu pour ses services d'une très haute qualité technologique, mais qui, soudain, ne peut plus rien pour vous qui n'allez pas survivre parce qu'il n'offre pas de soins palliatifs. Vous pouvez habiter sur le territoire d'un CLSC en région ou dans un grand centre urbain, et parce que vous ne vous trouvez pas du bon côté de la rue, qui délimite deux zones de CLSC, vous n'aurez pas droit à des services de soins palliatifs : aucun médecin ne passera vous voir et des infirmières, sans formation spéciale et sans le soutien d'une équipe, vous visiteront comme elles visitent n'importe quel malade. Voilà qui est bien triste ! Après quinze années de travail et de lutte dans ce domaine, à mon grand regret et à ma plus vive déception, nous n'avons toujours pas, au Québec, partout et de la même manière, accès à des soins de fin de vie.

On dit de la médecine qu'elle est triomphaliste, en général, et qu'elle n'aime pas beaucoup s'occuper du palliatif. Elle n'aime pas s'occuper des mourants, mais des vivants. La médecine aime sauver des vies et voilà peut-être la raison pour laquelle, finalement, on n'investit pas dans le palliatif. Mais les choses sont en train de changer. Il faut dire qu'à la Faculté de médecine de l'Université de Montréal, entre autres, tous les inscrits en médecine familiale doivent suivre un stage d'un mois en soins palliatifs. Cette politique est en vigueur depuis quelques années déjà et elle porte des fruits. La médecine est actuellement en mutation. On sait que, traditionnellement, toute la formation médicale était axée sur le diagnostic, et ensuite sur le traitement. Aux jeunes médecins et aux étudiants en médecine que je forme, je dis toujours : « La majorité des malades que vous allez recevoir et examiner ressortiront de votre bureau sans diagnostic. Et la majorité des maladies que vous allez diagnostiquer ne se guérissent pas. Ce sera votre lot quotidien. »

On forme de plus en plus les gens dans ce sens-là. Prenons le cas du pneumologue : il pose des diagnostics de cancer du poumon dont 90 %, au mieux 80 % sont incurables dès le moment du diagnostic. Il pose des diagnostics de maladies pulmonaires chroniques, obstructives chroniques, qui ne se guérissent pas. L'endocrinologue qui suit des diabétiques, une autre maladie impossible à guérir, devrait lui aussi composer avec la palliation. Je pense qu'on est à un moment charnière de la médecine, et que celle-ci va se transformer pour justement redonner aux médecins leur rôle d'accompagnateur de l'humain, rôle qu'ils avaient toujours tenu auparavant. Il y a cinquante ans, nos médecins de village accompagnaient leurs congénères de la naissance à la mort, et cela redeviendra le cas puisque c'est simplement la réalité. Ce retournement est vraiment intéressant parce que ce n'est pas la vision qu'on a aujourd'hui du médecin, que l'on se représente plutôt comme un jeunot tout juste sorti de l'université qui se passionne pour les machines, la technologie, etc. Il est comme le cow-boy, le sauveur, le héros qui se pointe en lançant : « Attendez, j'arrive ! Je vais vous arranger ça. »

Quelqu'un de mon entourage a fait une bonne partie de sa formation en anesthésie. Les anesthésistes réaniment les gens, leur branchent des tubes et tout le reste. Ils ont beau apprendre à faire cela, ils savent très bien que, pour une proportion non négligeable de leurs patients, ils devront dire, à un moment donné : « On arrête le code. » En jargon biomédical, cela signifie qu'on met fin au processus de réanimation du patient parce qu'il est décédé. Après quoi, il leur faudra sortir de la salle de réanimation pour aller rencontrer les proches. Comment s'y prend-on pour faire cela ? Comment porte-t-on cela ensuite en tant que médecin ? Comment expliquer – je donnais, il y a peu de temps, une conférence à Londres sur la santé des médecins – que tant de médecins soient aujourd'hui malades, surmenés, épuisés ou qu'ils décident de se retirer ? C'est que la réalité dans laquelle ils sont plongés excède considérablement la formation qu'ils ont reçue. Il est urgent de remédier à cela pour faire du médecin quelqu'un d'indispensable, oui, mais aussi quelqu'un qui accompagne. Il en existe déjà, des médecins qui accompagnent, surtout dans le domaine des maladies graves. Je connais plusieurs oncologues qui assurent cet accompagnement de manière toute naturelle : ils l'ont appris sur le tas, mais ils s'en tirent très bien.

On dit souvent que les étudiants ne sont pas admis à la Faculté de médecine sur la base de leurs qualités humaines, mais de leurs résultats scolaires. On serait alors en droit de se demander si des gens qui ont la science pour passion peuvent devenir des humanistes en soins palliatifs. Or, les facultés de médecine – au Québec en tout cas, et cela vaut aussi, je pense, partout au Canada – sélectionnent un certain nombre d'étudiants en prenant pour critère leurs résultats scolaires, donc leurs capacités intellectuelles. À l'Université de Montréal, que je connais bien, le dossier scolaire ne compte cependant que pour la moitié de l'évaluation dans le processus d'acceptation ou de refus des candidats ; l'autre moitié de l'évaluation dépend de l'entrevue. Pendant les années où j'ai participé à la sélection des étudiants en médecine, ceux-ci étaient évalués par quatre médecins qui ne savaient lequel, du premier ou du dernier des huit cents candidats à défiler devant eux, présentait le meilleur dossier scolaire. Cette portion de l'évaluation faite sur des critères subjectifs, des critères humains, compte pour la moitié de la note à l'admission en médecine. Les choses sont donc en train d'évoluer de façon importante, et c'est heureux, très heureux.

Dans l'accompagnement du malade, avez-vous dit, vous retirez d'une certaine façon plus parfois que le malade lui-même. Qu'allez-vous chercher dans l'accompagnement, qu'y trouvez-vous ?

L'être humain me fascine et lorsque j'accompagne un malade, que ce soit à domicile ou à l'hôpital – je pratique uniquement les soins palliatifs et ne peux donc pas dire : « Écoutez, je vais vous donner une chimio » ou des choses comme celle-là puisque ce n'est pas mon domaine –, j'ai la chance d'avoir accès à un être humain à l'état presque pur, ce qui n'est généralement pas le cas de nos jours. Les êtres humains sont toujours en représentation, mais quand ils sont en train de mourir, sauf de très rares exceptions, la couleur d'un tailleur ou le choix d'un parfum ne leur importent plus guère, même s'ils ont toute leur conscience. Voilà pourquoi je suis en présence d'êtres humains à l'état pur. Il s'agit là d'une chose extraordinaire parce que je rencontre des êtres humains qui sont comme moi, bien entendu, avec leurs qualités et leurs défauts. Nous sommes, eux et moi, dans la franchise, dans la vérité, et nous vivons de véritables rencontres.

Il ne faudrait pas croire que, parce qu'on est mourant – et je n'ai pas la moindre intention de tremper cela dans de la guimauve –, tout ce qu'on a vécu auparavant, tous les conflits, toutes les choses mal foutues vont s'évaporer comme par magie. Pas du tout. On peut s'imaginer que, dans le stress de la fin de vie, certaines histoires conflictuelles prennent une place très grande. Et il arrive des moments où ça ne va pas.

Je ne veux pas laisser croire que tout se passe toujours de façon extraordinaire. J'ai vu tellement de gens, qui n'étaient plus présents depuis longtemps auprès du malade en fin de vie, mais qui avaient légalement accès à ses biens, réapparaître quelques minutes avant le décès et tout ramasser en ignorant ceux et celles qui étaient réellement en lien avec le mourant. J'ai vu cela souvent, et je le vois encore. On ne peut malheureusement rien contre cette réalité extrêmement révoltante. On ne peut que dire aux gens que nous accompagnons : « Mettez de l'ordre dans vos papiers parce que ça peut vous arriver, ce genre de choses. » Il y a donc des conflits et des rencontres qui n'ont pas lieu. Pensons à une femme victime d'inceste, qui n'a pas vu son père depuis trente ans, et qui rentre dans la chambre en se disant : « Il va peut-être se passer quelque chose qui va me guérir de cette blessure. » Des fois, cela se produit, et d'autres fois, non. Vous imaginez le désespoir de la personne pour qui cela ne s'est pas produit ?

Je ne prétendrai pas que tout s'arrange et que tout le monde, main dans la main, chante des chansons autour du lit du mourant. Non, ce n'est pas le cas. Mais très souvent, oui, cela se passe ainsi. Les gens mobilisent leurs dernières énergies pour nettoyer la table, pour faire maison nette, pour dire les choses qu'ils n'ont pas dites, pour demander pardon pour celles qu'ils n'ont pas faites ou qu'ils ont mal faites, et donner aussi leur pardon. Donner son pardon est extrêmement libérateur, et cela se fait très souvent, mais pas toujours.

Il y a de quoi se demander parfois si ce n'est pas un peu pour cela qu'il faut des soins de fin de vie, des soins palliatifs : pour que ces choses-là arrivent, à tout le moins les positives. L'une de mes patientes est morte relativement jeune après une vie extrêmement difficile. Elle avait eu, adolescente, deux enfants, et jamais elle n'a accepté de les revoir vers la fin de sa vie. Les membres de l'équipe soignante disaient : « On va vous soutenir, on va être là. » Cette femme était entourée de gens très spécialisés, d'une travailleuse sociale de grande expérience, mais elle a refusé jusqu'à la fin de voir ses deux enfants. Comme dans la plupart des cas d'adoption, ses enfants avaient manifesté le désir de rencontrer leur mère biologique. La rencontre avait eu lieu, mais elle ne s'était pas bien déroulée. Cette femme avait été profondément blessée. À la fin de sa vie, diminuée et vulnérable comme elle l'était, elle avait décidé de ne pas risquer de troubler sa sérénité.

Qu'est-ce qui a été palliatif dans son cas ? C'est l'amour qu'elle a reçu de quelques personnes, des membres du personnel qui l'ont entourée, cet amour qu'elle aurait pu espérer de ses propres enfants. Voilà ce qui a été palliatif. Et « ça a fait le travail », pourrait-on dire. Voilà le sens du mot « palliatif » : « pallier » des choses qui ne sont pas, qui ne fonctionnent pas. Quand je raconte ce décès encore très récent, quand je revis son souvenir très frais à ma mémoire, je boucle enfin la boucle. J'en discutais avec l'équipe, il y a peu de temps, et nous ne comprenions pas pourquoi cette femme avait refusé de revoir ses enfants. Maintenant, je le comprends.

En tant que médecin aux soins palliatifs, votre rôle est-il d'abord d'accompagner le malade ou plutôt de soulager sa douleur ?

Mon rôle est double. J'ai dit auparavant que je militais pour que la médecine devienne plus humaniste, ce qui a rapport à l'accompagnement et suppose donc un être humain en présence d'un autre être humain. Puis, il y a évidemment la partie médicale qui concerne le contrôle des symptômes, l'aide à apporter compte tenu des problématiques de la fin de vie. Il y a aussi les peurs. Certaines pathologies provoquent chez les gens qui en sont atteints la peur de mourir étouffés. Pour ma part, je n'ai jamais vu quelqu'un mourir de cette façon. Des malades s'étouffent, d'autres éprouvent des difficultés respiratoires, oui, mais on a des médicaments pour les soulager. J'ai vu, sur Internet, une publicité contre la violence conjugale. On y voyait une femme en train de se noyer, et j'ai trouvé cela d'une violence absolument inacceptable. Je ne supporte pas de voir ce genre d'images qui, de toute façon, n'influencent en rien mon point de vue sur la question. Alors, mourir « noyé » ou « suffoqué » à la suite d'un cancer, dans une unité de soins palliatifs, non, ça ne se peut pas.

Je peux rassurer, ordonner, prescrire, administrer ou faire administrer les médicaments appropriés. Et cela, depuis trente ans. On a fait des progrès extraordinaires dans la capacité de contrôler ce genre de conditions – je pense, par exemple, aux convulsions ou à d'autres symptômes. Si vous interrogez les gens dans la rue sur la mort, 70 % d'entre eux ne voudront pas vous répondre – ils n'auront jamais vu la mort ni rien d'approchant –, et parmi ceux qui répondront, certains vous raconteront des histoires d'horreur. La plupart de ces histoires d'horreur ne devraient jamais être survenues parce qu'on possède ce qu'il faut pour soulager tous ces symptômes.

Pour autant, je ne prône pas l'acharnement thérapeutique dont je ne dirais pas qu'on le pratique de moins en moins. L'acharnement thérapeutique, on le réclame à mon sens de plus en plus, surtout chez les baby-boomers. Les familles le réclament aussi. Bien des médecins, et encore plus d'infirmières, qui ne le prescrivent pas sont témoins de ce qui se passe et disent : « Mon Dieu ! On pourrait le laisser mourir en paix, en paix ! » Et on note davantage d'acharnement chez de jeunes patients. Je me souviens d'une histoire relatée par une infirmière, celle d'une jeune patiente, mère de deux enfants en bas âge, que les infirmières devaient piquer toutes les six heures, et qui était en train de mourir. Les infirmières répétaient aux proches : « On ne peut plus faire ça. On sait que de toute façon c'est terminé. Laissez-la tranquille. » Mais la famille l'exigeait. La patiente ne le demandait plus, mais la famille était incapable d'accepter la dure réalité et voulait qu'on s'acharne. Donc, on s'acharnait.

Cette attitude relève de la croyance en une médecine omnipuissante, d'une espèce de mythe qui entoure la médecine. Elle relève aussi d'un mythe, que je perçois de plus en plus et que j'appelle la déification de l'être humain. On sait que, dans les sociétés occidentales contemporaines – au Québec en particulier –, on a presque totalement évacué les valeurs religieuses. Or, l'être humain, et il faut lire Jung pour s'en persuader, a besoin de spiritualité. La spiritualité fait partie du psychisme de l'être humain. Quand on l'évacue, elle revient sous d'autres formes. L'une de ces formes est la déification de l'être humain, qui consiste à dire : « Je suis un être humain qui peut tout, même contre la mort. Si je m'associe à d'autres êtres humains qui peuvent également tout, qui sont aussi des dieux, nous serons ensemble capables de ne pas mourir. » Je trouve cette façon de penser tellement triste, car, malgré tout, on meurt. À partir de là, on imagine des catastrophes autour du mourir.

Voilà ce qui rend le mourir catastrophique, pas la mort comme telle ! Il n'y a rien de plus naturel que la mort. Nous sommes tous nés un jour, nous allons tous mourir un jour. À ce moment-là, nous arrêtons tout simplement de respirer, tout simplement. Naître, c'est prendre une première inspiration, comme je répète à tous mes malades en fin de vie et à leur famille, et mourir, c'est rendre une dernière expiration. C'est tout : rendre le souffle, point. Il n'y a rien là de compliqué.

Les baby-boomers refusent de mourir. Pas tous, mais je pense qu'ils sont nombreux à avoir vécu dans cette illusion, à l'avoir même cultivée. Ils étaient beaux, ils étaient jeunes, ils se permettaient toutes sortes de choses. Et ils continuent de le faire. Ils veulent faire un voyage ? Ils achètent un billet d'avion et partent à l'autre bout du monde. Puis tout à coup, la réalité de la mort et de « l'avant-mort » les rattrape. Je me souviendrai toujours d'un graffiti, avenue du Mont-Royal, qui a été effacé depuis. Il résumait à merveille ce que je veux dire. Ce graffiti très court se lisait comme suit : « Y a-t-il une vie avant la mort ? » Tout était là, tout tenait en ces quelques mots : « Y a-t-il une vie avant la mort ? » Voilà ce qui compte au fond.

« Et l'euthanasie alors ? » demandera-t-on. Au Canada, elle est encore illégale, ce qui n'est pas le cas dans tous les pays du monde. En Belgique, on l'a récemment décriminalisée, une solution adoptée il y a plus longtemps aux Pays-Bas. L'euthanasie est une question grave, profonde. Une question que je ne veux pas balayer du revers de la main en disant simplement : « Moi, je suis médecin, donc je suis contre ! En plus, je pratique en soins palliatifs… » Je ne dirai pas ça. Il faut tenir compte de deux niveaux d'analyse : le niveau sociologique et le niveau moral. Il faut regarder la situation telle qu'elle se vit, par exemple, aux Pays-Bas, où il existe très peu de services de soins palliatifs et où 2 % de l'ensemble des décès sont le fait d'une euthanasie. Deux pour cent, c'est énorme ! La loi néerlandaise prévoit que deux médecins doivent donner leur accord, et, si je ne m'abuse, produire obligatoirement une sorte de rapport écrit. Dans les faits, et cela reste certainement vérifiable, ce rapport n'est pas rédigé dans bien des cas. Toute ma vie, j'ai travaillé auprès des pauvres et des personnes les plus défavorisées de la société. Cette solution me semble présenter un danger au niveau sociologique pour des vies que des tiers pourraient estimer inacceptables, et prendre délibérément la décision d'y mettre fin. On ne parle pas ici de suicide, on parle d'euthanasie.

Puis, il y a un autre niveau, plus profond encore, qui est le niveau moral. On m'a raconté que chez les Inuits de l'Arctique canadien, à l'époque où leur économie était essentiellement basée sur la chasse, une grande partie de la vie quotidienne reposait sur la capacité de se servir de ses dents. Les Inuits utilisaient énormément leurs dents, et comme on perd ses dents en vieillissant, la personne âgée se retrouvait sans dentition. Elle devenait, de ce fait, inutile et elle ne pouvait plus de chasser. Que faisait-elle alors ? Elle s'en allait au bout de la banquise où sa vie se terminait. L'image est belle, la symbolique aussi, je ne peux pas dire le contraire. Je ne peux pas dire que ce n'est pas souhaitable dans certains cas. Dans ma pratique, j'ai connu des gens qui, un jour, ont décidé de ne plus manger, de ne plus s'hydrater, et qui sont décédés de la sorte. Une personne de mon entourage, à 89 ans, a cessé de s'alimenter : c'est un suicide, une forme de suicide. Nul ne l'a forcée à manger, et au bout de quelques semaines, elle n'était plus.

L'euthanasie, c'est quand le patient demande à son médecin, par exemple, de mettre fin à ses jours, qu'il demande à un tiers de provoquer sa mort. Et s'il s'agit là, profondément, du souhait du patient, cela soulève la question du contrôle de sa vie à soi : suis-je maître de ma vie, et de ce fait, libre d'y mettre un terme ? Voilà exactement la question que cela soulève. Et, à mon avis, ce n'est pas la façon de mourir. Mourir, c'est perdre le contrôle et non le garder. Je ne considère pas que ce soit la façon « adéquate » de mourir. On ne meurt pas ainsi : si on disparaît de la sorte, on garde le contrôle jusqu'à la fin, oui, mais on escamote la mort et l'agonie.

L'autre élément des plus importants, et des survivants vous le diront, est l'agonie. J'ai souvent entendu des familles, des proches dire au sujet d'un mourant : « Moi, je ne laisserais pas mon chien dans cet état. On abat les chevaux quand ils sont souffrants. Vous, vous laissez mon proche, ma femme, mon mari… souffrir comme ça. Vous êtes inhumains. » Ce à quoi on leur répond, obligatoirement, que la loi interdit l'euthanasie. Et on ajoute : « Écoutez, on est là pour vous, on peut vous aider. Venez nous parler de votre colère, venez nous parler de la perte de sens que vous vivez si durement. » Je dis toujours : « Vous savez, le fruit tombe lorsqu'il est mûr. Vous ne mesurez pas l'importance de ce que vous vivez actuellement. » Un mois après, trois mois après, deux ans après, les proches reviennent tous nous dire, chacun à sa façon : « Les trois derniers jours ont été tellement importants parce que, les trois derniers jours, Marie ne me parlait plus, Marie n'était plus en contact avec moi, et c'est seulement une heure avant sa mort que j'ai été capable de me dire : "Ça n'a plus de bon sens. Il faut que ça se termine. Ça peut maintenant se terminer." Et ç'a été le début du deuil, du travail de deuil. »

Le travail de deuil est un travail d'« enfouissement » de cette vie qui s'achève pour qu'elle germe encore dans la mémoire sous d'autres formes. Et cela ne s'amorce pas sans le premier détachement qui s'opère autour de l'agonie. Si vous avalez une pilule et que tout est terminé en deux heures, vous n'avez plus d'agonie, et de ce fait vos proches n'ont plus accès à ce lent travail qui est millénaire, qui a lieu depuis que l'être humain est un être humain. Et donc, non, on ne le fait pas ! On le fait aux chiens, on le fait aux chevaux, mais pas aux humains parce que les humains ne sont ni des chiens ni des chevaux. Pas pour moi, en tout cas.

Depuis trente ans, on a fait des efforts extraordinaires pour mieux former le personnel à tous les échelons. Même le personnel à l'entretien ménager doit être préparé, par exemple, à trouver dans la chambre un mourant et trois enfants qui pleurent. Mais notre système de santé est malheureusement débordé par la demande et il vit un certain éclatement. Ainsi, lorsque je me suis présenté à ma dernière garde, j'ai dû composer avec ce qu'on appelle des « équipes volantes » constituées de personnes qui n'ont pas reçu de formation. Et pourquoi ? Parce qu'on manque de personnel. De ce fait, encore beaucoup de gens sont confrontés au mourir d'un être humain sans avoir reçu de préparation suffisante. Il va falloir que notre société fasse des choix – et les hommes politiques ont peur faire des choix. Quand je fais l'épicerie, je regarde ce que j'ai dans mon portefeuille, et parfois, je peux m'acheter ceci, parfois, je ne peux pas. On doit cesser de croire que l'on peut tout acheter. Il faut se demander : « Qu'est-ce qui compte le plus ? » Il me semble que voir à ce qu'il y ait au Québec suffisamment de maisons de naissance et suffisamment d'unités de soins palliatifs pour que les gens puissent naître et mourir comme du monde, il me semble que c'est élémentaire, un minimum, et surtout pas du luxe. On dit souvent, dans de grands hôpitaux : « Si on est forcé de couper quelque chose, on ne coupera quand même pas la chirurgie thoracique, quand même pas la neuro, on va couper les soins palliatifs. » Mais on oublie que c'est la base, l'essentiel ! Le CHUM enregistre 3,5 % de tous les décès au Québec. Il ne faudrait jamais – et je ne pense pas qu'on y ait songé au CHUM – que l'hypothèse de supprimer l'unité des soins palliatifs soit même envisagée par des gestionnaires. Élémentaire ! Chaque année, 1 800 personnes meurent au CHUM. La population a besoin de ce service plus que de tout autre.

Faut-il se préparer à la mort ?

Il le faut, on doit le faire. On doit se préparer à la mort, tout comme on se prépare à l'arrivée d'une vie nouvelle. Mes enfants commencent à procréer, et je les vois évoluer avec leurs amis. Quand il y a des fêtes, on se retrouve avec plein de petits enfants qui se promènent partout. On se prépare à une naissance, tout le monde s'y prépare : on décore une chambre, on se procure des vêtements. Les gens se mobilisent, c'est magnifique. Je pense qu'il faut tout autant se préparer à sa propre fin. Il faut prévoir qu'on va un jour partir, même si on ne sait pas quand, et on doit s'y préparer. La question est: «Comment? Comment s'y préparer?» D'abord, il faut faire preuve d'une certaine lucidité quant à ce qui va se passer. Si vous êtes d'une famille de douze enfants, que tous vos frères et sœurs habitent la même localité et que tous sont à proximité, c'est une chose. Si vous vivez seul, dans une tour au cœur de Montréal, alors que votre famille habite Vancouver, c'est autre chose. Il faut prévoir en fonction de cela. Il faut se dire: «Bon, si on me trouve une bosse, si mon médecin m'envoie chez l'oncologue et que, finalement, j'en arrive là, comment vais-je le vivre?» Réfléchir et prévoir. Il me semble que c'est faire preuve d'amour pour ses proches que de se préparer, que de ne pas leur laisser tout le travail... D'ailleurs, plein de gens le font.

La meilleure façon de se préparer à mourir est, à mon sens, de bien vivre. Si vous vivez de continuelles frustrations, si vous remettez toujours à plus tard des choses que vous trouvez «absurdement importantes», oserais-je dire, les petites choses qui vous concernent, vous ne vous préparez pas. Arrivé au bout du chemin, ce sera la catastrophe: il n'y aura plus de «plus tard» pour tout ce que vous projetiez de faire plus tard. J'accompagne des gens de 25 ans qui meurent dans une sérénité remarquable et des gens de 80 ans qui ont toujours remis à plus tard, qui n'ont jamais vraiment vécu. La façon de mourir n'a donc rien à voir avec l'âge de la personne, mais avec sa façon de vivre, avec son mode de vie. Je pense que chaque individu peut, dès maintenant, se dire: «Je ne suis pas immortel. Je ne me crois plus immortel. Alors, comment est-ce que je vis à partir de maintenant?» Car vivre autrement, c'est mourir autrement: il faut vivre autrement, vivre bien, pour bien mourir. L'un ne va pas sans l'autre. On peut réussir sa mort si on réussit sa vie. On peut aussi malheureusement rater sa mort si on a raté sa vie. Ceux qui ont recevront davantage, et ceux qui n'ont pas ne recevront rien. C'est ainsi. Nous sommes des êtres humains, et l'être humain, à la différence de l'animal, peut choisir, peut changer. Parce que la mort existe, et qu'on en a conscience, on peut s'y préparer.

La mort est constitutive de l'histoire,
elle fait partie de nous.

Serge Bouchard

Anthropologue, spécialiste des questions amérindiennes, Serge Bouchard est également un conférencier et un communicateur reconnu. Homme de radio, il anime Les chemins de travers *et* De remarquables oubliés* *à la Première Chaîne de Radio-Canada, de même qu'il participe à de nombreux documentaires et émissions de télévision. Écrivain, Serge Bouchard est l'auteur de maints ouvrages, dont* L'homme descend de l'ourse, Le moineau domestique, Les corneilles ne sont pas les épouses des corbeaux *et* Récits de Mathieu Mestokosho, chasseur innu *(Boréal). Avec Bernard Arcand, il a aussi publié six volumes de la série* Les Lieux Communs. *Ses derniers ouvrages,* Confessions animales, BESTIAIRE *et* BESTIAIRE II *(Éditions du Passage) ont reçu un accueil formidable.*

* Réf. : Site Internet de la SRC

Serge Bouchard

Serge Bouchard, pourquoi la mort est-elle l'un des sujets dont vous aimez le plus parler?

Probablement parce que je suis un être humain! C'est vraisemblablement le sujet favori de tous mes semblables. Nous sommes tous plus ou moins explicites à propos de la mort, nous la regardons tous plus ou moins en face et nous acceptons tous plus ou moins d'en parler. À vrai dire, c'est peut-être même un sujet tabou ou un sujet que nous préférons éviter, ce qui est en soi très naturel. Beaucoup de gens se sentent mal à l'aise quand il est question de la mort des autres, de la mort en général ou de leur mort à eux. « Ne parle pas de ça! » disent-ils, quand ce n'est pas: « Arrête de parler de ça et parlons plutôt d'autre chose! » Quand je dis que c'est un de mes sujets favoris, c'est simplement que je suis anthropologue, que je suis un être humain, et qu'il s'agit d'un très énorme bloc de réalité dans la vie d'un humain, et ce, depuis toujours. Ce n'est pas un petit sujet banal, ce n'est pas comme si nous parlions de sport, de jardinage ou d'alimentation. Non, quand nous parlons de la mort, nous parlons de la vie. Il y a un lien entre ces deux-là: si j'aime tant parler de la mort, c'est que j'aime démesurément la vie. Quand nous parlons de la vie, nous parlons de la mort, et quand nous parlons de la mort, nous parlons de la vie. Pas moyen d'en sortir, c'est une réalité non négociable.

La vie est éphémère, naturellement éphémère. Nous sommes engagés dans un processus de dégénérescence. Tout cela est évident, c'est encore une fois un lieu commun. Et, dans la conscience humaine, c'est un problème insoluble. Il n'est pas possible de trouver la solution humaine au côté éphémère de la vie. Toutes les solutions proposées jusqu'ici dans l'histoire par les êtres humains ont été de l'ordre des rituels apaisants:

rassurer, consoler et encadrer. Nous nous représentons la mort ; nous dialoguons avec les morts ; nous encadrons le processus de l'agonie, de la mort et de l'immédiate « après-mort ». Nous codifions la mémoire, et cela nous fait du bien parce que, lorsque la mort se passe de façon quasiment animale et profane, elle paraît un peu absurde à des êtres conscients qui éprouvent toujours alors un sentiment de scandale. Si nous voyons sur le bord de la route un animal mort, un raton laveur écrasé, nous nous disons qu'il est mort et c'est tout. Il était très vivant jusqu'à ce qu'il soit écrasé et maintenant il est mort. Personne ne fera l'oraison funèbre de cet animal. À la limite, nous ne le ramasserons même pas. Les corbeaux vont se charger de le dévorer. Cette vie vécue et disparue est dans l'ordre naturel des choses. Mais nous sommes malgré tout un petit peu mal à l'aise quand nous voyons ce genre de spectacle parce qu'il s'agit tout de même d'une vie assez complexe, de la vie d'un animal relativement supérieur qui a quatre pattes, du poil, des yeux, ce qui, en soi, déjà fait réfléchir. Cependant, si nous voyons un être humain qui est étendu sur l'asphalte en train de sécher sur place, qui sera bientôt déchiqueté par les corbeaux, qui disparaîtra naturellement par voie de putréfaction – sans cérémonie, sans égards, sans un regard –, cela nous apparaît éminemment scandaleux. C'est toute notre humanité qui est en cause. La mort n'est donc pas un petit sujet insignifiant, et oui, ce sujet m'a toujours fasciné.

Les humoristes diraient que le sujet a de l'avenir ! Puisqu'il est insoluble, il est là pour rester. Il y a là un danger, celui d'entretenir l'idée que vous vaincrez la mort. Alors, non seulement deviendra-t-elle un sujet sans avenir, mais un sujet sans passé. « Autrefois, les gens mouraient », finirons-nous par dire un jour. Nous en sommes presque rendus là. Nous l'avons déjà entamé, ce petit discours. Nous avons commencé à dire : « Autrefois, les gens mouraient jeunes, beaucoup plus jeunes. » Nous ne nous rendons pas compte du glissement qui s'opère. Cette petite phrase qui nous paraît anodine, scientifique même, est discutable, éminemment discutable. En outre, elle est énormément dangereuse parce qu'elle nous entraîne sur une pente du genre : « Écoute, tu ne vas pas mourir, Mario. Autrefois, à 60 ans, les gens étaient morts! L'homme de Neandertal vivait jusqu'à 33 ans et sa femme était vieille à 28 ans!» Nous tenons tous ce discours et nous nous rassurons, mais cette assurance est morbide parce qu'elle nous dit que cela se passait jadis. Il suffirait d'un autre petit pas et nous dirions: «Ne t'inquiète pas, tu ne vas pas mourir, quand même! Mourir, ça ne se fait plus...» C'est du déni. Nous sommes dans le déni. C'est une sorte de maladie de l'esprit.

De tout temps, l'humanité a été follement hantée par le désir d'immortalité, le désir de ne pas mourir. Je pense toujours à cet empereur chinois – le premier après l'unification de la Chine – qui n'a jamais été heureux malgré son pouvoir et son argent parce que lui était venue cette idée: «Oui j'ai tout, absolument tout! Je détiens le pouvoir, je suis empereur de la Chine.» Dans son esprit, cela équivalait à être empereur du monde. «Mais il y a un problème, continuait-il, c'est que je vais mourir! Je vais mourir! Ça n'a pas de sens!» Les gens qui, comme lui, s'estiment, se représentent au sommet de tout sont vite confrontés à l'idée: «Aïe! Ça ne va pas durer!» Dès lors, l'empereur a nourri l'obsession de trouver la recette de l'immortalité. Bien sûr, il n'a pas été le seul dans l'histoire à nourrir cette obsession. Il a mandaté ses médecins, l'un d'eux en particulier auquel il a dit: «Tu vas quitter cette salle, et quand tu reviendras, tu auras la potion de l'immortalité. Si tu ne l'as pas trouvé, tu es un homme mort.» Alors, le médecin s'en est allé. C'est une longue histoire, mais pour faire court, disons que l'empereur mourut prématurément d'avoir trop voulu vivre. Le médecin avait mis au point une mixture, comportant quelque élément comme du plomb, il l'a administrée à l'empereur par petites doses qui ont entraîné prématurément sa mort. Ainsi, l'empereur est-il mort plus jeune d'avoir voulu être immortel. Telle est la condition humaine.

Il y a plus grand mystère encore, et c'est que nous ne saurions supporter l'immortalité. L'immortalité est absolument insupportable, d'un point de vue philosophique. Si nous étions immortels, nous deviendrions fous de rage. Nous voudrions mourir. Il ne nous est pas possible d'être immortels parce que nous serions fatigués, épuisés, mentalement découragés puisqu'il n'y aurait plus alors d'issue : nous vivrions à jamais. La mort est une libération. Il est bon qu'il y ait un terme.

Paradoxalement, la conscience que nous allons mourir nous fait paniquer : « Je ne veux pas, je ne veux pas, je ne veux pas ! » répétons-nous. C'est le plus grand mystère pour la conscience humaine… Non seulement le sujet de la mort a-t-il de l'avenir, mais je pense que le problème lui-même est éternellement insoluble. C'est lui qui est immortel. Le problème, c'est le rapport à la conscience, c'est la vie qui se regarde vivre, et la vie qui se regarde mourir. La vie qui se regarde mourir appelle une bonne philosophie. La philosophie n'existe d'ailleurs que pour cela. Philosopher, c'est apprendre à mourir, et donc, apprendre à vivre, à vivre notre vie en sachant que nous allons mourir. Le plus beau cadeau qu'un être humain puisse s'offrir, mais il n'est pas garanti qu'il arrive à se l'offrir, c'est de savoir qu'il peut, qu'il va mourir relativement en paix, dans de bonnes circonstances et résolu. Oui, l'être humain, qui s'offrirait ce cadeau, trouverait, comme l'exprime le mot, que la « résolution » est là, dans ce moment qu'est celui de la mort : « Il faut passer et je passe, et je suis en paix avec cela. » Voilà ce qu'est réussir sa vie, c'est-à-dire réussir sa mort. On en revient toujours à cela : c'est la même chose. Le contrat de vie est un contrat de mort : si je meurs, c'est parce que j'ai vécu ; si j'ai le privilège d'avoir vécu, j'en paie le prix qui est de mourir !

Lorsque nous voyons mourir nos amis, nos amours, nos proches, la première des consolations, s'il en est une – parce que nous sommes inconsolables évidemment, nous sommes des êtres inconsolables, il n'est pas possible de nous consoler –, c'est de savoir que l'être aimé a passé : « Ouf ! Son dossier est réglé puisqu'on ne meurt pas deux fois. » La personne qui est « passée » n'aura pas à « repasser » par là. La première des consolations, c'est de se dire : « Bravo ! Et maintenant, me voici devant le problème de devoir en faire autant. Le plus tard possible, bien sûr, mais je devrai en faire autant.» Alors, j'envie celui ou celle qui l'a fait. Parce que, quand on l'a fait, c'est derrière soi. On n'a plus d'angoisse. La paix doit être immense. Ce qui veut dire que nous vivons toute notre vie avec ce signal terrible en nous, ce petit signal qui nous titille : «Ça va finir. Quoi que je fasse.» Et cela, c'est des plus angoissant. C'est une angoisse refoulée, dirigée. La philosophie, qui a réussi, permet de calmer cette angoisse, c'est-à-dire qu'elle permet de l'apprivoiser, de la canaliser, de la résoudre.

Les religions n'apaisent-elles pas aussi énormément cette angoisse en ce qu'elles promettent généralement l'immortalité ?

C'est leur message. Dans cette dimension, la religion devient une philosophie, c'est-à-dire qu'elle propose des éléments de philosophie. La religion apaise parce qu'elle dit : «Tout ça a un sens, tu es en route vers quelque part.» La discussion sur ce qui arrive après la mort relève d'un autre domaine fascinant. C'est un immense chapitre, immense parce qu'on n'en a aucune idée concrète, réelle, matérielle, empirique. Les études les plus poussées n'ont pas réussi à isoler la fraction de seconde entre l'être et le non-être, entre l'être et «Regarde, il est mort, il est bien mort.» Qu'est-ce qui arrive – à cette seconde précise, à cette fraction de seconde précise – de l'être qui a été ? Et se pose alors aussi la question de l'esprit. Est-ce que Serge Bouchard n'est qu'une agglomération complexe de cellules concrètes, et la mort représente-t-elle la dissolution de ces associations cellulaires ? Ne restera-t-il rien de cette conscience, retombera-t-elle dans le néant, et Serge Bouchard ne sera-t-il plus ? Ce sont très exactement les mots qu'on emploie à propos d'un mort : «Il n'est plus.» Il y a une différence entre dire «Il n'est plus» et «Il nous a quittés pour un autre monde.» Dire «Il nous a quittés pour un autre monde», cela signifie que Serge était ici, mais qu'il n'y est plus, qu'il n'est donc plus possible de lui parler parce qu'il est parti.

Imaginons : Serge est mort. Un de ses proches, encore à son chevet dix minutes après sa mort, reçoit un coup de téléphone. Au bout du fil, quelqu'un demande : « Est-ce que je peux parler à Serge ? » Imaginons que celui qui a soulevé le combiné ait le mauvais goût de répondre : « Je pense que non, et je doute qu'il rende un jour l'appel parce qu'il est mort ! Il est mort, voilà dix minutes. » Ou alors, imaginons qu'il dise : « Il est parti pour un monde meilleur, pour ailleurs, et vous le reverrez plus tard. » Ou encore, la réponse la plus triste de toutes : « Il n'est plus. »

Chacune de ces réponses déclenche des réactions en chaîne sur la philosophie, sur l'ontologie : Qu'est-ce qu'être ? Est-ce simplement le fait d'exister matériellement de façon empirique ou y a-t-il une partie de soi qui est l'esprit de la personne, qui a été la personne, étant entendu que la personne est une unité avec une identité – quel que soit le nom : Serge, Mario, Arthur –, une entité qui a existé, qui est l'esprit et qu'on appellerait l'âme ? Et si oui, où « ça » s'en va-t-il ? Une philosophie vous dirait : « Nulle part. De toute façon, ça existait seulement parce que c'était ensemble, puis ça s'est dissous, c'est du néant. » Pure hypothèse qui se défend. Ou bien ça reste, et ça s'en va quelque part, Dieu sait où. Je peux aussi être plus précis : « Ça s'en va au Walhalla, au paradis des chasseurs, au ciel ou à quelque autre niveau que ce soit. » Ou encore, je reste vague : « Ça s'en va quelque part, ce n'est pas perdu. Il n'est pas possible d'avoir existé aussi intensément dans la conscience, puis de se dissoudre. Il y a donc quelque chose qui reste, qui va se reconstituer ailleurs, autrement. » Quelle que soit l'option retenue, nous sommes en pleine hypothèse invérifiable.

Et si on a des croyances ?

La croyance ne relève pas de l'hypothèse ni du vérifiable. Le mot « croyance » le dit : il s'agit du domaine de la foi qui participe de la conscience, c'est une capacité de la conscience humaine de se rassurer et de dire : « Je crois en... » D'ailleurs, il y a non seulement la croyance, la foi, il y a aussi la certitude: «Écoute, ne m'embête pas avec ça. Je m'en vais au ciel, je le sais.» Même dans la vie, la foi peut conduire à justifier une mort: on meurt pour sa patrie, pour une cause, en défendant sa famille ou pour sauver l'autre. On y croit, on croyait à cela, et on y croyait assez pour donner sa vie. Et on a donné sa vie à cause d'une foi absolue, pour défendre des valeurs. Quel bel animal que l'être humain, quand on y pense! Ce sont là des effets de conscience.

La tragédie des Temps modernes – je dirais même la tragédie de l'histoire et peut-être en quelque sorte celle de la philosophie dans la vie de tous les jours –, c'est que nous sous-estimons la puissance, l'originalité et l'aspect précieux de la conscience humaine. Être conscient, avoir les yeux ouverts, nous considérons cela comme acquis, comme nous considérons la parole comme acquise. Les gens qui parlent, le son de la voix humaine, le sens, la sémantique, nous considérons cela comme acquis. Tout le monde parle, tout le monde maîtrise la grammaire – plus ou moins bien, sur le plan de la forme, mais tout le monde y arrive –, et il est pourtant très complexe, le processus du langage: les niveaux de langage, les phonèmes, la double articulation, la triple articulation, le premier, le deuxième et le troisième sens, ce n'est pas croyable comme tout cela est complexe! Une langue humaine, c'est éminemment complexe sur le plan du sens, du symbole, du signe. Grâce à l'intuition, à l'esprit de synthèse, à la vision, à l'illumination, la conscience est d'une puissance incomparable! Chaque être humain est unique de ce point de vue. Chacun des sept milliards d'êtres humains est une machine – et j'emploie le mot «machine» à bon escient –, une machine d'une infinie complexité. Mais nous avons tendance à la dévaloriser. La psychologie moderne la dévalorise en prétendant la connaître ou en démontant ses rouages.

Sans parler, maintenant, de notre vision informatique. Nous pensons qu'un ordinateur est plus rapide et plus fiable qu'un cerveau humain. Nous comparons d'ailleurs le fonctionnement du cerveau humain à celui de l'ordinateur sans penser une seconde que ce dernier ne s'approche même pas de la puissance du cerveau humain. Un ordinateur est capable d'exploits de mémoire, d'associations, de calculs à la vitesse de la lumière, mais un cerveau humain ne se réduit pas à cela. Oui, le cerveau humain peut calculer, mais l'intelligence humaine est beaucoup plus vaste que cela. Nous, les humains, sommes des milliards de fois plus « intelligents » qu'un ordinateur. Encore faudrait-il respecter l'intelligence humaine ou l'aborder avec une certaine humilité, cesser de penser que nous savons de quoi nous parlons. L'intelligence humaine ne se mesure pas par le quotient intellectuel, elle ne s'assimile pas à une simple machine à calculs. Nous sommes « Gros-Jean comme devant » dans une société technologique, scientifique, voire religieuse, où nous aboutissons toujours à des solutions définitives – « Je vais te dire ce qui en est, moi, je vais te le dire ! » – qui ne sont chaque fois que des mensonges.

Quelle vision, selon l'anthropologue que vous êtes, les Amérindiens ont-ils de la mort ?

Disons d'abord que l'anthropologie est bien utile à la connaissance du rituel, mais pas à la connaissance de la mort, parce que nul ne sait quoi que ce soit sur la mort. Depuis des millénaires, personne n'a appris quelque chose sur la mort. Cela se saurait si on avait quelque information nouvelle sur le sujet. Ce qui est intéressant, c'est notre rapport historique à la mort. L'anthropologie est utile pour comprendre le rapport historique des êtres humains avec la mort dans la diversité des cultures. Les sociétés abordent la mort de façons diverses. Les Amérindiens entrent dans la catégorie, dans l'ordre de ce qu'on pourrait appeler, sans connotation négative, les sociétés traditionnelles. Quand on dit Amérindien, Amérindien de l'Amérique du Nord, il faut se représenter une société sans État et sans écriture, donc une société très puissante sur le plan intellectuel, sur celui de la mémoire et sur celui de la spiritualité parce que moins on écrit, plus on parle, et plus on parle, plus on est spirituel. Finalement, moins on se sert de la mémoire écrite, plus on se sert de la mémoire mentale. Autrement dit, les sociétés traditionnelles sont des sociétés éminemment intellectuelles, ce qui est tout le contraire de ce que nous croyons généralement à cause de nos préjugés sur la pensée primitive, sur les « deux-neurones » que pouvaient représenter à nos yeux les primitifs. Les sociétés traditionnelles sont des sociétés prudentes ; elles ne bousculent pas les choses. Elles mettent plutôt les choses bien en place – on a parlé de sociétés froides à leur propos, de sociétés très conservatrices –, et elles s'y tiennent. Quiconque sort du moule, sort des paramètres, court un risque. Il faut rester à l'intérieur du cadre défini : le cadre traditionnel. Traditionnellement, ces sociétés aiment rester proches de la mort, elles aiment garder leurs morts proches et dialoguer avec eux, elles se familiarisent avec la mort, elles s'en rapprochent plutôt que de s'en éloigner, elles touchent les morts, elles les manipulent et parlent de leur mort en trouvant cela tout naturel. Cela ne veut pas dire qu'il n'y a pas d'émotion, de peine, d'horreur, d'angoisse, mais plutôt qu'on se plonge dans la mort au lieu de s'en divertir. Sans craindre de proférer une ineptie, je dirais que c'est le cas des sociétés traditionnelles en général qui se distinguent ainsi largement des sociétés occidentales modernes. Celles-ci ont cheminé dans une autre direction : elles ont essayé de vaincre la mort, de la nier, de la dramatiser, de l'horrifier, etc. Dans une société traditionnelle, la mort fait partie de la vie, et, de ce fait, on la rapproche de soi, elle est omniprésente. Les morts peuvent venir dans la vie, les vivants peuvent aller dans la mort. On peut aller et revenir : c'est une roue qui tourne, il s'agit des deux faces d'une même réalité. C'est fascinant ! Ainsi, on vient à bout de quelque chose. Ainsi, on embrasse la mort, on l'assimile dans sa culture, on l'intègre dans sa pensée. Il n'est plus alors étonnant d'être mort. Et cela va très loin.

Les missionnaires ont été fascinés, chez les Iroquoiens, par la cérémonie dédiée aux morts. Cette société n'est pas la seule dans le monde à pratiquer ce rite. Enterrer nos morts pour ensuite les déterrer, ça ne nous viendrait jamais à l'esprit : nous avons réglé le cas une fois pour toutes. Or, dans ce rituel, après avoir déterré les morts, les sociétés traditionnelles lavaient leurs os, couchaient avec ces os, tenaient de grandes cérémonies qui duraient des jours et des jours, puis préparaient une fosse commune. Chez les Iroquiens, cela s'appelait la cérémonie des morts, la fête des morts, et cela se pratiquait tous les sept ans environ. C'était grandiose ! Ils enterraient les morts pour une durée de sept ans, et ensuite, ils les déterraient pour laver les os avant de les remettre tous ensemble parce qu'ils imaginaient une société des morts. D'après leurs croyances, les morts ne quittent pas les vivants. Leur société est simplement autre que la nôtre. En fait, c'est là l'autre visage de la société humaine, celui doté de philosophies collectives extrêmement élaborées et très complexes qui visent justement à dédramatiser ou à redramatiser la mort, qui témoignent que la mort ne passe pas inaperçue. Ces populations traditionnelles ont conscience de la mort, et au fil de leur histoire, il en résulte qu'elles n'en ont pas peur. En général, les Amérindiens affrontaient froidement la mort, et cette attitude « déculottait » les Européens. Dans les situations très tendues, désespérées, les Amérindiens faisaient face à la mort d'une façon déconcertante. Lors de batailles, notamment, il n'y avait rien de pire pour les Européens que d'affronter un ennemi qui ne craignait pas de mourir, ce qui est un effet de foi, de vision du monde.

En Amérique du Nord, deux grandes cultures, l'occidentale et l'iroquoienne notamment, se sont rencontrées, se sont affrontées sur le sujet de la mort, et dans cet affrontement, les deux parties cherchaient la mort. Les missionnaires chrétiens, les fous de Dieu – les jésuites spécialement –, avaient réglé le cas de la mort parce que, comme on disait autrefois : « Plus tu crois, plus tu atteins des niveaux supérieurs de certitude, et alors tu trouves la paix, le calme. » Y a-t-il quelque chose de plus beau dans les religions judéo-chrétiennes – la religion catholique en particulier – que d'ouvrir les yeux en pleine agonie et de dire aux gens présents autour de soi : « Je m'en vais voir Dieu, je m'abandonne entre les mains de Dieu… » ? N'est-ce pas une bonne nouvelle ? A-t-on alors assez hâte de rendre le dernier soupir ? On a mal partout, on est tout étourdi, et on veut mourir parce qu'on va alors s'abandonner entre les mains de Dieu ! Pour les jésuites, que nous avons connus dans notre petite histoire sous le nom des « saints martyrs canadiens », la vie n'avait aucun intérêt. Un jésuite, missionnaire au cœur des Grands Lacs en 1634, ne se levait pas le matin en disant : « Oh, les jolies petites fleurs ! Que je suis heureux de vivre, que je me sens bien ! » Non, ce jésuite était impatient de mourir. Il n'aimait ni les femmes, ni les gens, ni les arbres ; il n'aimait rien. Il aimait Dieu ! Il se levait le matin, et il voulait mourir. Et donc, il était content d'être au cœur des Grands Lacs en face de « féroces Iroquois » parce qu'il se disait : « Cela devrait enfin arriver. Je n'ai pas le droit de me donner la mort, mais si le païen me fend le crâne, je serai de bonne humeur puisque j'irai voir le bon Dieu ! » On peut imaginer le père Brébeuf se levant le matin, tombant à genoux au bord du lac et faisant cette prière : « Oh ! Seigneur ! Quelle belle journée pour aller vous retrouver ! J'espère qu'un Iroquois viendra me massacrer. »

À l'inverse, durant les guerres contre les nations amérindiennes, ce qui a frappé les soldats de l'armée américaine au XIXe siècle, lorsqu'ils attaquaient les derniers bastions de guerriers sioux dans les plaines, c'est qu'ils arrivaient au nombre de deux mille, armés des winchesters, et faisaient face à six cents Amérindiens à cheval, munis d'arcs, de flèches et de vieilles carabines. Les Sioux, tout fiers, parés de leurs plumes, se regardaient les uns les autres et se disaient entre eux : « Quelle belle journée pour mourir ! » Cette phrase était l'hymne des Sioux avant le combat. Ils se répétaient tous : « Quelle belle journée pour mourir ! » Puis, ils s'élançaient à cheval et donnaient du fil à retordre à l'ennemi parce que, si l'une des deux armées en présence était moins nombreuse que l'autre, l'une allait fièrement au-devant de la mort tandis que l'autre essayait de ne pas mourir. Le soldat, qui avait fait la guerre de Sécession, ou qui à tout le moins portait l'uniforme des Yankees, n'était pas là pour mourir, il voulait tuer les Indiens le plus vite possible pour rentrer chez lui et retrouver les siens.

Tel est le rapport à la mort de l'être humain, qui est un animal spectaculairement complexe : il peut se donner la mort, courir à la mort, avoir peur de la mort. Il tourne autour de ces questions. La mort est constitutive de l'histoire, elle fait partie de nous. Le plus étonnant, c'est qu'elle nous apparaisse toujours comme une nouveauté sans précédent. La mort, c'est toujours nouveau, c'est toujours extraordinaire. Si, à l'instant, je me mettais à mourir, je trouverais cela bien embêtant, bien ennuyeux, parce que cela me concernerait : ce serait la mienne. Pourquoi si vite ? Est-ce que je pourrais acheter trois jours, un mois ? La mort des autres aussi me concerne, et lorsqu'elle frappe tout près, c'est toujours nouveau. Y a-t-il quelque chose de plus familier, de plus ancien, de plus répétitif, de plus ordinaire, de plus quotidien, dans la vie humaine, que la mort ? Il y a cent mille ans que l'on meurt et on n'en prendra jamais l'habitude ! On ne s'y habitue pas.

Dans notre monde d'aujourd'hui, après avoir littéralement fait exploser les sociétés traditionnelles, nous donnons à la mort une allure plus moderne, plus chaude, plus frétillante, marquée par l'illusion du progrès. Nous avons changé physiquement et psychologiquement, nous avons changé dans nos environnements, et les notions de personne et d'individu se sont en outre développées. Or, la notion unidimensionnelle de l'émergence dans le monde occidental du « moi », du « moi précieux » – le « je, je, je » – rend la mort encore plus dramatique : c'est moi qui meurs, c'est ma mort à moi, et je suis seul à y réfléchir, à la justifier.

J'ai à décider moi-même et par moi-même, en fonction de mes valeurs, si je donne ma vie ou si je ne la donne pas, si ma vie vaut quelque chose ou pas, si je meurs dignement ou pas, s'il est normal de mourir ou pas, si je meurs, si je me résous ou pas à mourir. Je suis tout seul, sans repères ni cadres sociaux. Je n'ai plus de bon Dieu. Je n'ai plus l'assistance du moine, du prêtre qui débarque avec son crucifix et son saint chrême pour me l'appliquer sur le front. Je n'ai plus rien. Pire encore : quand je serai mort, ma famille ne saura pas quel rituel utiliser et se demandera : « Faut-il le mettre en terre ? Chanter ou pas ? Dire quelques mots ou garder le silence ? Que faut-il faire ? » Et moi, est-ce que je fais une vidéo ? Est-ce que je raconte ma vie ? Est-ce que je tourne un film à grand déploiement ? J'opte pour un gros ou un petit monument ? On disperse mes cendres à la mer, sur un chemin de fer ou sur l'asphalte ? Pourquoi pas sur l'autoroute Métropolitaine ! Je suis laissé à moi-même. La dramaturgie individuelle a exacerbé la nervosité dans la modernité. Autrement dit, nous régressons, il nous est plus difficile de mourir. Oui, il devient de plus en plus difficile de mourir, aujourd'hui, dans notre société, parce que nous avons le syndrome de l'empereur de Chine, du Roi-Soleil, du pharaon. Chacun de nous voudrait avoir sa pyramide. Nous voudrions être momifiés, mais surtout, nous voudrions l'élixir de vie, d'immortalité. C'est tellement grave, « ma » mort ! Parce que, moi, je suis l'empereur, je suis le roi, et je meurs. C'est bête à dire, mais nous nous compliquons la vie énormément à ce propos et une profonde dignité humaine se perd ainsi : le fait de savoir qu'il est normal de mourir. Parce que, strictement sur le plan de l'intelligence humaine face au temps – et la philosophie nous l'enseigne : nous sommes du temps et le temps passe, le temps s'écoule –, c'est beaucoup plus normal de ne pas être que d'être. Être est anormal !

Prenons mon cas. Je n'étais pas en 1945. Je n'étais pas en 1935, ni en 1900, je n'étais surtout pas en 1600. Je n'étais pas là en l'an mil, je n'étais pas là dans le temps de Jésus-Christ. Dix mille ans avant Jésus-Christ, je n'étais pas là. Cinquante mille ans avant Jésus-Christ, je n'étais pas là non plus, ni à l'époque du paléolithique. Du paléolithique jusqu'en 1947, je n'étais pas là, moi ! Si je remonte au jurassique, pas un seul être humain n'était là, et rien ne laissait supposer qu'il ferait son apparition. C'était l'époque des dinosaures. Quand je mourrai, ma vie aura presque été un flash, j'aurai eu à peine le temps de le dire – et c'est pourquoi je parle tout le temps, d'ailleurs –, je serai mort pour longtemps, très longtemps. Alors, on est très longtemps sans exister, éminemment longtemps parce que, quand on est mort on ne revient plus, et l'éternité, on le sait, c'est éternel. Disons qu'on a 75 ans pour « faire son jars », et dire que cela, c'est normal ! Que ce soit soixante ou quatre-vingts d'ailleurs, on discute, on chipote, mais à la fin on a passé. On a eu son flash. Je pense toujours à cette phrase de Pied-de-Corbeau, de Big Foot, un Indien des plaines, tuberculeux et mort d'épuisement à 65 ans, vaincu par l'histoire, par tout : « La vie, c'est l'éclair d'une luciole dans la prairie, la nuit. » Qui n'a pas vu une luciole ? Ça ne flashe qu'un instant et ce n'est déjà plus là.

Nous sommes heureux tout de même, mais nous ne mesurons pas à quel point nous sommes chanceux d'avoir notre flash. Là se pose toute la question de l'élan de vie ou de mort. C'est une grande question philosophique. Une fleur dans la nuit, une lumière dans la nuit, n'y a-t-il rien de plus beau ? Nous pouvons aussi rager en nous disant : « Oui, mais y a-t-il cadeau plus empoisonné ? » Un éclair, un flash, puis c'est fini. Comme c'est beau quand même, autant en profiter, et la belle philosophie le dira toujours : « Va jusqu'au bout de ta vie, de ta lumière parce que, après, c'est fini, c'en est fait. » Quand l'élan de vie n'est pas là, c'est horrible. Nous pouvons vouloir nous donner la mort. Il n'y a rien de plus terrible que le goût de partir quand l'élan de vie n'est plus là. Nous sommes des élans, des énergies, des énergies vitales. Et si nous ne cédons pas à l'une des pires absurdités – nous donner la mort –, nous sommes des élans de vie. Cette vie qui nous est impartie, nous avons du mal à la philosopher, à la rendre consciente parce que, s'il est beau de nous savoir un éclair de luciole, ce n'est tout de même pas, en toute humilité, facile à encaisser et à digérer. Il faudrait dire cela à Mozart, à Beethoven, le dire à César parce que, mort, il redevient assez ordinaire : un cadavre comme n'importe quel autre. Et cela, c'est encore humain.

La beauté de la vie, il faut la célébrer devant nos enfants. Nous voulons les élever dans la connaissance que la vie est belle, c'est normal, mais ne pas leur parler de la mort comporte un risque. Sans faire de psychologie facile, protéger les enfants, les entraîner dans la vision moderne de la vie au point de ne leur dire que : « Regarde la vie, la vie, la vie. Il n'y a que la vie, on ne meurt pas ! », c'est périlleux. La réalité de la mort fait partie du processus d'apprentissage d'un enfant, d'un être humain qui grandit : il sera confronté à la mort de ses grands-parents, de ses parents. Toute vie est nécessairement parsemée de morts, et l'enfant doit le savoir. C'est un service à lui rendre que d'introduire la mort dans sa vie, c'est-à-dire de lui faire comprendre que la vie n'est pas éternelle. C'est un choc à encaisser, mais chaque être humain peut raconter une expérience de la mort. Même de tout jeunes êtres, à l'école primaire, peuvent déjà en témoigner, si un petit copain meurt dans un accident de voiture. Quand j'étais petit, mon voisin de pupitre en deuxième année du primaire est mort, une nuit, dans l'incendie de sa maison. Son pupitre était inoccupé le lendemain matin. Le professeur nous a expliqué que le petit Paquet était parti. Jamais je ne l'ai oublié. J'avais 8 ans. À 8 ans, regarder le pupitre voisin du sien et se dire : « Le petit Paquet, avec qui tu jouais hier, est parti... » est une expérience extrêmement difficile, mais une expérience qui fait partie de l'apprentissage.

La mort doit être présente dans la culture de bout en bout. Elle est présente d'ailleurs, elle l'est mille fois par jour à la télévision, au cinéma, dans les jeux vidéo, et cela, c'est fascinant aussi. Cette mort-là n'est toutefois pas la mort intime, c'est la mort spectaculaire, la mort virtuelle, parce qu'on n'apprend pas la mort sur les écrans. Cela ne se passe jamais comme au cinéma. Il y a là un danger bien connu. Il est déplorable qu'on fasse mourir virtuellement les gens dans l'ordre du jeu. C'est déjà une chose qui survient fréquemment dans l'imaginaire humain. Nous rêvons tous que nous tuons quelqu'un ou que nous haïssons quelqu'un et le faisons exploser. Nous jugeons ensuite que ce rêve n'est pas normal, et nous nous en voulons inévitablement, surtout si nous sommes judéo-chrétiens. En effet, nous nous disons alors : « Il ne faut quand même pas exagérer. » Mais quelqu'un nous a vraiment cassé les pieds et, en rêve, nous lui passons sur le corps en camion, puis nous reculons, et nous repassons sur lui à quatre reprises. Cela me paraît sain, à condition d'en rester là. Le passage à l'acte serait en soi très désagréable, sans compter les lourdes conséquences. Nous ne pouvons tout de même pas nous mettre à tuer des gens, ce qui est un signe de très grande souffrance, de dérèglement, de pathologie.

S'imaginer en train de tuer des gens en se mettant au lit le soir, cela, tous les enfants le font. Ils se calment, ils s'endorment après avoir tué plusieurs de leurs semblables.

Nous, les êtres humains, sommes compulsifs et nous devrions réfléchir à deux fois aux compulsions imaginaires, celles qui se produisent dans l'ordre de l'imaginaire. Je constate actuellement la puissance de la représentation par la technologie, et j'entends par là nos écrans, nos jeux, nos films – dans les années 1935, 1940, c'étaient les films de cow-boys et d'Indiens, avec John Wayne, à moins que ce ne soit dans les années 1950, où les gens se tiraient dessus et tombaient comme des mouches, de plus en plus nombreux et c'était devenu un problème de compulsion –, mais quand ça s'installe comme la norme, ce n'est pas acceptable. Tous les parents sont aujourd'hui confrontés à la puissance technologique des jeux d'ordinateur. Cela pourrait se comparer à une dépendance à la Caramilk. Si je pose au beau milieu d'une pièce de la maison une boîte de Caramilk, qui compte cinq cent quarante tablettes de chocolat, et si je constate ensuite que mon enfant en a mangé quarante dans la journée, biologiquement, il y a là un problème pour son pancréas et des dommages prévisibles à plus ou moins long terme. Il n'est pas possible d'avaler sans risques quarante Caramilk par jour, pas plus que de passer huit ou douze heures à des jeux d'ordinateur qui comportent des éléments de destruction. Dans un cas comme dans l'autre, il y a compulsion. Cela relève du sens commun. Ce n'est pas la Caramilk qui est le problème, ce n'est pas l'ordinateur, mais notre rapport à l'un et à l'autre. Quand l'imaginaire de destruction prend toute la place, la mort devient virtuelle effectivement, et le cinéma a largement démontré ses capacités à dépasser les bornes. Nous devenons de la sorte insensibles et n'avons plus de rapport à la mort. Tout cela, ce n'est pas la mort, pas du tout. Il n'y a pas même l'accident, pas même le sang, ce n'est rien du tout. Le joueur est complètement dans sa bulle imaginaire.

Le dérèglement engendre la souffrance. La compulsion engendre la souffrance. Et l'être humain peut alors s'engager dans des corridors de souffrance où il deviendra extrêmement dangereux. L'être humain est un animal très dangereux : blessé, il n'a pas tendance à avoir la réaction animale qu'on appelle « le refuge de la mort », c'est-à-dire le repli. Il ne se replie pas ; souvent, au contraire, il éclate et cause des dommages. Comme un ours qui se mettrait à attaquer tout ce qui bouge parce qu'il souffre – ce qui existe de fait comme réaction chez l'ours. Les ours les plus dangereux sont les plus souffrants. Comment savoir ce qu'il en est d'un ours quand on marche dans les bois et qu'on en voit un tout à coup ? Comment démêler s'il est en forme ou mal en point ? S'il est en forme, il y a fort à parier qu'on ne le verra pas parce qu'il s'en ira avant qu'on ne le surprenne. Mais si ses dents le font souffrir depuis trois semaines parce qu'il a 39 ans et qu'il a la gueule sanguinolente, puisqu'il n'y a pas de dentistes chez les ours, s'il souffre le martyre et n'y voit plus clair tant il est aveuglé par la douleur, il voudra détruire tout ce qui remue. C'est sensiblement ce qui arrive quand quelqu'un dans une foule ou une institution scolaire se lève, braque un AK-47 et fait feu : il a 16 ans et tire sur tout le monde. Comment détecter avant qu'il ne passe à l'acte que cet être souffre tellement, qu'il est tellement déformé qu'il en est devenu un danger public, une véritable bombe à retardement ? L'être humain fait du mal à ses semblables.

Est-ce qu'on apprend d'une épreuve aussi terrible que celle de perdre un être aimé ?

Je ne sais pas. J'ai perdu des proches, mais j'ai toujours pensé que ce n'était pas original, que ce n'était pas unique et que ça me rapprochait de la communauté des humains. Disons que je n'ai pas appris, mais que j'ai été mis à l'épreuve. Le mot « épreuve » est le bon mot, le mot juste, en français. La mort d'un être aimé, d'un être cher, est une épreuve et on ne peut pas « gosser » autour du mot. Le mot « épreuve » dit bien ce qu'il veut dire. Cela nous saisit, nous plaque dos au mur, et là nous devons faire face. Ce que j'ai appris avec le temps, c'est peut-être qu'on ne peut pas être consolé. Ça ne s'arrange pas. La mort est non négociable. C'est une fatalité. L'être humain en vie portera nécessairement les blessures de sa vie. Impossible d'y échapper. Ceux qui sont morts, ils sont morts ; ceux qui ont survécu, ils sont cicatrisés, ils portent les cicatrices de leurs deuils. Pour ma part, je n'ai pas perdu d'enfant. Est-ce que je serais capable de survivre à cette épreuve ? Je l'ignore, mais je sais que je n'arriverais pas à refermer la plaie de la perte d'un enfant. J'ai perdu ma femme à un moment de ma vie où normalement on ne perd pas son épouse : elle est morte trop jeune. Je ne l'ai pas oubliée et je ne serai jamais consolé de sa mort.

Il y a une autre dimension dont nous n'avons pas encore parlé : c'est la souffrance. La mort est une chose, la souffrance en est une autre. N'importe qui le dira spontanément : « Moi, je n'ai pas peur de mourir, mais je ne veux pas souffrir. » Il y a beaucoup de sagesse là-dedans. Mon épouse est décédée, comme ça arrive très souvent, au terme d'une très longue maladie. Dans les pages nécrologiques, on voit d'ailleurs souvent les mots : « Après un long combat contre la maladie... » Derrière cette phrase, il y a tellement de souffrance. Quand je lis dans le journal : « Après un long combat, un courageux combat contre... l'être cher est décédé », il m'arrive de m'exclamer : « Ah ! Mon Dieu ! Mon Dieu ! » Dans le cas de ma femme, ce fut terrible. Cela a duré de douze à treize ans. Cinq cancers différents. Le cauchemar le plus total. Mais c'est de la souffrance que je me souviens le plus. De l'angoisse et de la souffrance, physique et mentale, d'être aux prises avec un monstre vingt-quatre heures par jour, sept jours par semaine. La mort peut être parfois une libération. Le matin de la mort de mon épouse, j'étais tellement content, content qu'elle soit partie – je suis certain que plusieurs personnes comprennent ce que je veux dire –, j'étais content de savoir qu'elle avait franchi le seuil, que c'était fini, qu'elle s'était libérée de cette angoisse. Je l'imagine encore, je l'imagine toujours en paix. Elle avait la paix, elle avait la non-souffrance.

Il ne faut jamais se moquer des phrases toutes faites, des clichés de ceux qui restent. Dans le domaine de la mort, les clichés sont très puissants. C'est dur pour ceux qui restent. Ceux qui restent vivent avec leur bagage de pertes. Ce que j'ai appris, comme philosophie de vie, c'est de m'accommoder de la perte, de charrier ma poche de pertes. Les gens qui vivent longtemps portent le poids de tous ceux qu'ils ont perdus : plus nous vivons longtemps, plus nous risquons de perdre des proches... Qui vit jusqu'à 99 ans risque fort d'aller à l'enterrement de sa fille, ce qui lui sera d'autant plus pénible qu'il y a, « naturellement », un ordre à suivre. Une mort survenue « trop tôt » est dure à avaler, c'est certain. Il est déjà difficile de vivre et de mourir, alors, quand l'ordre s'inverse ça devient insupportable. Le pire des drames qu'on puisse imaginer, c'est la mort de ses enfants. Les enfants qui meurent avant les parents, je ne vois rien de pire en matière d'épreuve et de philosophie. Personnellement, je pense que je m'enfoncerais dans un corridor d'autisme. En fait, j'ignore ce que je ferais.

La mort de ses pairs, la mort de son épouse, de ses frères et sœurs, de ses amis, c'est déjà difficile – surtout quand elle est prématurée, quand elle arrive avant l'heure. Mais toute perte, quand elle survient, laisse un vide que rien ne peut combler. Il faut s'habituer à vivre avec le fait que cela est naturel. Je viens de perdre mon meilleur ami, mais c'est tellement naturel ! Cela se fait tout seul. La frontière entre « Je meurs » et « Je ne meurs pas » est si facile à traverser ! C'est une nouvelle, une information, un échange, un coup de téléphone. Bernard et moi, nous nous téléphonions tous les deux ou trois jours. Nous commentions les sports, la politique et le reste. Nous avions cette habitude, comme deux bons vieux amis finalement. Il était à Québec, j'étais à Montréal et nous avons très fréquemment travaillé ensemble. Nous nous appelions pour échanger à propos de tout et de rien. Un jour, il a téléphoné et il a dit : « Sais-tu quoi ? Je vais mourir. » Dès cet instant, je me suis retrouvé de l'autre côté.

Les gens qui vont mourir disent toujours qu'il y a deux communautés : la communauté des vivants et la communauté de ceux qui sont entrés dans le corridor de la mort. On ne fait plus partie du monde quand on sait qu'on va mourir parce qu'on parle avec quelqu'un qui va vivre, alors qu'on fait partie de ceux qui vont mourir. En philosophie – *Mors certa hora incerta* : La mort est certaine, l'heure est incertaine –, c'est le contrat, c'est ce qui est entendu, ce qui est prévu. Quand la mort est *certa* et qu'il en va de même de l'*hora*, cela signifie « condamné à mort ». On peut être condamné à mort pour un crime qu'on a commis et savoir qu'à dix heures, le 22 novembre, on y passera. Alors, en regardant la télé en soirée dans sa cellule, on se dit : « Je ne verrai pas la conclusion du téléroman parce que la saison commence à peine et ils vont m'exécuter avant la fin ! » C'est le cas des condamnés à mort, c'est typique. Pour une personne atteinte d'une maladie fatale, c'est plutôt : « Vous avez six mois. Faites vos bagages. Pensez-y ! » Il y a un monde entre les deux situations : celle de connaître l'heure et celle de ne pas la connaître. À compter de là, on participe d'une autre communauté. Et cela, même quand les choses sont « normales » – je le sais pour avoir vécu la mort de mon père qui était un philosophe et qui est mort à terme.

Mon père est mort normalement, d'une mort naturelle. Il avait vécu sa vie. Il est mort à 82 ans. Il avait sa petite théorie là-dessus. Il n'était pas éduqué, ce n'était pas un lettré ; c'était un philosophe traditionnel, des temps immémoriaux. Mon père disait toujours : « Nous sommes programmés pour vivre 75 ans. Si tu meurs avant, c'est trop tôt. Si tu meurs après, c'est un bonus. » Alors, il ne considérait pas comme acquis qu'il vivrait indéfiniment. Ça faisait partie de sa vie, il en parlait tout le temps. Lorsqu'il a eu 75 ans, il était tout content. Cet anniversaire, il l'a souligné en disant : « Je m'y suis rendu ! Je l'ai fait ! Maintenant, je peux partir. » Mais il ne s'est pas donné la mort. C'était un homme d'humeur joviale, un homme positif, qui n'était pas malade. Alors, il répétait : « Je suis entré dans mon bonus ! » À partir de 75 ans, il nous disait souvent : « Je suis prêt à partir, maintenant ; je suis dans mon bonus ! Pas de problème, je peux partir n'importe quand. Je suis prêt à mourir ! » Il s'est écoulé sept ans. Il n'avait jamais été malade, il n'avait pas de dossier médical, pas même de médecin. C'était vraiment un homme de la société traditionnelle. Il a fait un premier infarctus à 82 ans. J'étais présent et je l'ai conduit à l'hôpital. Pendant le trajet en voiture, il était très souffrant, mais, lorsque je l'avais aidé à monter dans la voiture pour le conduire à l'urgence, il n'arrêtait pas de répéter : « Je suis prêt, Serge, je suis prêt. Je suis prêt à mourir, je te le dis, je suis prêt. » Pourtant, c'est très souffrant, un infarctus. Et il continuait de répéter : « Je suis prêt à mourir. » Il était conscient qu'il était en train de mourir d'une crise cardiaque. Alors, je l'ai installé dans la voiture, j'ai démarré. Nous nous rapprochions de l'hôpital, et à un moment donné, je l'ai vu tout recroquevillé, plus souffrant encore, et il m'a dit : « Va plus vite, va plus vite, je ne suis pas prêt, je ne suis pas prêt ! » Et dans ce drame qui se jouait, je n'ai pu m'empêcher de rire. Je conduisais et je rigolais.

On n'est jamais prêt, jamais. Lui qui avait tant répété : « Je suis prêt, je suis prêt ! » a dû se mettre à réfléchir un peu et se dire : « Si je pouvais faire encore un petit bout... » Je l'ai sauvé – enfin, pas moi, mais la médecine l'a sauvé. Ce jour-là, je l'ai amené à temps. Un peu plus tard, il est mort pour de bon d'un infarctus. Mais même quand cela arrive au moment approprié, même quand on est bien résolu, on voudrait pouvoir acheter encore un petit peu de temps. Somme toute, ce n'est jamais le temps de mourir, jamais. Personnellement, j'ai vécu des drames, mais je les considère comme normaux, car je vois ce qui arrive aux autres. Tous les jours, des gens meurent, et meurent trop jeunes : c'est une épouse ou un ami qui meurt soit de maladie soit dans un accident. Cela fait partie de la vie. La philosophie, ce serait de se dire : « Impossible de vivre quatre-vingts ou quatre-vingt-dix ans sans se charger d'un lourd bagage. Seuls les plus chanceux arriveront peut-être à ne perdre ni amis ni enfants. »

La meilleure façon de ne pas souffrir, c'est évidemment de ne pas s'attacher. Il n'y a pas meilleure recette. Si tu n'aimes pas ta femme, sa perte te coûtera moins cher, elle pourrait même te rapporter. Cela vaut aussi pour les amis. Aujourd'hui, en 2009 – j'ai failli dire en 1900, je me fais vieux –, réussir sa vie, c'est n'avoir personne à son enterrement et personne pour pleurer sa mort. Alors, on ne fait de peine à personne. Un autre souci est associé à l'angoisse de la mort, un autre problème qu'on n'a pas abordé – que les femmes, les mères connaissent, mais aussi les pères –, c'est la responsabilité qui est rattachée à la mort. On ne veut pas mourir, et c'est pour les autres qu'on ne veut pas mourir. Quand on aime beaucoup les autres, on veut leur épargner cela. C'est terrible : on veut l'assentiment des autres. Et c'est ce que je vis moi-même. Je ne veux pas mourir maintenant. Ce n'est pas que je refuse en soi de mourir, mais je ne veux pas mourir maintenant parce que j'ai une fille de 8 ans. Je ne voudrais pas avoir à lui dire : « Écoute, papa s'en va. » Si j'ai à le lui dire, je souhaite qu'elle me réponde : « Va-t'en, papa, ça va aller ! » C'est un très gros problème à régler. Quand une maman va mourir, avec ses enfants, c'est l'horreur. Quand ma femme se mourait, elle ne pensait qu'à cela, elle répétait sans cesse : « Mon fils, mon fils ! » Elle ne pensait pas à elle, elle ne pensait pas à sa mort, non, elle se demandait : « Mais qu'est-ce qu'il va faire ? Qu'est-ce qu'il va devenir ? » Et quand son fils lui a dit qu'elle pouvait s'en aller, le problème était réglé à quatre-vingt-dix-neuf pour cent.

Nous n'avons pas fini d'écrire des romans, d'écrire des pièces de théâtre, nous n'avons pas fini d'écrire de la philosophie parce que nous ne la trouvons pas, et nous ne la trouverons pas, la réponse définitive, la solution, l'explication… C'est notre vécu dans toute son épaisseur, la texture, le tissu de la condition humaine. Le pire dans tout cela, c'est le fait d'être conscient. Parfois, je rêve d'être un imbécile.

Le deuil se retravaille
durant toute la vie.

Nadine Beauthéac

Nadine Beauthéac est psychothérapeute spécialisée dans l'accompagnement du deuil et administratrice de l'association Vivre son deuil – Paris – Île-de-France. Elle a été animatrice de groupes d'entraide pour les parents endeuillés dans les associations Naître et Vivre – Délégation Île-de-France – ainsi que Choisir l'espoir/Apprivoiser l'absence. Depuis neuf ans, elle est aussi consultante auprès d'un groupe funéraire et participe à de nombreuses conférences. Elle donne un cours chaque année sur le deuil au diplôme universitaire de Soins palliatifs de la Faculté de médecine d'Amiens.

Elle a participé en tant que coauteur à plusieurs ouvrages collectifs et a publié deux livres personnels: Le Deuil – Comment y faire face? Comment le surmonter? *(Paris, Seuil, 2002) et* Hommes et femmes face au deuil, Regards croisés sur le chagrin *(Paris, Albin Michel, 2008). Dans cette recherche, à partir de la parole des endeuillés, elle met en évidence que la perte d'un être cher opère trop souvent une séparation dans les couples et les familles, qui doit être dépassée pour favoriser ensuite le resserrement des liens. Car apprivoiser l'absence, dans sa lenteur, mène à l'approfondissement de l'amour dans ce qu'il a de plus authentique.*

Son prochain livre paraîtra chez Albin Michel en septembre 2010.

Nadine Beauthéac

Nadine Beauthéac, on ne semble pas, aujourd'hui, reconnaître l'importance du deuil et la nécessité de le vivre. Pourtant, la mort d'un proche ne déclenche-t-elle pas ce que vous appelez une crise de vie, dont on ne prend même pas conscience?

Effectivement on ne connaît pas l'importance du deuil en France, et c'est quelque chose de très étrange dans la mesure où nous sommes tous, à un moment donné, confrontés au deuil. Nous n'y sommes pas confrontés, bien sûr, au même âge ni avec la même violence. Des vies sont, je dirais, plus protégées que d'autres par rapport au deuil. Mais ce que je trouve, de fait, très étonnant, c'est que le deuil – du moins, dans mon pays, et cela, jusqu'à ces dernières années – n'était pas du tout pris en compte. Nous souffrons lorsque nous perdons ceux que nous aimons, et cette souffrance entraîne des moments extrêmement difficiles, voire des transformations totales de notre vie. Il a fallu un travail très important de la part des associations qui accueillent les endeuillés pour que se diffuse enfin peu à peu la pensée que traverser cette crise de vie prend du temps et ne se fait pas en trois ou six mois. Je pense qu'il y a en ce sens – outre la méconnaissance de la société, j'allais dire de manière générale – une grande responsabilité pour ceux que j'appellerais les soignants, ou même pour le corps médical. J'ai essayé, dans mon livre, d'analyser cela ou, du moins, de faire état des études que j'ai pu consulter sur le sujet. Je cite par exemple Martine Lussier, une psychanalyste qui a écrit sur la question et dont les propos me semblent tout à fait justes. Je cite longuement son analyse car je partage tout à fait son avis, et je crois, comme elle, que les médecins généralistes, qui rencontrent à un moment ou à un autre des endeuillés dans leur cabinet, occupent vraiment un poste clé pour transmettre une parole sur le deuil. Or ils sont beaucoup trop influencés par les deux classifications des maladies : celle de l'Organisation mondiale de la santé (OMS) et celle établie aux États-Unis par le *Diagnostic and Statistical Manual of Mental Disorders (DSM)* de l'American Psychiatric Association. Selon le *DSM*, si l'on en croit la dernière version mise à jour, le deuil qui perdure au-delà de deux mois, la souffrance du deuil qui persiste au-delà de deux mois, seraient pathologiques et à traiter avec des antidépresseurs. Devant une telle norme, j'ai éprouvé une grande révolte parce que, aussi bien dans mon vécu personnel que dans ma pratique depuis vingt ans maintenant auprès des endeuillés – d'abord sous la forme de l'écoute de groupes d'entraide et, depuis plusieurs années, de personnes reçues en séances individuelles de thérapie –, j'ai pu constater qu'évoluer dans la souffrance du deuil exige de chacun de nous de nombreux mois de travail interne, parfois même, le plus souvent, plusieurs années.

Se remet-on jamais de la perte d'un enfant, d'un conjoint ?

Je suis très sensible au vocabulaire autour du deuil. À force d'entendre des endeuillés, il y a des expressions que je ne peux plus employer, qui me gênent beaucoup lorsque je les entends. Parmi ces expressions, il y a : « On s'en remet » et « On ne s'en remet pas ». Pour simplifier, je vous répondrais : oui, je crois que l'on s'en « remet » parce que les expériences de gens autour de moi et d'endeuillés que j'ai accompagnés en témoignent. Oui, bien sûr, « on se remet » de la perte d'un enfant comme on peut se remettre de la perte d'un conjoint – et j'ajouterais : heureusement ! Parce que, si nous ne nous « remettions » jamais de « nos » morts, où serions-nous ? Pour beaucoup d'entre nous, nous serions déjà morts. Je crois, pour ma part, qu'il ne s'agit pas de s'en remettre ou de ne pas s'en remettre. Il s'agit d'être pour chacun à l'écoute de ce qu'il ressent, de ce que son deuil lui enseigne, et de voir comment il apprivoise l'absence de son défunt, comment chacun se transforme dans une évolution qui l'amène à être différent de ce qu'il était avant la mort de son être cher. Mais le deuil se retravaille durant toute la vie. Tout à l'heure, j'étais en séance d'accompagnement d'une jeune femme, veuve depuis quatre ans et demi, qui n'a pas encore la cinquantaine (elle a 48 ans). Cette femme me disait justement: « Nadine, en ce moment, je ne me reconnais pas. » Je crois que tous les endeuillés, à un moment donné, disent: « Je ne me reconnais plus. » Ou alors: « Je n'ai plus les mêmes goûts qu'avant. Je n'ai plus les mêmes priorités dans la vie. J'ai envie de changer des choses dans ma vie. » La mort de celui, de celle que j'aime – qu'il s'agisse de mon enfant, de mon conjoint, de mon père ou de ma mère, de mon frère ou de ma sœur –, cette mort-là me change. Et c'est pour cela que ces phrases – « Est-ce qu'on s'en remet ? » ou « Est-ce qu'on ne s'en remet pas ? » – ne veulent rien dire pour moi. Cela vaut aussi pour l'expression « faire le deuil » que je suis incapable d'employer parce qu'on ne fait pas le deuil une fois pour toutes ! C'est d'ailleurs mon grand « cheval de bataille ». Oui, un jour, pour la plupart des endeuillés, on se transforme et on peut vivre sans son défunt, pari qui semblait impossible au départ.

Le deuil est un processus qui commence, selon moi, avec « le temps du choc » au moment où nous apprenons la mort de quelqu'un que nous aimons, quelqu'un d'important affectivement dans notre vie. Je parle en termes de temps du deuil et non en termes de phases ou d'étapes: au temps du choc qui peut être long, de l'ordre de plusieurs mois, succède ce que je nomme « le temps de la grande souffrance », qui est le cœur même, à mon sens, de l'évolution de la souffrance du deuil, le temps où explosent les ressentis émotionnels, la colère, la culpabilité, le sentiment d'injustice, la détresse, etc. Ce deuxième temps peut prendre plusieurs années. Je vois souvent les choses évoluer au bout de quatre à six ans. Arrive alors un nouveau temps que j'appelle « le deuil cyclique et intermittent », et ce temps-là n'a pas de fin ! Je pars de mon vécu personnel, de ce que j'entends dans les groupes d'entraide et dans les séances de thérapie. Personnellement, je ne peux pas imaginer que le jour de ma mort, si je dispose d'une fraction de seconde pour me voir mourir, même si ce devait être dans trente ans – alors que je suis veuve depuis quinze ans de mon premier conjoint, que ma fille née de cette union est décédée voilà vingt-sept ans, que j'ai reconstruit ma vie, qu'il y a depuis un autre homme dans ma vie, qui a des enfants et des petits-enfants dont je suis proche –, je ne peux donc pas imaginer qu'il me sera possible de mourir sans avoir une pensée pour mon premier mari et mon bébé, ma fille décédée. Donc, pour moi, ce temps du deuil cyclique et intermittent qui nous fait souffrir toujours de l'absence de notre défunt lors de cycles (Noël, dates anniversaires, etc.) et lors d'intermittences, c'est-à-dire apparemment sans raison, ce temps n'a pas de fin, notre deuil est en constante évolution. Être à six ans de la mort d'un être aimé n'est pas la même chose qu'être à quinze ans. Trente ans plus tard, c'est encore différent. Quotidiennement, des personnes en font le constat devant moi, qui me parlent de la perte d'un des leurs, il y a trente ans, il y a trente-cinq ans, qui pleurent encore ou qui éprouvent encore une pointe de colère ou de nostalgie. Est-ce que cela, c'est de l'ordre du pathologique ? Je ne le crois pas du tout. Bien sûr que, pour moi, cela n'est pas pathologique. C'est une méconnaissance totale du deuil que d'avoir pensé que l'on « tournait la page »par exemple, et du reste Freud l'a tout à fait bien dit. Et tant d'autres comme Melanie Klein, John Bowlby.

Dans chacun de mes livres, j'aime bien transmettre des témoignages d'endeuillés que je recueille spécifiquement alors même que je suis en train d'écrire. Je ne bricole pas des histoires à partir de témoignages entendus par le passé. Je pars, chaque fois, de nouveaux témoignages parce que j'y trouve tout simplement un enseignement sur le deuil. Ainsi, dans mon plus récent livre, *Hommes et femmes face au deuil*, il est question de jeunes parents en deuil d'un bébé, de parents (d'âges différents) d'enfants décédés à des âges différents, de veufs et de veuves à des âges aussi très divers. Mon intérêt était de montrer ce que cela signifie d'être veuf à 35 ans, à 45 ans. Qu'est-ce que cela signifie que d'être veuve à 80 ans et d'avoir, en outre, successivement perdu, par exemple comme une endeuillée que j'ai accompagnée, ses quatre enfants ? On voit bien que toutes ces histoires, tous ces deuils, nous emmènent ailleurs, vers quelque chose de différent. On ne peut « retourner à la vie » de la même manière, vivre comme s'il ne s'était rien passé.

Alors, y a-t-il une « bonne » ou une « mauvaise » manière de traverser un deuil, de vivre un deuil ? Il y a quelques années, j'aurais peut-être répondu oui. J'aurais dit : « Oui, pour moi, il y a une bonne manière qui est d'être à l'écoute de ce qu'on ressent, de ne pas chercher à mettre ses émotions de côté parce que, si on les met de côté, on les domine, on ne les "intègre" pas. Il s'agit de processus psychiques complètement différents. Quand on domine ou maîtrise sa souffrance du deuil, on empile les ressentis comme dans une "cocotte minute" qui finira un jour par exploser, pour reprendre l'image proposée par le psychothérapeute québécois Gilles Deslauriers. » J'aurais certainement dit cela autrefois.

Maintenant, ma pratique s'affinant toujours, je dirais que non. Je ne pense pas qu'il y ait une « bonne » ou une « mauvaise » manière de procéder. Chacun vit comme il peut son deuil. Je crois que nous ne vivons certainement pas nos deuils comme nous le voulons. Chacun vit le deuil par rapport à son histoire d'enfant, par rapport aussi à l'adulte qu'il est devenu, par rapport au contexte dans lequel il se trouve. Est-il très entouré affectivement ? Est-il, au contraire, délaissé ? Quand on est très entouré, on a des appuis affectifs pour exprimer ses émotions et retourner au travail le lendemain. Quand son mode de vie fait que les amis s'éloignent, quand on n'a pas beaucoup de famille ou qu'on a peut-être un tempérament un peu plus solitaire, on est davantage tenté de dominer son deuil que de l'intégrer. Le deuil est une crise de vie puisque cette souffrance engendre des changements de pensées, de comportements. Pour traverser cette crise de vie, se documenter sur le deuil, prendre des repères, aller dans une association, peuvent être une « bonne » manière, mais l'endeuillé qui reste seul avec son deuil peut très bien aussi avancer. Ce que je perçois quand même, et cela est très intéressant, c'est que, de toute façon, les deuils se travaillent dans le temps : « ce qu'on n'a pas fait » à tel moment, parce qu'on n'a pas pu émotionnellement, un autre moment de la vie et d'autres expériences nous amèneront à y réfléchir et à évoluer.

Tout à l'heure encore, je recevais en accompagnement une personne dont c'était la première visite. J'ai été un peu submergée, je dois dire, par son histoire ponctuée de plusieurs deuils restés en suspens, notamment celui d'une sœur qui remonte loin dans le temps. J'ai eu l'impression très nette que cette femme, à la mort de sa sœur, qui était encore jeune et mère d'un enfant en bas âge, a décidé de vouer sa vie à cet enfant. Elle l'a pris avec elle – en l'absence d'un père réel qui avait été plutôt un géniteur ponctuel – pour l'élever avec le fils qu'elle avait déjà elle-même. Et puis, il y a quelques mois, voilà que la maman de cette femme meurt à son tour. Parce que sa mère meurt, que sa vie est différente, que les enfants ont grandi, qu'elle a pu stabiliser une situation professionnelle en devenant fonctionnaire, voilà que, d'un seul coup, cette femme a envie non seulement de parler de la mort de sa mère, mais de revenir sur la mort de sa sœur. Je découvrirai, dans les semaines à venir, où elle en est du deuil de sa sœur, mais *a priori* je ne dirais pas qu'elle n'a pas fait ce deuil dans le passé. Il semble par contre être en suspens, en attente d'élaboration. Vous voyez à quel point ces expressions – « Faire le deuil », « Ne pas faire le deuil » – ne correspondent vraiment à rien. Cette femme a traversé le chagrin de la mort de sa sœur, à l'âge qu'elle avait à l'époque. Maintenant, elle a 52 ans ; c'est un autre temps de sa vie, il y a des émotions nouvelles qui viennent.

Dans l'accompagnement du deuil, en tant que psychothérapeute, mon objectif est double. D'abord, il s'agit pour moi d'apporter des éléments du cadre théorique du deuil, d'informer l'endeuillé sur les idées fausses auxquelles il a pu adhérer ou qui ont pu lui être dictées. Combien d'endeuillés arrivent en se culpabilisant, en disant par exemple : « Je viens vous voir parce qu'on m'a parlé de vous. Ça fait huit mois que mon mari est décédé et je mets son assiette sur la table encore tous les jours. Je ne suis pas normale, je deviens folle. »

Cela me paraît important d'apprendre à la personne que ce qu'elle entend sur le deuil, à l'extérieur d'une association spécialisée ou d'un entretien avec un thérapeute expert en ce domaine, peut hélas être tout à fait faux, que beaucoup d'erreurs continuent d'être véhiculées de nos jours, que tout ce qui concerne la recherche sur le deuil est récent en France. En séance de suivi de deuil, nous chercherons à comprendre ensemble – thérapeute et endeuillé – ce qui l'incite à mettre sur la table l'assiette de son mari, huit mois après son décès. Mon premier objectif est de faire comprendre à l'endeuillé qu'il est normal de souffrir beaucoup, et que la violence de cette souffrance entraîne parfois l'endeuillé à se sentir aux limites du supportable et donc de croire qu'il va sombrer dans ce qu'il appelle la folie. Et mon deuxième objectif est ensuite, dans cet accompagnement par le verbal, par des exercices – je pratique beaucoup les visualisations – et par un travail de relaxation si nécessaire, de permettre à la personne d'avancer dans ses émotions, pour faire évoluer petit à petit ce chagrin. Que l'endeuillé puisse peu à peu passer de la « grande souffrance » au deuil« cyclique et intermittent ».

On perçoit déjà, à partir de cet exemple, que dire, c'est se reconstruire. Je l'ai beaucoup constaté, au départ, dans les groupes d'entraide, mais aussi dans mon propre vécu. Les groupes d'entraide que j'ai animés durant dix ans en milieu associatif se composaient d'hommes et de femmes d'une dizaine de personnes qui ne se connaissaient pas, mais qui avaient toutes perdu un bébé. Il était très intéressant pour moi de voir, dès la première réunion, chacune d'elles prendre la parole pour raconter ce qui lui était arrivé : c'était la première fois que la personne – homme ou femme – n'était pas interrompue et qu'elle pouvait se remémorer ce qu'elle avait vécu au moment où on lui avait annoncé le décès, ou bien au moment où elle était entrée dans la pièce et avait vu que le bébé ne respirait plus et qu'était arrivé le Service d'aide médicale d'urgence (SAMU). Ce récit permet à la personne de reprendre effectivement la maîtrise de son histoire personnelle qui avait été pulvérisée par le choc de l'événement. Il est très révélateur de voir comment les personnes se racontent, hésitent dans leur mémoire blessée, rétablissent les choses pour elles-mêmes : « Alors ça s'est passé comme ça, puis il s'est passé ça, puis encore... » Ou bien : « Non, c'était pas comme ça. Ah, non, non ! Finalement, ce n'était pas du tout comme ça. Là, je me suis trompé. Il s'est plutôt passé ceci, cela me revient. » Une chronologie se définit à nouveau, une mémoire se met en place et quelque chose de la confusion entraînée par le choc de la mort peut déjà s'estomper.

J'ai appris beaucoup sur ce sujet de Boris Cyrulnik. Je ne le connais pas personnellement, mais j'ai lu plusieurs de ses ouvrages et j'ai vu comment, en tant que psychiatre et psychanalyste, il explique que le récit permet effectivement à chacun de reconstituer, à sa manière à soi, ce qui est arrivé. Quand on vit un événement, on le vit tout à la fois de l'extérieur, mais aussi de l'intérieur. Le vécu intérieur est beaucoup nié par l'entourage : « Tu es idiot de ressentir ça ! » ou encore : « Tu devrais penser autrement. » Le raconter à d'autres capables d'écouter permet effectivement de dire : « Voilà. Il s'est passé ça dans la réalité extérieure, et moi j'ai ressenti ça à ce moment-là. Et le fait que je ressente ça a entraîné ceci et cela dans ma vie. » À ce moment-là, une unité de la personne, détruite par le choc de l'événement, se reconstruit effectivement. L'unité retrouvée de la personne va lui permettre de continuer à faire évoluer ses émotions et de se transformer. Pour moi, le terme « reconstruction » est moins important que « transformation » parce que je crois que la personnalité de chacun se transforme profondément par le vécu du deuil.

Le témoignage prend une place importante dans mes préoccupations de recherche sur le deuil. J'ai reçu une formation littéraire, il y a fort longtemps, et j'ai donc toujours eu un goût pour les livres. C'est à travers eux que j'ai recherché autrefois un savoir sur le deuil. Je me suis donc toujours tenue au fait de la littérature en France sur le sujet. Et il a été important pour mon histoire personnelle de deuil de lire les premiers témoignages publiés en France.

Il y a eu le livre de Philippe Forest, *L'enfant éternel*, en 1993 – si je me trompe d'un an ou deux, j'espère que l'auteur me le pardonnera –, sur la mort de sa fille Pauline, décédée d'un cancer à quatre ou cinq ans. Cet homme, un écrivain, écrit là très simplement un premier récit très fort, suivi d'autres, qu'il qualifie tous de « romans », et qui relatent ce qu'a été la maladie de sa fille, puis ce qu'a été pour lui et pour son épouse sa mort, les premiers temps de deuil et, plus tard, ce que c'est que dix années de deuil. Ce que cet homme a écrit reste pour moi un témoignage extraordinaire. La lecture d'un tel livre aide tous les endeuillés. Il faut un vrai courage pour mettre ainsi à nu ses émotions – dans une société qui nous veut au contraire pudiques – avec le talent d'un véritable écrivain qui sait à la fois choisir les mots, mais, en outre, fort bien s'analyser.

Il y a Bernard Chambaz, enseignant et écrivain aussi, auteur de *Martin cet été*, un livre sur la mort de son fils de 17 ans. Sans oublier Geneviève Jurgensen qui a écrit *La Disparition* sur la mort de ses deux fillettes dans le même accident de voiture. Ces témoignages ont été, pour moi, d'autant plus importants qu'on n'en avait pas en France. Il faut remonter au XIXe siècle pour cela. À Victor Hugo, qui a témoigné de son vécu à la mort de sa fille Léopoldine, et à Mallarmé, qui a témoigné aussi de son chagrin lors de la perte de son fils Anatole. Je cite leurs paroles d'ailleurs dans mon livre, toute la connaissance du deuil est là. Ces témoignages de Victor Hugo et de Mallarmé ont montré la voie, je pense, aux écrivains d'aujourd'hui. Les témoignages de Philippe Forest, de Geneviève Jurgensen, de Bernard Chambaz sont, pour moi, une écriture capitale. Ils ont été une parole capitale pour ma propre histoire, pour une meilleure compréhension de moi-même, ils m'ont permis d'établir une concordance entre ce que j'ai vécu et ce que d'autres disaient qu'ils avaient aussi vécu. Et je constate à quel point ces livres sont d'un secours encore précieux pour les endeuillés que je rencontre.

Si on veut tracer une histoire du témoignage dans le domaine du deuil en France, de ces témoignages donnés par des écrivains parfois célèbres, on passe – et mes livres se situent dans cette continuité – à des témoignages de personnes anonymes ou inconnues, pour moi des témoignages de personnes de mon univers professionnel ou de mon entourage de connaissances. Mon dernier livre en présente vingt-deux : onze témoignages d'hommes et autant de femmes. J'ai volontairement assuré une représentation égale des hommes et des femmes puisque l'ouvrage traite des différences de vécu du deuil en fonction du sexe. Le lecteur découvre la réalité du deuil dans ces témoignages. Et je considère que c'est de cette parole-là, de la parole du témoignage, de la parole de ceux qui ont vécu cette expérience, qu'on peut se risquer, après coup, à des classifications et à une typologie, mais pas avant. Et la parole médicale sur ce sujet ne peut pas, de mon point de vue, s'exercer sans partir de la parole des endeuillés. Quand les organisateurs d'une norme médicale décrètent que « ça prend deux mois », ils ne savent pas de quoi ils parlent. Et l'on peut légitimement se demander comment de telles normes peuvent-elles être promulguées.

D'où l'importance de témoigner, de raconter. C'est grâce à la parole des endeuillés en groupes d'entraide, année après année, que j'ai pu noter qu'il existe des différences entre les femmes et les hommes. Souvent, les hommes ne pleurent pas, ou peu, et ne parlent pas de leur chagrin. J'ai été étonnée, les deux ou trois premières années, de voir se répéter le même scénario. D'abord c'était, en règle générale, la femme qui venait à l'association. Parfois, c'était le mari qui avait téléphoné, mais parce que sa conjointe le lui avait demandé, parce qu'elle-même ne se sentait pas la force de passer le coup de fil. Alors, homme et femme arrivaient à l'association après avoir demandé un rendez-vous, et c'était elle qui parlait pendant trois quarts d'heure. Lui, de son côté, opinait du chef. On voyait qu'il était d'accord avec certaines choses, et pas d'accord avec d'autres. Au cours de ce premier entretien, avant l'intégration dans le groupe d'entraide, j'essayais de m'adresser à l'homme pour lui demander ce qu'il en pensait, lui, de tout cela. Il disait généralement :

« Écoutez, moi, je suis venu à l'association parce que ma femme me dit qu'elle, elle en a envie ; elle, elle en a besoin ; elle, elle trouve ça intéressant. Avec ce qu'on vit, si moi je ne viens pas, elle est en train de me dire – et je le pense aussi – qu'on va voir se creuser un fossé entre nous et qu'il y a déjà assez de choses difficiles à la maison. Après tout, pourquoi pas venir à l'association ? » C'étaient toujours les femmes qui demandaient à venir. Les maris s'exécutaient, si je peux dire, bon gré, mal gré.

Puis, aux réunions du groupe, vers la troisième ou la quatrième réunion – assez vite, donc ! –, une fois que la confiance s'était constituée, que chacun avait raconté, pendant les deux premières rencontres, le récit de ce qui lui était arrivé, il y avait toujours une femme qui lâchait : « Écoutez, moi, je craque. Il y a quelque chose qu'il faut que je vous dise. C'est très dur ! » Souvent tombait alors cette phrase : « Je crois que j'ai épousé un monstre. » Le « monstre » était là – la plupart du temps, mais parfois des mères viennent seules, le mari ne veut pas suivre –, dans le cercle du groupe. Alors, la coanimatrice et moi relancions : « Que veux tu dire exactement ? Pourquoi penses-tu que ton mari est un monstre ? » Et elle répondait : « C'est un monstre parce que je vois bien qu'il ne souffre pas de la même manière que moi. Du reste je me demande s'il souffre. Je le vois assez insensible. Moi, je souffre beaucoup plus que lui de la mort de notre bébé. On sait bien, c'était un bébé… Est-ce que ça voudrait dire que finalement les pères deviennent pères seulement quand l'enfant est plus grand ? Est-ce que c'est ça ? » Nous distribuions alors la parole plus largement : « Et vous, les autres femmes, est-ce que vous avez quelque chose à dire sur ce sujet ? » À ce moment-là, elles répondaient toutes à tour de rôle : « Oui, effectivement, je ne l'aurais peut-être pas dit comme ça, mais c'est vrai que je me rends compte, le soir lorsqu'on se retrouve, que moi je pleure beaucoup… J'ai envie de pleurer dans ses bras, et lui, à ce moment-là, il me dit : "Mais écoute ! Ça ne sert à rien de ressasser, il faut se tourner vers le futur !" » Toute la réunion devenait alors très riche d'échanges.

En règle générale, ce soir-là, les hommes écoutaient et ne disaient rien. J'étais surprise aussi de découvrir cela, à mes débuts dans l'accompagnement des groupes d'entraide. À la réunion suivante, c'était un des « monstres » qui décidait de prendre la parole : « Écoutez, la dernière fois on a dit ça et ça sur moi, ou sur le fait que je ne souffre pas suffisamment. On n'en a pas reparlé à la maison. Ce sont des choses dont on ne peut pas parler tous les deux comme ça. Mais ici, dans le groupe, j'ai envie de dire que je souffre beaucoup de la mort de mon bébé. Il me manque terriblement. Mais quand ma femme arrive et qu'on se retrouve le soir, que je la vois s'effondrer, alors, effectivement, je n'ai pas envie à ce moment-là qu'on sombre dans la dépression, je n'ai pas envie que, le lendemain, on ne puisse pas aller au travail. On a assez de problèmes comme ça à la maison, on ne va pas se retrouver en plus au chômage. Donc, effectivement, je lui dis : "Arrête de me tirer vers le bas !" parce que je sens qu'elle me tire vers le bas. »

Toujours, les mêmes expressions revenaient. La femme disait : « Mon mari est un monstre » ou « Mon mari n'aimait pas notre enfant, ne l'aimait pas autant que moi. » Et l'homme disait : « Moi, je n'ai pas envie qu'on me tire vers le bas, je n'ai pas envie d'aller vers la dépression. » Et alors, c'était extraordinaire, c'était même un « merveilleux malheur » – pour emprunter l'expression de Boris Cyrulnik – parce que s'engageaient des échanges absolument extraordinaires. J'ai toujours eu l'impression qu' à ces moments-là les hommes et les femmes se découvraient. Les femmes découvraient que leur mari avait un cœur et qu'il n'était pas simplement fait de bois ou de pierre comme elles le croyaient ! Il ne pleurait pas forcément à la maison, il ne pleurait pas forcément dans les bras de sa femme, mais il pouvait pleurer tout seul dans sa voiture ou il pouvait pleurer dans le garage. Et même s'il pleurait moins effectivement que la femme, il vivait une émotion très intense. Il éprouvait aussi beaucoup de colère et de culpabilité. Il avait un deuil masculin, un deuil vécu d'une manière différente de celui des femmes.

Les hommes comprenaient aussi quelque chose. Quand je revois des parents, et cela m'est arrivé pour des témoignages de revoir des parents qui étaient venus en groupe d'entraide, les hommes expliquent à quel point ils se sentaient alors dépassés par les larmes de leur femme, peut-être parce qu'ils étaient jeunes – c'étaient de jeunes hommes, entre 22-23 ans et 35-38 ans en moyenne, même si la mort d'un bébé peut frapper aussi un homme de 40 ans ou plus. En voyant couler les larmes de leur épouse, ils se culpabilisaient. Pour eux, cela signifiait qu'ils n'avaient pas fait tout ce qu'ils auraient dû, et comme ils se sentaient mal à l'aise avec cela, ils s'éloignaient de ces larmes. Ces moments où les hommes et les femmes se découvraient me sont apparus comme des instants très importants. Tout changeait pour eux.

Ce vécu a fait écho – je le dis dans l'introduction de mon livre – à ma propre histoire, au décès de mon propre bébé quand, avec mon premier mari, je ne pouvais pas communiquer... parce qu'il fuyait toute conversation concernant la mort de notre enfant. Mon mari et moi n'avons pu parler de la mort de notre bébé que quelques jours avant sa mort à lui puisque, malheureusement, il est décédé jeune, à 47 ans, d'un mélanome. C'est seulement quelques jours avant sa mort que nous avons pu parler de la mort de notre bébé. Parce qu'il était propulsé, de par sa maladie si inattendue, dans un questionnement psychologique : « Pourquoi la mort ? Pourquoi la maladie ? Pourquoi ça m'est arrivé ? Qu'est-ce que c'est que tout ça ? » Ce que j'ai appris dans les groupes d'entraide, personne ne me l'avait enseigné, aucun médecin ne me l'avait dit, aucun psychologue, aucun thérapeute. J'ai compris par l'écoute, dans cette parole que je recueillais en groupes d'entraide, que ce que j'avais vécu avec mon mari n'avait pas été un problème particulier à mon couple puisque c'était le problème de tous ces couples que je voyais année après année : il s'agissait vraiment d'une manière différente pour les hommes et les femmes de traverser le chagrin. C'est pour cela que, après un premier livre général sur le deuil – c'étaient les temps du deuil qui me taraudaient et le fait que le deuil ne dure pas seulement deux mois –, j'ai eu envie d'aborder le problème des différences entre les hommes et les femmes, c'était cela qui me paraissait ensuite le plus important.

Ces différences ne se manifestent pas que dans le deuil, bien sûr, elles sont présentes dans tout les registres de la vie. Je n'ai fait qu'adapter au deuil les découvertes générales sur les différences hommes-femmes. J'ai examiné les résultats des recherches de spécialistes qui ont approfondi divers domaines – le langage, la question des larmes – pour les appliquer au contexte du deuil. Ces différences se rencontrent dans la vie en général. Mais, au moment de la souffrance du deuil, les émotions sont exacerbées et les différences transparaissent de manière extrêmement violente, de telle façon qu'à ce moment-là, les hommes et les femmes qui ne se comprennent plus ont envie de se quitter. Cela aussi aura été le fruit de l'expérience des groupes d'entraide. À la fin du premier entretien avec un couple pour déterminer s'il voulait intégrer le groupe d'entraide, nous constations que presque tous les couples nous disaient : « Vous savez, c'est notre dernière chance. Au point où nous en sommes, de toute façon… On vient dans ce groupe parce qu'on se rend compte qu'on a fait une erreur et qu'on ne s'aime pas, qu'on ne s'aime plus. » Dans le groupe d'entraide, ils se rendaient compte qu'ils s'aimaient encore, qu'ils ne savaient simplement plus se comprendre. En dix ans, seuls deux couples se sont séparés finalement.

Je pense maintenant que les hommes et les femmes sont très différents, vraiment différents. C'est important de le dire parce que les hommes passent souvent pour des insensibles alors qu'ils ont seulement besoin de solitude. Ils ne ressentent pas la nécessité de tout verbaliser. La plupart des femmes ont au contraire ce grand besoin de s'exprimer par la parole, d'être accueillies dans une écoute. Généraliser est toujours très risqué… Il y a mille manières d'être un homme et d'être une femme. Mais le constat montre que nombreuses sont les femmes qui ont besoin de pouvoir partager leurs émotions par la parole, de pouvoir pleurer sans affoler leur entourage, de se mettre en colère. Alors que nombreux sont les hommes qui ont besoin de réfléchir à leur problème en silence. Et savoir cette différence, cela fait déjà tomber bien des murs, bien des incompréhensions. C'est pour cela que je me suis tournée vers les spécialistes du couple. J'ai puisé dans toutes leurs recherches pour montrer que les différences de comportements sont connues, et qu'il est important de les remettre dans le contexte du deuil.

La femme supporte très mal le silence de l'homme, elle l'interprète comme un éloignement d'elle. Souvent quand l'homme manifeste son besoin de solitude, la femme se sent trahie. À ce moment-là, elle pense: « Il ne m'aime pas, il ne m'aime plus. J'ai besoin qu'il vienne me rassurer sur le fait qu'il m'aime. » Cela n'est déjà pas facile à vivre pour une femme dans la vie « normale », quand elle va bien, c'est-à-dire quand il n'y a que les problèmes du quotidien et du travail, que les enfants sont vivants, qu'ils ne sont pas malades, que tout va bien dans sa vie. Mais quand survient un deuil et que la femme voit l'homme se retirer dans la solitude, c'est un arrachement pour elle, une angoisse, une souffrance terrible. La femme pense effectivement que l'homme s'éloigne d'elle.

Pour l'homme, la solitude est un refuge, l'action aussi, l'action dans le travail par exemple. J'ai cité dans mon ouvrage des exemples de personnes connues en France, comme le journaliste Patrick Poivre d'Arvor et le comédien Roland Giraud, parce que tout le monde a entendu parler de la mort de leurs filles. Ces deux hommes ont vécu le drame de voir leurs enfants mourir et Patrick Poivre d'Arvor a présenté le journal télévisé le soir des obsèques de sa fille, comme chaque soir. Et Roland Giraud a joué au théâtre, le soir où il a appris que deux corps retrouvés dans la région de la disparition de sa fille et de son amie étaient certainement leurs corps. Ce sont là pour moi deux exemples éloquents de la manière dont un homme utilise l'action pour garder la maîtrise de son chagrin, ce qu'une femme, ce que la plupart des femmes est incapable de faire. Lorsqu'une femme constate cette capacité chez l'homme, il lui est facile de porter des jugements:

« Il ne souffre pas autant que moi puisque, moi, je suis laminée et que je peux pas tenir debout pour en faire autant. » C'est justement cela qu'il faut comprendre : les hommes, par l'action, vont pouvoir prendre les heures, les jours ou les mois qui leur seront nécessaires pour se confronter à leur chagrin. Mais sur l'instant, ils ont besoin de garder la maîtrise, cela les aide.

Il existe une autre forme intéressante d'action des hommes, à ne pas minimiser, que j'appellerais « la diversion », c'est-à-dire ce à quoi s'occupent les hommes quand ils rentrent du travail. Après le repas du soir, la femme a souvent envie de prolonger ce moment de partage avec son mari ou son compagnon, d'avoir avec lui un échange verbal. Lui, dans le deuil, prend plutôt la tangente et s'adonne à une petite activité de diversion. Dans mon ouvrage, je présente le témoignage d'un couple dans la petite soixantaine, Alban et Hélène. Ils ont l'un et l'autre vécu des deuils dans leurs fratries adultes. Alban a d'abord perdu un frère, et, il y a un an, une sœur. Entre-temps, Hélène a perdu un frère. Quand je l'ai rencontrée et qu'elle m'a parlé de ces deuils, elle en venait à cette constatation extrêmement lucide – je voyais à quel point cela l'effrayait : « Finalement, si on ne se parle pas de ce qu'on ressent, on arrive à vivre des histoires complètement différentes alors qu'on habite sous le même toit. » Alban, lui, quand je l'ai rencontré – parce que ce qui est intéressant, c'est de pouvoir rencontrer l'homme et la femme du couple puisque chacun raconte les deuils des mêmes personnes, mais avec son vécu intime –, a eu cette phrase : « Moi, plus je suis tranquille dans ma coquille, mieux c'est pour traverser mes deuils. » Je parle aussi dans mon livre de Laurence et Pascal, marqués par le très grand chagrin d'avoir vu un de leurs deux enfants, un fils, se suicider à l'âge de dix-huit ans. Laurence m'a dit à propos de leurs vécus de deuil : « Je me sentais aux antipodes de mon mari. » Quand des couples s'aiment et sont confrontés à de telles différences, c'est difficile à vivre… Difficile de faire face à la mort d'un être aimé, et, en plus de cela, difficile de faire face aux incompréhensions qui minent le couple.

Les différences hommes-femmes ne s'expriment pas qu'à l'intérieur du couple. Je parle beaucoup de couples parce que ces différences sont ressenties dans une vie maritale avec une forte acuité. Mais j'ai aussi entendu beaucoup de témoignages – j'en cite quelques-uns dans mon livre – à l'association où j'ai accompagné des parents endeuillés par la mort d'un bébé, de jeunes femmes de 25, 27 ou 30 ans qui ne se comprennent plus avec leur père. Là aussi, il y a des paroles très fortes. Certains pères disent parfois des phrases à leur fille qui les choquent terriblement. Je cite le cas de Juliette qui, à peu près un an après la mort de son bébé, se retrouve chez ses parents avec son mari et son frère accompagné de sa femme enceinte. À un moment donné, il y a un instant d'émotion : Juliette étouffe un petit sanglot, une larme coule sur sa joue. Alors, le père fulmine : « Ça suffit ! Un an, c'est assez. Il faut vous tourner maintenant vers le futur. Ma fille, tu dois avoir d'autres objectifs dans ta vie. » Que de paroles d'homme, pour une si jeune femme, paroles tournées vers l'action, le futur, la maîtrise des émotions et la demande induite de taire les larmes !

Je ne porte pas de jugement sur le père de Juliette, il n'y en a pas à porter. Il est plus utile de se situer dans la compréhension mutuelle. Comme l'écrit Annick Ernoult dans le premier livre de témoignages et de réflexions sur la mort des enfants paru en France, un livre intitulé *Apprivoiser l'absence – Adieu mon enfant* (je cite ici de mémoire) : « Dans les couples, il faut des trésors d'amour et de patience. » Il me semble qu'elle a tout à fait raison. On se comprend quand on a des trésors d'amour les uns pour les autres dans une famille : le mari pour la femme, la femme pour le mari, le papa pour la fille et la mère pour le fils. Que de veuves j'ai entendu dire : « Avec mes filles, encore, on peut parler de leur papa, mais avec mes fils, c'est impossible. Dès que je leur parle de leur père, ils sortent, ils claquent la porte. » Les filles n'arrivent pas à parler avec leur père, mais les mères n'arrivent pas non plus à parler avec leurs fils. Je crois qu'il faut laisser les hommes être à leur manière d'homme et les femmes être à leur manière de femme. Dans le respect, dans la tendresse, essayer de s'apporter ce qu'on peut : « Tu as besoin, ma femme, que je t'écoute, peut-être que moi, ton mari, si je sais t'écouter ou simplement te prendre dans mes bras lorsque tu pleures, puisque je sais c'est important pour toi, si je suis au moins assez fort pour te donner ça, cela va t'aider. » Viendra ensuite une autre étape : « Bon, je peux maintenant essayer de ne pas me réfugier dans mon bureau pour rester dans ma coquille, bien tranquille, comme disait Alban. Peut-être que je peux commencer à lever le voile sans avoir l'impression que je vais perdre mon identité d'homme et que j'arriverai ainsi à te dire la souffrance que j'ai aussi. » La femme doit, bien sûr, faire une partie du chemin inverse : « Puisque je peux parler avec toi et que je peux pleurer avec toi, peut-être qu'à un moment donné, il faudra que j'arrête de t'imposer mes émotions. Peut-être qu'alors, je pourrai accepter que tu te réfugies dans ton bureau pour t'occuper, te livrer à un certain nombre d'actions, de diversions qui, je le sais, vont te faire du bien. » Chacun faisant une partie du chemin, on peut un peu mieux se comprendre. Mais ce chemin est rocailleux et escarpé !

Oui, on peut demander à l'homme d'écouter, d'accueillir, mais parler tout le temps, livrer ses émotions, ce n'est pas dans sa manière de faire dans son deuil. Je crois qu'il n'y a pas à forcer sa manière de faire. Alban faisait de la généalogie. Mon mari était photographe, et assise ici sur le canapé, je l'entendais dans son bureau, tout au fond du couloir, où toutes les portes étaient ouvertes, j'entendais le cliquetis des diapositives qu'il triait, qu'il insérait dans les pochettes plastique, et j'étais vraiment excédée par ce bruit-là. Puis, petit à petit, je me suis dit : « S'il ne veut pas parler du deuil de notre bébé, c'est certainement qu'il ne le peut pas. » C'est pour cela que je comprends bien ce que disent les témoins que je cite dans mon livre. Je les comprends bien puisque j'ai vécu aussi cette distance avec le conjoint, cette frustration. Il ne s'agit pas de forcer la manière d'être de chacun, mais de savoir les différences. Et savoir que pour les hommes, cela va être plutôt comme ceci, et pour les femmes, plutôt comme cela, aide beaucoup.

J'accompagne, depuis un an et demi, la femme dans un couple d'endeuillés dont le fils de 27 ans est mort dans un accident de la route. Julien était à moto et une voiture l'a tué. Sa mère me disait récemment : « Si je n'étais pas venue vous voir et si je n'avais pas entendu tout ce que vous m'avez dit sur les différences entre les hommes et les femmes, il y a eu une période de deuil pendant laquelle je ne sais pas si notre couple aurait résisté. » Et cela, parce qu'il y avait une telle différence dans le vécu de son deuil et celui de son mari qui est très « homme », très masculin, très silencieux, qui ne veut pas parler, qui s'est réfugié dans l'action, qui a donné sa démission au travail, qui a changé de région et de maison, et changé de métier. Que de changements en six mois dans la vie de ce couple endeuillé ! Et elle qui a besoin de pleurer, mais qui se reprend, qui essaye de se contrôler parce que son mari a tellement peur que cela tourne à la folie qu'on ne maîtrise plus, à la dépression qu'on ne maîtrise plus... Cette femme a eu besoin d'entendre des paroles sur le deuil capables de lui permettre de prendre patience chez elle, dans son couple. Puis, chacun avançant – elle, par le travail qu'elle fait, entre autres, avec moi, mais aussi seule, grâce à la peinture qu'elle pratique maintenant, ainsi qu'un tas d'autres choses ; lui, par le temps qu'il passe dans l'action pour évoluer aussi dans le deuil de son fils –, ils sont enfin arrivés à se parler un petit peu plus.

Vous dites aussi que la sexualité est au cœur du deuil quand il est question du couple, non ?

Oui, bien sûr. C'est un sujet très important parce que, là aussi, les hommes et les femmes doivent savoir une différence majeure de leur vie affective. Ils l'apprennent déjà en temps « normal », mais je crois qu'ils ne s'en rendent pas assez compte. En temps « normal », donc, un homme découvre assez vite qu'une femme ne peut avoir de relations sexuelles que lorsqu'elle se sent bien, lorsque cela a été dans la journée, lorsqu'il n'y a pas eu de disputes avec le conjoint, lorsqu'il n'y a pas eu de gros soucis au travail. Si la femme est prise émotionnellement par quelque chose qui la tracasse, elle aura du mal à se laisser aller au bien-être de son corps et au désir pour l'autre. L'homme réagit par l'action, et la relation sexuelle est une merveilleuse action, une action qui va lui apporter à la fois beaucoup de détente et beaucoup de maîtrise sur ce qu'il est en tant qu'homme. Quand le chagrin mine l'homme, la sexualité peut souvent le rassurer. En séances de suivi de deuil, certains témoignages expriment une grande douleur chez les femmes : « Moi, je ne peux pas faire l'amour en ce moment, disent-elles, et je me culpabilise de ne pas pouvoir, mais je ne peux pas. Et je me rends compte que ça pose un problème à mon mari. » Des hommes quittent parfois leur femme si le « je ne peux pas » s'étire un certain temps qui leur semble être toujours trop long. Pour la femme, c'est toujours une période trop courte parce que, deux ans de deuil par exemple, pour elle, ce n'est rien. Mais deux ans, pour un homme, sans les relations sexuelles habituelles, c'est beaucoup. La relation sexuelle, c'est symboliquement le désir de la vie, le désir du plaisir, la capacité à jouir de la vie. Et cela, pendant les premiers temps du deuil, c'est effectivement très difficile pour la femme.

Ce vécu attire l'attention sur un aspect précis des différences entre hommes et femmes et qui, méconnu, entraîne une culpabilisation des hommes à tort : il s'agit de la différence dans le rapport au temps. On constate souvent que, un an ou un an et demi après la mort d'une épouse, nombreux sont les hommes qui ont une nouvelle compagne. Souvent – pas toujours, ne généralisons pas –, une veuve ne commence à envisager d'avoir un nouveau compagnon et de nouvelles relations sexuelles que trois, quatre, voire cinq ans après la perte de son mari. J'entends trop souvent dire en pareil cas par toutes sortes de personnes – les relations, les amis, les familles, mais aussi certains psys – : « Il n'a pas laissé assez de temps au deuil » ou « il s'est consolé bien vite. » Le deuil, je crois qu'il se vit aussi avec les choses qu'on fait dans la vie. Et pour un homme, il est souvent important d'avoir une nouvelle relation huit, neuf ou dix mois après la mort de sa femme, il se lance ainsi dans le futur, dans l'action, dans la maîtrise de la vie. Et ce n'est pas parce qu'un homme passe à une nouvelle relation qu'il ne continue pas à évoluer dans le deuil de son épouse. Les femmes, elles, découvrent, en contrepartie, qu'il leur est également possible, à un moment, d'être fidèles au défunt et d'avoir de nouvelles relations sexuelles, d'avoir dans le cœur un nouvel homme, que cela n'est pas une trahison du défunt. La question du rapport au temps dans le deuil est donc excessivement importante à mes yeux et, je crois, très mal connue.

Ce qui m'a intéressée, dans le travail dont fait état mon récent livre, c'est d'aller aussi voir ce qui se disait du côté des neurosciences qui expliquent nos différences à leur manière. Il y a toujours le côté psy en moi qui dit: « Non, non au tout biologique ! C'est le psychisme qui est à l'origine de tout, tout part de lui, tout ne vient qu'après lui. » Et il y a l'autre côté, celui du curieux, de l'intellectuel honnête qui dit: « Non, mais attendez ! Le psy n'explique peut-être pas tout en soi. N'oublions pas qu'on a aussi un corps, un cerveau… Que disent les sciences autres que la psychologie ? » Je ne suis pas du tout spécialiste en la matière, et je ne prétends absolument pas y avoir des compétences, mais je sais voir – du moins j'espère ! – quand un dossier est sérieux ou pas. Je suis donc allée puiser dans des ouvrages et des recherches de neuropsychiatres qui mettent en évidence certaines différences entre les hommes et les femmes quant au fonctionnement du cerveau. Je suis pourtant de la génération qui jugeait autrefois que le débat entre l'inné et l'acquis était à l'avantage de l'acquis et que parler du rôle de l'inné diabolisait tout. Je mesure bien aujourd'hui les risques à tenir un discours sur un tel sujet. Il ne s'agit pas, pour moi, de dire que le cerveau est à l'origine de tout, qu'il explique tout. Mais je trouve tout de même très intéressant d'apprendre que les hommes et les femmes ont peut-être, effectivement, dans la formation de leur cerveau des caractéristiques qui permettent de comprendre certains de leurs comportements, notamment lorsque les hommes se tournent assez rapidement vers une nouvelle compagne, alors que les femmes ont besoin que tout soit réglé psychiquement pour pouvoir se consacrer à un nouvel amour. Les hommes ont, pour leur part, une capacité à séparer les choses de leur vie affective, ce que nous, femmes, nous n'avons pas. Voilà qui est intéressant car si cela s'avère vrai, il est faux de culpabiliser l'un ou l'autre, il est plus juste de comprendre que chacun agit en fonction de ses différences. Notre constitution physique n'est peut-être pas « tout », mais elle n'est peut-être pas « rien » non plus.

Dans cet esprit, j'ai aimé citer aussi Montaigne dans mon livre. Je me suis replongée dans les *Essais* parce que je me suis dit que si Montaigne avait écrit les *Essais* après la mort de son père et la mort de son ami La Boétie, il s'agissait donc d'un livre de deuil. J'ai donc voulu savoir ce que disait Montaigne sur le chagrin de la perte. J'ai trouvé là des pages passionnantes et, à un moment donné, je suis tombée sur ces mots en ancien français : « Et je pleurerais bien si je sçavois pleurer. » Alors, je me suis dit : « Tiens, ça c'est intéressant ! Ça veut dire qu'il y a des hommes qui n'ont pas accès aux larmes aussi facilement que nous, les femmes. » J'ai poursuivi mes recherches pour découvrir que Montaigne n'était pas le seul à dire cela ! J'ai trouvé des contemporains qui parlent aussi de cela. C'est ainsi que, petit à petit, j'ai approfondi les recherches en neurosciences qui nous montrent des pistes nouvelles de compréhension des différences hommes-femmes dont le domaine du deuil peut tirer profit.

Josée Blanchette

Fidèle comme la mort

J'aime la mort parce qu'elle est fidèle même si elle ne prend pas souvent rendez-vous. Parfois elle s'annonce, parfois non, toujours elle surprend, trop tôt ou trop tard.

La mort, c'est le cadre qui rend un tableau encore plus éclatant.

Le cadre met en valeur le paysage de Monet, les pointillés de Seurat. Le cadre encadre, contient, délimite. Et c'est précisément ce que fait la mort avec nos vies : elle les illumine, leur prête vie. Elle rend toutes choses belles, meilleures, fragiles, fuyantes, insaisissables.

Elle nimbe chaque objet, chaque être, chaque moment important d'une nostalgie anticipée. On se prend à regretter d'avance ce qui ne sera jamais, ce qui a été ou ne sera plus.

Quant à QUI ne sera plus, personne n'y échappe et heureusement.

Le vrai problème consiste à y échapper le plus longtemps possible, si j'ai bien compris le jeu.

De toute façon, les gens éternels, j'en ai connu, et j'ai remarqué qu'ils finissent par se lasser. Imaginez si tous les vieux grincheux étaient éternels. Vaut mieux en finir un jour, c'est plus sage.

La mort insuffle un peu d'hélium, même aux vies les plus terre à terre, leurs dernières minutes de gloire même à ceux qui avaient tout leur temps et l'attendaient de pied ferme. C'est le point d'orgue, le chant du cygne.

On dit qu'on accepte mieux l'idée de mourir en sachant qu'on a aimé, été aimé, qu'on a compté, réussi sa vie, procréé. Est-ce que cette vie a été utile, a changé quelque chose? Est-ce que cette vie mérite de s'attarder au bilan?

Moi, j'accepte mieux l'idée de vivre parce que je sais qu'un jour, tout se terminera dans un cul-de-sac, qu'il y aura une pause, mieux, une fin à cette histoire. La mort donne un sens, un sens unique.

L'idée de mourir, bien qu'abstraite, m'aide à tirer un bilan au jour le jour, à prendre le pouls du malade. Car vivre est une maladie, la preuve, dit-on, on en meurt.

La mort, ma mort, celle des autres, me rend toutes choses plus précieuses, et du même coup, me rend humble. Je ne contrôle donc rien? Non, apparemment. La mort magnifie l'amour, console du chagrin, nous épaule en nous donnant un aperçu du générique de la fin.

Le chaud a besoin du froid
Le jour de la nuit
Le bruit du silence
La vie de la mort...

Combien de gens ai-je vus renaître grâce à la mort, celle des autres, forcément, et même la leur, puisqu'ils en devenaient plus grands, toutes fautes pardonnées. Parfois une fatalité devient une opportunité, l'élan qui manquait ou l'avertissement qu'on refusait d'entendre.

Non, le plus difficile dans la mort, ce n'est pas de mourir, c'est de renoncer. Le plus difficile, c'est le deuil de soi et des autres, le deuil de la seule chose qu'on connaisse même si elle nous blesse à mort, le deuil de la vie, le deuil de l'amour, le deuil des sens et du non-sens de la vie.

Le plus difficile, peut-être, c'est de mourir sans laisser de traces...

Jim Corcoran

Ce qui a précédé ma naissance est aussi mystérieux et fascinant pour moi que ce qui pourra suivre mon dernier souffle.

Si je n'étais rien avant ma conception, il est probable que lorsque je m'éteindrai, je retournerai à ce même serein rien, autrement nommé, la mort.

J'étais donc mort d'abord, et enfin, à la fin, je serai mort encore.

Entre-temps, entre mes riens, je vais et je viens.

Entre mes deux morts, j'aurai eu une vie qui, malgré moi, ne m'aura jamais pleinement appartenu.

On a choisi mon nom, mon sexe, mon dieu, mes démons, mon ADN, mon alphabet, mes chiffres, mes peurs, mes culpabilités.

Je n'ai jamais pu pleinement me construire depuis l'intérieur puisqu'on m'a fait de l'extérieur.

Ce que j'ai... ce que j'ai eu, m'a été donné, même imposé.

Ce que je pense... ce que j'ai pu penser m'a été fortement proposé.

Qui je suis... qui j'ai pu devenir a été forgé, façonné, modelé par d'encombrants rituels, de lourdes et souvent vides croyances, de redondants folklores et de poussiéreuses traditions.

Je me suis nommé avec le lexique de l'autre... avec sa syntaxe à lui.

Je me voulais droit et debout, mais il me fallait les poutres, le sous-sol, le sous-ciel de l'autre.

Ma vraie naissance sera peut-être un bref et vif éveil à l'instant de la fin.

Le temps d'un éternuement, une vive conscience du vrai. Une idée tout à fait et non tout à fiction « à moi » « de moi ». Un petit instant lumineux détaché, pour la première fois, de l'aliénante ribambelle judeo, islamo, hindo, sikh, zen, buddo, talibo, al quaido, bo bo... un serein « Ah ben, dis donc » et c'est fini et je retourne sans acouphène dans le grand silence du rien... la mort... un large et profond sourire libérateur devant l'approximatif et le farfelu de tout ce que j'ai gobé dans ce coup d'vent qui était mon temps entre mes riens... entre mes morts.

Si l'instant de ma mort ne m'appartient pas plus que le tourbillon frénétique et fragmenté de mon vécu, je n'aurai jamais eu une libre vision de ce qu'est être.

Clémence Desrochers

La chatte surprise

On ne pleure pas pour une chatte
Qui a brisé sa patte,
On ne pleure pas pour une chatte
Qui a perdu sa queue.

Je ne pleure pas, je vois encore
Sa tête sur ma main
Le long du chemin
Qui l'a menée au silence.
Je ne pleure pas, j'y pense.
Son poil sentait la fougère,
Elle dormait dehors en hiver,
Revenait vers nous le matin.
Timide comme un orphelin
Sous le fauteuil du salon,
La forêt la changeait en lion.
Petit paquet de vie
Ton dernier long cri
Me glace…

Tu ne prends plus ta place
Sur le vieux chandail de mon père,
Parti lui aussi cet hiver
Comme toi, comme l'amie Lise.
Cet hiver me brise,

J'ai mal à ma vie,
Je ne pleure pas : je crie !

* Éditons : Galoche/La Rochelle

Suzanne Jacob

Le moment venu

Il manque un mot dans la langue pour parler d'une manière de s'éteindre qui n'est ni le suicide, ni l'euthanasie, ni la mort assistée. Cette manière tient à celle des flammes des bougies qui bleuissent doucement en se tassant de plus en plus contre l'âme de leur mèche, jusqu'à l'instant où elles s'envolent en une petite fumée âcre, ne laissant qu'un léger poids d'ombre flotter dans l'air. Ce n'est ni tragique ni dramatique, ni moral ni immoral, aucune règle ne s'applique, on ne peut pas en faire un débat de société. Et c'est peut-être la sagesse de cette manière de mourir que de se soustraire à un mot qui l'encerclerait, qui l'enfermerait dans sa loi. C'est peut-être la sagesse de ce choix que de devoir rester tacite, à la frontière du tabou, hors des limites du droit, de la religion et de la morale. Ça se pratique beaucoup en douce pour éviter l'enfer du sixième de l'Hôtel-Dieu. Sans rien demander à personne, on cesse de s'alimenter. Ou on s'infuse une tisane dont le secret n'est pas perdu. On s'éteint de mort naturelle préméditée. Ce serait mon premier choix si j'étais certaine de parvenir seule à cette lucidité qui décide du moment venu.

Parmi les morts que je connais, il y a Joseph qui a voulu mourir comme un chien. Il avait toujours voulu anéantir les chiens. Il y a ton père, dans la chambre mitée où il s'est laissé gruger par la télé. Tu m'as dit un jour qu'il était mort comme un chien. Mais qu'est-ce qu'ils ont, les chiens ?

Lauréanne Morin et Thierry Hentsch sont les deux seuls êtres que je connaisse qui aient transformé leurs derniers jours en une fête de l'amitié qui les nouait au monde. Raconter, chanter, rire, sangloter, c'est l'ivresse d'être au monde. Ils l'ont fait. Ce serait mon deuxième choix, mais il faut l'imminence du départ pour y arriver. Comment savoir qui on sera, le moment venu ?

Quelle que soit la manière qu'on espère, il me semble qu'il faut arriver à identifier la manière qu'on a de mourir quand on s'endort, quand on est malade, quand on meurt de chagrin, d'amour, d'ennui. On meurt si souvent. Moi, par exemple, je suis née à l'époque où les fours nazis tournaient à plein régime, et de ma vie, je n'ai pas cessé de mourir, révoltée de ces morts-là et de toutes les autres qui ont suivi, un corps retrouvé nu dans une poubelle de Montréal-Nord, un banc de poissons le ventre à l'air, le sang des oies zébrant les toiles de Riopelle, quatre Afghanes au fond du canal, tu meurs, tu meurs, ça n'arrête pas.

Alors qu'est-ce qu'ils ont, les chiens ? Savent-ils mieux que nous qu'ils sont vivants, contrairement à nous qui agissons comme si nous ne la sentions pas, la vie, la vie. Nous l'éventrons, nous lui arrachons le cœur sans jamais lever les yeux ni les fermer pour remercier. Remercier qui ? Notre avidité est totale. Mais qu'est-ce qu'ils ont, les chiens ?

Le moment venu, ils sont reconnaissants.

Yvon Jean

La vie jusqu'au bout, mourir autrement…
En décrivant le noir, le sombre, l'imperceptible
Le poète survit, vit à travers sa poésie
Il ne veut que décrire la vie et son impossible
Au travers d'une rime, métaphore infinie

Il se trompe souvent de trop avoir raison
On lui impute des phrases mal citées
Mais il ne siège point dans l'inaction
Ses strophes, vers s'élèvent à sa postérité

Il se sent vivre dans l'extrême doute
En ses rêves alors plonge et se noie
Toutes ses phrases friment, qu'il tant redoute
Et il se sent revivre du bout de ses doigts

Qui remplissent ces blanches encrées pages
De tout cet art qui en ses veines coule
Annonçant fin, toutes décrivant présage
D'une vie vécue, seul parmi la foule

Et il vivra ainsi seul jusqu'au bout
Seul à pouvoir comprendre, nommer l'autre
Voilà bien là le lot de son talent fou
Celui d'un poète, sans être de sa faute

La vie jusqu'au bout, au bout de soi
Quitte à mourir d'avoir trop vécu
Vivre jusqu'à la fin de son désarroi
Dire et écrire, ceux qui se sont tant tus

Vivre pour ceux qui ne vivront jamais
Autrement que par sa fulgurante plume
Noircir feuille, papier, tout d'un trait
Que mémoire leur soit rendue, hommage posthume

Vivre jusqu'au bout, mourir autrement
Par des maux laissés, il les encrera
En notre collective inconscience, éternellement
Parole de poète… la vie jusqu'au bout… enfin vivra.

Daniel Lavoie

Puisqu'il est vrai que nous vivons tous avec notre fin, nous vivons donc avec la fin de tout.

Il est vrai aussi que, avant la cinquantaine, nous pensons plus à vivre qu'à mourir. Il est indiscutable qu'un jour, l'absurdité de notre quête nous frappe de plein fouet.

Il est indéniable que, malgré la joie de vivre, les optimismes ou la force vitale, vieillir est.

Il est prouvé que la déchéance inévitable peut être occultée quelque temps avec des drogues, et que l'attitude que nous avons devant tout cela nous définit.

Il est aussi de sagesse populaire que la foi aide beaucoup ceux qui tremblent devant l'incompréhensible. Mais nous savons aussi que croire aveuglément à un Dieu père et aimant n'est pas à la portée de tous.

Donc, donc, je vous en prie, foutez-moi la paix avec votre morale à la con.

Ma vieille carcasse condamnée, décadente et souvent triste, est ma seule source d'amour, ma seule fenêtre sur la beauté du monde. Je me la fais comme je veux, quand je veux, et autant que je peux. Et quand j'aurai épuisé ma réserve de temps et de vie, je partirai sans vous déranger, sans même vous avertir.

Daniel Lavoie

Je suis un vieux loup.
Et je veux mourir seul, sur la steppe.

Je voudrais m'éloigner de tout ce qui bouge et me tourner les yeux vers le ciel.

Ce sera, je l'espère, la nuit. Une nuit si claire qu'on pourra voir au-delà des étoiles et jusqu'au fond de ce cher univers. Je dis cher, comme je dirais ma mère. C'est de lui que je suis, à lui que je retourne. Ma poussière, poussière interstellaire. Je suis heureux de vivre dans ce monde perdu et si loin que personne ne le trouve.

Mais quand viendra l'heure où je ne le pourrai plus, je ne serai pas malheureux de quitter cette terre pour redevenir terre.

L'envers, de l'envers, de l'envers.

Pierre Légaré

Avant de vivre, de vivre vraiment, il y a pas juste l'école primaire à finir, le secondaire, le collégial, l'université pis le diplôme.

Il y a pas juste la job à trouver, les dettes d'études à rembourser. Il y a pas juste l'hypothèque, il y a pas juste le char à assurer, la laveuse qui a coulé, l'écran géant qui vient de sortir.

Avant de vivre, de vivre vraiment, il y a pas juste les couches à changer, les broches dans la bouche; l'après-midi, la soirée pis une partie de la nuit à l'urgence pour ce qui était finalement juste une gastro.

Il y a pas juste le zoo à visiter, les glissades d'eau, le Cirque du Soleil, Imax pis le tour de la Gaspésie. Il y a pas juste le bal de finissants de l'aînée, le coup de main qu'on va lui donner pour payer son appart pis son premier char. Il y a pas juste le bac de la deuxième, le mariage de la plus vieille pis le troisième qui s'en va en appart à son tour, pour étudier lui aussi.

Avant de vivre, de vivre vraiment, il y a pas juste les funérailles des mononcles pis des matantes qui partent un après l'autre, la grand-mère qui se décide pas à partir, un petit-fils qui arrive pis « sortez juste toué deux, c'correct on va le garder ».

Il y a pas juste les cadeaux à trouver à chaque Noël, notre tour à recevoir, les anniversaires à ne pas oublier, un deuxième petit-fils à gâter, le gazon à couper, les plates-bandes à sarcler, la retraite qui arrive pas.

Avant de vivre, de vivre vraiment ? Il y a pas juste ça.

Il y a surtout eu tous les « tu peux pas », les « il faut que », les « ça se fait pas ».

Les principes, les croyances, le raisonnable, le p'tit pain pour lequel on t'a dit que t'es né, tous les « tu devrais » pis les « j'aurais donc dû ».

Y a le choix qu'on s'est dit qu'on n'avait pas et y a l'oubli qu'on avait chaque fois le choix de le croire ou pas.

Y a le mal de tête, le mal de cœur, le mal de dos d'en avoir plein le dos.

Sans t'en rendre compte, tu passes ton temps à mourir ta vie.

La mort ? C'est quand t'arrêtes de mourir.

Chloé Sainte-Marie

Propos recueillis par Aimée Verret

La mort me fait peur. La mort est une effraie, une chouette qui me perce les yeux, me picore le cœur. La mort me laisse sans voix.

Son ombre ne me quitte pas d'une semelle. Elle était déjà là dans mon enfance, dans la tête de mon père, sous ses paupières quand il priait et dans ses mains, ses grandes mains de boucher.

J'ai cru lui échapper en m'enfuyant loin, en voyageant sans cesse. Je me suis cachée dans les bras d'un homme. Je pensais qu'à nous deux, on y arriverait, on serait les plus forts. Parce que Gilles, lui, existe plus fort que tout. Je suis sûre que c'est lui qui fait peur à la mort ! Elle n'a toujours pas remporté sa lutte contre lui, mais elle a trouvé le moyen de s'immiscer dans notre vie. Je pense à elle chaque jour depuis 17 ans.

La mort, pour moi, est l'échec. Une perte totale de contrôle. Voir sa propre vie éventrée : la maison vide, portes et tiroirs ouverts, les vêtements éparpillés sur le plancher. C'est le partage des possessions du mort, le mort qui n'a même plus de nom. Muet et aveugle, il ne peut rien devant le saccage de son intimité. Ses lettres sont lues, ses photos exhumées, réinterprétées. Son entourage balaie toute trace de son passage. Chez l'Indien, on laisse son univers intact, le temps que s'écoulent quatre saisons, le temps que les fureurs s'apaisent.

Après notre décès, nous serons pleurés, remémorés, célébrés par nos proches. Mais qui honorera vraiment notre mémoire, qui respectera nos volontés, qu'elles soient les dernières ou celles dont nous avons témoigné toute notre vie? Qui portera notre voix après nous, alors que nous poursuivrons notre voie au pays des esprits? Car la volonté des morts, c'est d'abord la volonté des vivants.

Je ne laisserai pas la mort me réduire au silence.

Roger Tabra

La mort

C'est les gens qui m'appellent comme ça: l'homme qui parle aux cimetières.

Pas DANS mais AVEC tout ça parce que je les fréquente, ces grands jardins calmes et silencieux, je les fréquente souvent j'y suis bien j'y suis au repos je choisis un banc et je m'y repose. J'aime passer ainsi de longues heures avec ou sans lecture à contempler seul et serein le temps qui passe. Je suis bien je suis sans hâte et sans chagrin je suis dans le gris de la pierre immobile avec certains de mes amis que nul ne peut voir que moi. Les morts on ne peut les voir qu'avec les yeux de la mémoire et mes amis je les vois encore je les vois aussi fort que je les aime encore Élisa, Pierre, Max, Alain, Nelly de ma jeunesse, vous êtes si nombreux à traîner dans les allées de l'éternité à m'attendre et je n'attends plus que vous.

C'est peut-être vrai que je parle aux cimetières que je suis le voisin de la mort et qu'elle ne me fait pas peur c'est peut-être vrai tout ça que vous errez à jamais dans les champs du grand silence et que nos discussions n'en finissent pas. C'est peut-être vrai aussi que vous n'existez plus mais que vous me rendez heureux de votre présence immuable.

La mort, j'en suis le fiancé depuis que je l'ai vue un soir de mon enfance comme je suis le fiancé de la pluie son passager fidèle et silencieux également. Je l'ai vue on m'a dit tu devrais dormir c'est rien allez dors. J'ai dormi je me suis réveillé personne ne m'en a plus parlé c'est comme si j'avais fait un drôle de rêve. Comme si j'avais rêvé d'une femme et que c'était pas de mon âge.

On ne s'est plus quitté je la porte en moi dans mes voyages dans mon écriture comme une étrange blessure. Je ne la vois plus vraiment elle semble tellement occupée, mais j'ai souvent de ses nouvelles par les copains qui s'en vont là-bas et puis je me dis que fatalement elle passera me voir, je suis sur sa route.

Je parle aux cimetières, je demande après elle et quelques fois je l'entends elle chante.

La mort chante souvent et je l'écoute, c'est une artiste aussi et j'aime les artistes, les vrais, ceux dans son genre, et je lui ai déjà dit j'aime beaucoup ce que vous faites. Elle a souri.

Elle n'est pas celle que l'on croit, une dame en noir avec un long voile de sanglots, une dame sans visage qui se promène armée d'une faux une chasseresse d'âmes elle n'est pas sans humour oh non elle est même plutôt drôle des fois.

Quand on la connaît un peu mieux.

Comme une amie une vieille compagne de route une tendre complice une étrange maîtresse.

Pis je la trouve belle j'ai toujours trouvé belles celles que j'aimais belles d'une manière ou d'une autre mais elle c'est différent sa grande beauté il faut la chercher longtemps la découvrir sans hâte la dénuder silencieusement sans gestes inutiles. Sa grande beauté il faut la mériter comme la douceur d'un long baiser d'amour et lui dire je suis bien avec toi.

Je suis bien avec elle avec la mort on se parle sans faire de bruit sans élever nos voix tous les deux en paix sur ce banc de pierre d'où nous regardons vers nulle part les gens qui passent ne voient que moi c'est étrange c'est peut-être pour ça qu'ils m'appellent celui qui parle aux cimetières ils doivent penser que je suis un autre fou en cavale qui s'est réfugié là parce que c'est pratique de parler seul de rester assis pendant des heures les yeux au loin alors ils ne me parlent pas non plus. Je crois qu'ils respectent mes prières muettes et mon regard privé d'yeux. Les humains sont tellement étranges.

On croirait qu'ils rêvent.

L'amour les tient encore aux tripes mais ils ne savent pas et c'est tant mieux.

La mort ils ne la savent pas ou alors au cinéma dans les commissariats de police où sur les pierres tombales qu'ils viennent refleurir le dimanche de LEURS larmes pas celles, de la vie qui a mal non non de LEUR douleur et puis on rentre chez soi et on trace une petite croix sur le calendrier dans la cuisine pas oublier dimanche prochain on sait jamais.

La mort mais ça ne s'oublie pas dieu nous en garde.

Je passe comme ça beaucoup d'heures ici je ne m'ennuie jamais j'ai de la compagnie et j'aime ça et j'aime être là où je suis

Nulle part

Personne

Une ombre gisant dans son royaume

En paix.

« Frères humains qui après nous vivez… »

Les gens m'appellent l'homme qui parle aux cimetières

pluriel

singulier

ça changerait bien des choses.

Table des matières

Entrevues

Textes complémentaires